A última festa

A última festa

Lucy Foley

Tradução de Marina Vargas

Copyright © 2019 by Lost and Found Books Ltd.

TÍTULO ORIGINAL
The Hunting Party

REVISÃO
Marcela de Oliveira
Mariana Bard

DIAGRAMAÇÃO
Ilustrarte Design e Produção Editorial

CIP-BRASIL. CATALOGAÇÃO NA PUBLICAÇÃO
SINDICATO NACIONAL DOS EDITORES DE LIVROS, RJ

F699u
    Foley, Lucy
        A última festa / Lucy Foley ; tradução Marina Vargas. - 1. ed. - Rio de Janeiro : Intrínseca, 2019.
        304 p. ; 23 cm.

        Tradução de: The hunting party
        ISBN 978-85-510-0572-9

        1. Ficção policial. 2. Ficção inglesa. I. Vargas, Marina. II. Título.
19-59537
                                        CDD: 813
                                        CDD: 82-312.4(410.1)

Meri Gleice Rodrigues de Souza - Bibliotecária CRB-7/6439

[2019]
Todos os direitos desta edição reservados à
EDITORA INTRÍNSECA LTDA.
Avenida das Américas, 500 - Bloco 12 – Sala 303
22640-100 – Barra da Tijuca
Rio de Janeiro – RJ
Tel./Fax: (21) 3206-7400
www.intrinseca.com.br

Para AC, meu parceiro no crime.

*Deve um velho amigo ser esquecido
E nunca mais se pensar nele?*

PRESENTE
2 de janeiro de 2019

Heather

Vejo um homem se aproximar em meio à neve que cai. À distância, através de uma cortina branca, ele quase não parece humano, é mais um vulto.

Conforme se aproxima, percebo que é Doug, o guarda-caça.

Noto que anda apressado em direção à sede, tentando correr. Mas toda aquela neve o impede. Ele tropeça a cada passo. Algo ruim aconteceu. Sei disso mesmo sem conseguir ver seu rosto.

Quando chega perto, percebo que sua expressão está congelada pelo choque. Conheço essa fisionomia. Já a vi antes. É o semblante de alguém que testemunhou algo horrível, algo que vai além dos limites de uma experiência humana normal.

Abro a porta da sede e o deixo entrar. Uma lufada de ar congelante e um monte de neve entram com ele.

— O que aconteceu? — pergunto.

Há um momento — uma longa pausa — durante o qual ele tenta recuperar o fôlego. Mas seus olhos se antecipam e contam a história por ele, uma comunicação muda de horror.

Finalmente, ele fala:

— Encontrei a pessoa desaparecida.

— Bem, que ótimo — digo. — Onde...
Ele balança a cabeça, e sinto a pergunta morrer em meus lábios.
— Encontrei um corpo.

TRÊS DIAS ANTES
30 de dezembro de 2018

Emma

Ano-Novo. Todos nós juntos pela primeira vez em séculos. Eu e Mark, Miranda e Julien, Nick e Bo, Samira, Giles e a filhinha deles de seis meses, Priya. E Katie.

Quatro dias no meio da floresta das Terras Altas escocesas em pleno inverno. Loch Corrin é o nome do lugar. Muito exclusivo: por ano, apenas quatro grupos têm permissão para se hospedar lá — o lugar é uma residência particular no resto do tempo. Essa época, como você deve imaginar, é a mais popular. Tive que reservar basicamente no primeiro dia de janeiro, assim que as reservas foram abertas. A mulher com quem falei me garantiu que, como nosso grupo ocuparia a maior parte das acomodações, provavelmente ficaríamos com o local só para nós.

Tiro o folheto da bolsa outra vez. Papel grosso, coisa cara. Um lago cercado de abetos, picos rosados surgindo ao fundo, embora já devam estar cobertos de neve a essa altura. De acordo com as fotos, a sede — a "Nova Sede", como a propaganda a descreve — é uma grande construção envidraçada, ultramoderna, projetada por um arquiteto famoso que recentemente idealizou o pavilhão de verão da Serpentine Gallery. Acho que a ideia era que a construção parecesse se fundir com as águas calmas do lago, refletindo a paisagem e as linhas inflexíveis do grande cume, o Munro, erguendo-se atrás.

Ali perto, diminuídas pelo aspecto monumental da sede, é possível ver um pequeno aglomerado de casas que parecem se aconchegar umas às outras para se aquecer. São os chalés; há um para cada casal, mas vamos nos reunir para fazer as refeições na sede, a construção maior que fica bem no meio. A não ser pelo jantar típico das Terras Altas, na primeira noite — "uma degustação de produtos locais da estação" —, vamos preparar nossas refeições. Eles compraram comida para mim. Enviei uma longa lista com antecedência — trufas frescas, *foie gras*, ostras. Planejei um verdadeiro banquete para a noite de Ano-Novo e estou muito animada. Adoro cozinhar. A comida aproxima as pessoas, não é mesmo?

Esta parte do trajeto é especialmente tensa. De um lado, há o mar, e de tempos em tempos a terra recua, dando a impressão de que um único movimento em falso pode nos fazer despencar do precipício. A água é cinza--ardósia e parece agitada. Em uma campina no topo do penhasco, ovelhas se aglomeram em bando como se também tentassem se manter aquecidas. Dá para ouvir o vento; volta e meia ele se choca contra as janelas, e o trem estremece.

Todos os outros parecem ter pegado no sono, até mesmo a bebê Priya. Giles chega a roncar.

— Vejam — tenho vontade de dizer —, vejam como é bonito!

Planejei esta viagem, então tenho uma sensação de que ela me pertence — a preocupação de que as pessoas se divirtam, de que as coisas possam dar errado. E também uma espécie de orgulho dos pequenos sucessos... Como este: a beleza selvagem do lado de fora da janela.

Não me surpreende que estejam todos dormindo. Acordamos muito cedo hoje de manhã para pegar o trem — Miranda pareceu particularmente irritada com o horário. E então todos começaram a beber, claro. Em algum ponto perto de Doncaster, Mark, Giles e Julien foram até o carrinho de bebidas, mesmo sendo onze da manhã. Todos ficaram alegremente embriagados, afetuosos e barulhentos (as pessoas sentadas perto não pareciam satisfeitas). Eles passam a impressão de conseguir retomar a camaradagem espontânea de muitos anos atrás, não importa quanto tempo tenha transcorrido desde que se viram pela última vez, sobretudo depois de algumas cervejas.

Nick e Bo, seu namorado americano, não estavam incluídos nesse clube do bolinha, porque Nick não fazia parte do grupo deles em Oxford... Embora

Katie já tenha dito que não é apenas por isso, mas por uma homofobia velada dos outros homens. Acima de tudo, Nick é amigo de Katie. Às vezes tenho a nítida impressão de que ele não gosta muito da gente, que nos tolera apenas por causa dela. Sempre suspeitei de que havia certa frieza entre Nick e Miranda, provavelmente porque ambos têm personalidade muito forte. No entanto, hoje de manhã eles pareciam unha e carne, passando apressados pela multidão na estação de trem, de braços dados, para comprar "suprimentos" para a viagem — o que se revelou ser uma garrafa bem gelada de Sancerre, que Nick tirou de uma bolsa térmica diante dos olhares um pouco invejosos dos que bebiam cerveja.

— Ele tentou comprar aquelas latinhas de gim-tônica — nos contou Miranda —, mas não deixei. Temos que começar como queremos continuar.

Miranda, Nick, Bo e eu tomamos vinho. Até Samira decidiu beber uma tacinha, no último minuto, comentando:

— Várias pesquisas novas dizem que você pode beber quando está amamentando.

De início, Katie balançou a cabeça; ela estava bebendo uma garrafinha de água com gás.

— Ah, por favor, Kay-tee — implorou Miranda, com um sorriso charmoso, oferecendo-lhe uma taça. — Estamos de férias!

É difícil recusar quando Miranda tenta persuadi-lo a fazer qualquer coisa, então Katie aceitou, é claro, e tomou um gole tímido.

As bebidas ajudaram a suavizar um pouco o clima; tinha ocorrido uma pequena confusão com os assentos quando entramos no trem. Todos estavam cansados e irritados, tentando resolver a questão meio que de má vontade. Descobrimos que um dos nove assentos da reserva tinha de alguma forma sido marcado no vagão seguinte, completamente isolado. O trem estava cheio, por causa do feriado, então não havia possibilidade de rearrumar as coisas.

— Obviamente é o meu — disse Katie.

Katie é a única de nós que está viajando sozinha, que não tem um parceiro. De certa forma, acho que posso dizer que hoje ela é mais intrusa do que eu.

— Ah, Katie — falei. — Me desculpe... Estou me sentindo uma idiota. Não sei como isso foi acontecer. Eu jurava que tinha reservado todos os lugares no meio, para tentar garantir que todo mundo ficasse junto. O sistema deve ter mudado os assentos. Olha só, pode sentar aqui... Eu vou para o outro vagão.

— Não — disse Katie, erguendo a mala, um pouco desajeitada, por cima da cabeça dos passageiros que já estavam em seus assentos. — Não faz o menor sentido. Eu não ligo.

O tom dela sugeria o contrário. *Pelo amor de Deus*, eu me peguei pensando. *É só uma viagem de trem. Faz tanta diferença assim?*

Os outros oito assentos ficavam uns de frente para os outros em torno de duas mesas no meio do vagão. Logo adiante, havia uma senhora sentada ao lado de um adolescente cheio de piercings — dois viajantes solitários. Parecia improvável que conseguíssemos fazer alguma coisa para resolver aquela confusão. Mas então Miranda se debruçou no banco para falar com a senhora, o cabelo brilhoso como uma cortina dourada, e fez sua mágica. Eu vi como a mulher ficou encantada com ela: a aparência, o sotaque lapidado — quase uma relíquia. Quando quer, Miranda consegue exercer um encanto *poderoso*. Todos que a conhecem já foram alvo de seus feitiços.

Ah, sim, disse a mulher, claro que ela trocaria de lugar. O vagão seguinte devia inclusive estar mais tranquilo.

— Vocês, jovens! — disse ela, embora nenhum de nós seja mais tão novo assim. — E eu prefiro mesmo me sentar virada para a frente.

— Obrigada, Manda — disse Katie, com um breve sorriso.

(Ela soou grata, mas o sentimento não parecia exatamente verdadeiro.)

Katie e Miranda são melhores amigas há séculos. Eu sei que elas não têm se visto muito ultimamente; Miranda diz que Katie anda ocupada com o trabalho. E como Samira e Giles estão presos na terra dos bebês, Miranda e eu temos passado mais tempo juntas do que nunca. Fazemos compras, saímos para beber. Fofocamos. Comecei a sentir que ela me aceitou como *amiga*, e não apenas como a namorada de Mark, que só entrou para o grupo quase uma década depois dos outros.

No passado, Katie estava lá para usurpar meu lugar. Ela e Miranda sempre foram inseparáveis, a tal ponto que pareciam mais irmãs do que amigas. Antes eu me sentia excluída por toda essa proximidade e todo o passado que as duas compartilhavam. A intimidade delas não deixava espaço para nenhuma amizade nova. Então, uma parte secreta de mim está... bem, muito satisfeita.

Realmente quero que todos se divirtam nesta viagem, que seja um sucesso. A viagem de Ano-Novo é um acontecimento importante. Eles fazem essa viagem todos os anos. Já faziam muito antes de eu entrar em cena. E acho que, de certa forma, planejar esta viagem é uma tentativa um tanto patética de provar que realmente faço parte do grupo. De dizer que eu deveria finalmente ser aceita em seu "círculo íntimo". Era de se esperar que três anos — o tempo que Mark e eu estamos juntos — fossem o suficiente para isso. Mas, não. Eles todos se conhecem há séculos: de Oxford, onde viraram amigos.

É complicado — qualquer um que já tenha estado nesta situação vai entender — ser o último a entrar para um grupo de amigos de longa data. Parece que vou ser para sempre a garota nova, não importa quantos anos se passem. Sempre serei a última a ter entrado, a intrusa.

Olho novamente para o folheto no meu colo. Talvez esta viagem — planejada com tanto cuidado — mude as coisas. Prove que eu sou um deles. Estou muito animada.

Katie

Então estamos aqui, finalmente. E, no entanto, tenho uma súbita vontade de estar de volta à cidade. Até minha mesa no escritório seria uma opção melhor. A estação de Loch Corrin é risivelmente minúscula. Uma plataforma solitária, com a encosta de aço da montanha se erguendo por trás, o topo encoberto pelas nuvens. O letreiro-padrão da National Rail parece uma piada. A plataforma está coberta por uma fina camada de neve, nem uma única pegada perturbando o branco perfeito. Penso na neve de Londres — em como ela fica suja quase imediatamente depois de cair, pisoteada por milhares de solas. Se eu precisasse de mais alguma prova de como estamos distantes da cidade, seria esta: o fato de que a neve não foi pisada por ninguém, muito menos retirada. Totó, acho que não estamos mais no Kansas. Passamos por quilômetros e quilômetros desta paisagem selvagem quando estávamos no trem. Não me lembro da última vez que vimos uma estrutura construída pelo homem antes desta, muito menos uma pessoa.

Caminhamos com cautela pela plataforma congelada — dá para ver o brilho do gelo negro em meio à neve — e entramos na minúscula estação. Parece completamente deserta. Eu me pergunto com que frequência a SALA DE ESPERA, com seu letreiro pintado e sua estante de livros, é usada.

Passamos por uma cabine com um guichê de vidro sujo: uma bilheteria, ou um pequeno escritório. Dou uma espiada, fascinada com a ideia de haver um escritório bem aqui no meio de toda essa natureza selvagem, e fico ligeiramente surpresa quando me dou conta de que não está vazio. Na verdade, tem alguém sentado lá dentro, na penumbra. Consigo ver apenas a silhueta: ombros largos, curvados, e então o breve reluzir de olhos que nos observam enquanto passamos.

— O que foi? — Diante de mim, Giles se vira.

Com a surpresa, devo ter feito algum barulho.

— Tem alguém lá dentro — sussurro. — Um guarda ferroviário ou algo do tipo... Só tomei um susto.

Giles espia pelo vidro do guichê.

— Tem razão. — Ele finge tocar na borda do chapéu imaginário em sua cabeça careca. — Uma bela manhã para vocês — diz ele, com um sorriso e um sotaque irlandês.

Giles é o palhaço do grupo: adorável, bobo — às vezes até demais.

— A gente está na Escócia, seu idiota — diz Samira, carinhosamente.

Esses dois fazem tudo carinhosamente. Nunca tenho tanta consciência de como estou encalhada quanto nos momentos em que estou com eles.

O homem no guichê não responde de início. E então, lentamente, ergue uma das mãos em uma espécie de cumprimento.

Há um Land Rover esperando por nós: modelo antigo, coberto de lama. Vejo a porta se abrir, e um homem alto sai do carro.

— Deve ser o guarda-caça — diz Emma. — No e-mail dizia que ele viria nos buscar.

Ele não parece um guarda-caça, penso. Mas o que eu estava esperando? Acho que no fundo eu imaginava que ele seria velho. Mas ele provavelmente tem a nossa idade. Deve ser o porte: os ombros, a altura, característicos de uma vida ao ar livre, e o cabelo escuro e desgrenhado. Quando nos recepciona, com um murmúrio baixo, sua voz sai um pouco rouca, como se não fosse usada com muita frequência.

Percebo que ele nos olha de cima a baixo. Acho que não gosta muito do que vê. Será desdém em sua expressão conforme ele observa a imaculada jaqueta impermeável de Nick, as galochas de Samira e a gola de pele de raposa de Miranda? Se for, não quero nem imaginar o que ele acha das minhas roupas de moradora da cidade e da minha mala Samsonite de rodinhas. Quase não pensei no que coloquei na mala, de tão distraída que estava.

Observo enquanto Julien, Bo e Mark tentam ajudá-lo com a bagagem, mas ele os dispensa. Do lado do guarda-caça, eles parecem uns engomadinhos no primeiro dia de aula. Aposto que não gostam muito do contraste.

— Acho que vamos ter que fazer duas viagens — diz Giles. — Não vai dar para acomodar com segurança todos nós no carro.

O guarda-caça ergue as sobrancelhas.

— Como quiserem.

— Vocês, mulheres, vão na frente — diz Mark, em uma tentativa de cavalheirismo. — Nós vamos depois.

Eu espero, constrangida, que ele faça uma piada sobre Nick e Bo serem mulheres honorárias. Por sorte isso não parece lhe ocorrer — ou ele segura a língua. Estamos todos muito bem-comportados hoje, no modo "feriado com os amigos", mais tolerante.

Faz muito tempo que não ficamos todos juntos assim — talvez desde o réveillon passado. Sempre me esqueço como é. Incorporamos com muita rapidez, com muita facilidade, nossos antigos papéis, aqueles que sempre desempenhamos neste grupo. Eu sou a reservada — em comparação com Miranda e Samira, com quem eu dividia apartamento, as extrovertidas. Volto a ser quem era. Todos nós voltamos. Tenho certeza de que Giles, por exemplo, não chega nem perto de ser tão palhaço na emergência médica na qual trabalha como residente sênior. Entramos no Land Rover. O interior do carro cheira a cachorro molhado e terra. Imagino que o guarda-caça tenha o mesmo cheiro. Miranda se senta na frente, ao seu lado. De tempos em tempos sinto uma lufada de seu perfume: forte, defumado, misturando-se estranhamente ao aroma terroso. Só ela era capaz de usar algo assim. Viro a cabeça para respirar o ar fresco que entra pela janela aberta.

De um lado da estrada, uma encosta bastante íngreme desce em direção ao lago. Do outro, embora ainda não esteja escuro, o negrume da floresta já parece impenetrável. A estrada não passa de uma trilha, esburacada e bem estreita, de forma que um movimento em falso pode nos atirar na água lá embaixo ou de encontro aos arbustos. Chacoalhamos pelo caminho, e de repente o carro freia com força. Todos somos atirados para a frente e em seguida de volta para nossos assentos.

— Merda! — grita Miranda, enquanto Priya, que passara o caminho todo em silêncio, começa a berrar nos braços de Samira.

Os faróis iluminam um veado na trilha diante de nós. Deve ter saído das sombras sem que percebêssemos. A enorme cabeça, coroada por uma vasta galhada de aparência ao mesmo tempo majestosa e letal, parece quase desproporcional ao corpo esbelto e acastanhado. À luz dos faróis, seus olhos cintilam com um verde estranho e assustador. Por fim, ele para de nos encarar e se afasta com elegância, sem pressa, em direção às árvores. Ponho a mão no peito e sinto meu coração batendo forte e acelerado.

— Uau — sussurra Miranda. — O que foi aquilo?

O guarda-caça se vira e olha para ela, inexpressivo.

— Um veado.

— Eu quis dizer — retruca ela, um pouco agitada, o que é incomum —, eu quis dizer que tipo de veado.

— Vermelho — responde o guarda-caça. — Um veado-vermelho.

Ele se volta novamente para a estrada. Fim de papo.

Miranda gira o corpo para nos olhar por cima do encosto do assento e murmura sem emitir som:

— Ele é gato, não é?

Samira e Emma fazem que sim com a cabeça. Então, em voz alta, ela diz:

— Você não acha, Katie?

Ela se inclina e cutuca meu ombro, um pouco forte demais.

— Não sei — respondo.

Observo a expressão impassível do guarda-caça no espelho retrovisor. Será que percebeu que estamos falando dele? Caso tenha percebido, não dá nenhum sinal de que esteja ouvindo, mas mesmo assim é constrangedor.

— Ah, mas você sempre teve um gosto estranho para homens, Katie — diz Miranda, rindo.

Miranda nunca gostou de verdade de nenhum dos meus namorados. Um sentimento que, curiosamente, costumava ser mútuo: eu com frequência tinha que defendê-la quando estava com eles.

— Acho que você os escolhe — disse ela certa vez — para serem o anjinho que fica no seu ombro, dizendo: ela não é uma boa companhia, essa aí. Fique longe dela.

Mas Miranda é minha amiga mais antiga. E nossa amizade sempre superou qualquer relacionamento romântico — quer dizer, da minha parte. Miranda e Julien estão juntos desde a faculdade.

Eu não sabia direito o que pensar de Julien quando ele entrou na nossa vida, no fim do primeiro ano. Nem Miranda. Ele era uma espécie de anomalia, em comparação com seus ex-namorados. Devo admitir que houvera apenas um ou dois que servissem de comparação, ambos projetos como eu, nem de longe tão bonitos e sociáveis quanto ela, caras que pareciam viver em um estado permanente de incredulidade por terem sido escolhidos. Mas Miranda sempre gostou de um projeto.

Então Julien parecia óbvio demais para ela, com sua predileção por pobres e desamparados. Ele era impetuosamente bonito, autoconfiante demais. E essas foram palavras dela, não minhas.

— Ele é muito arrogante — disse ela. — Mal posso esperar para fazê-lo engolir essa atitude da próxima vez que ele vier para cima de mim.

Eu me perguntava se ela realmente não percebia como ele espelhava com precisão a arrogância e a autoconfiança dela.

Julien continuou tentando. E todas as vezes ela o repelia. Ele vinha falar conosco — com ela — em um pub. Ou "esbarrava" nela por acaso depois de uma aula. Ou entrava de um jeito casual no bar da sala comum dos estudantes do primeiro ano da nossa faculdade, supostamente para encontrar uns amigos, mas passava a maior parte da noite sentado à nossa mesa, dando em cima de Miranda com uma franqueza constrangedora.

Mais tarde entendi que, quando Julien quer muito alguma coisa, ele não deixa que nada fique no caminho. E ele queria Miranda. Muito.

No fim, ela se rendeu à realidade da situação: também o queria. Quem não ia querer? Ele era lindo, ainda é, talvez ainda mais, agora que a vida aparou um pouco sua perfeição e sua desenvoltura. Eu me pergunto se seria biologicamente possível não desejar um homem como Julien, ou pelo menos não sentir atração por ele.

Eu me lembro de quando Miranda nos apresentou, no Baile de Verão — quando enfim começaram a namorar. Eu sabia exatamente quem ele era, é claro. Tinha testemunhado a saga toda: a caça dele a Miranda, as recusas dela, as tentativas intermináveis dele... até o momento em que ela aceitou o inevitável. Eu sabia muitas coisas a seu respeito. A faculdade que ele frequentava, o que estudava, o fato de que jogava rúgbi. Eu sabia tanto que tinha quase me esquecido de que ele não tinha ideia de quem eu era. Então, quando ele me deu um beijo na bochecha e disse "É um prazer conhecê-la, Katie" — de forma bastante formal, apesar de estar bêbado —, pareceu uma grande piada.

★ ★ ★

A primeira vez que Julien dormiu na nossa casa — Miranda, Samira e eu moramos juntas no segundo ano da faculdade —, dei de cara com ele saindo do banheiro com uma toalha amarrada na cintura. Eu me esforcei tanto para parecer normal, para não olhar seu peito nu, os ombros largos e musculosos ainda molhados e reluzentes depois do banho, que falei:

— Oi, Julien.

Ele pareceu segurar a toalha com um pouco mais de força.

— Olá. — Ele franziu a testa. — Ah... isso é um pouco constrangedor. Acho que não sei seu nome.

Eu me dei conta do meu erro. Ele tinha esquecido quem eu era, provavelmente tinha esquecido inclusive que me conhecera.

— Ah — falei, estendendo a mão. — Eu sou a Katie.

Ele não apertou minha mão, e percebi que cometi outro erro: fui formal demais, esquisita demais. Em seguida, me ocorreu que também poderia ser porque ele segurava a toalha com uma das mãos e a escova de dentes com a outra.

— Desculpe. — Então ele abriu aquele sorriso encantador e ficou com pena de mim. — E aí. O que você fez, Katie?

Eu o encarei.

— Como assim?

Ele riu.

— Que nem no livro — disse ele. — *O que Katy fez*. Sempre gostei desse livro, mas não sei se deveria.

Pela segunda vez ele abriu aquele sorriso, e por um instante pensei ver parte do que Miranda enxergava nele.

Essa é a questão quando se trata de pessoas como Julien. Nas comédias românticas, alguém tão bonito quanto ele provavelmente seria escalado para interpretar o canalha que talvez se regenerasse e se arrependesse de seus pecados no fim. Miranda seria a rainha do baile escrota que guardava um *segredo sombrio*. A menina insignificante e tímida — eu — seria a personagem boa, inteligente e totalmente incompreendida que no fim das contas salvaria o dia. Mas as coisas não são assim na vida real. Pessoas como eles não precisam ser desagradáveis. Por que eles dificultariam a própria vida desse jeito? Eles podem ser pessoas incrivelmente encantadoras. E pessoas como eu, insignificantes e tímidas, nem sempre se revelam as heroínas da história. Às vezes temos nossos próprios segredos sombrios.

A pouca luz que ainda havia se extinguiu. É praticamente impossível enxergar qualquer coisa que não seja a massa negra das árvores de ambos os lados. A escuridão tem o efeito de torná-las mais densas, mais próximas, quase como se estivessem nos encurralando. Com exceção do ruído do motor do Land Rover, está tudo silencioso; talvez as árvores também abafem os sons.

Na frente, Miranda pergunta ao guarda-caça sobre o acesso. Esse lugar é realmente remoto.

— É uma hora de carro até a estrada — responde o homem. — Com tempo bom.

— Uma *hora*? — pergunta Samira.

Ela lança um olhar nervoso a Priya, que observa a paisagem crepuscular, a lua tremeluzindo por entre as árvores refletida em seus grandes olhos escuros.

Observo lá fora pelo vidro traseiro. A única coisa que vejo é um túnel de árvores, diminuindo conforme nos afastamos, até se tornarem um ponto negro.

— Mais de uma hora — responde o guarda-caça —, se a visibilidade for pouca ou as condições estiverem ruins.

Será que ele está gostando disso?

Levo uma hora para ir até a casa da minha mãe, em Surrey, e a casa dela fica a uns 95 quilômetros de Londres. Parece inacreditável que esse lugar fique dentro do Reino Unido. Sempre achei que esta pequena ilha que chamamos de lar estava superlotada. Do jeito que meu padrasto gosta de falar dos imigrantes, era de se imaginar que estivesse correndo o risco de afundar sob o peso de todos os corpos espremidos.

— Às vezes — diz o guarda-caça —, nesta época do ano, fica impossível usar a estrada. Quando cai uma nevasca, por exemplo... Isso devia estar no e--mail que vocês receberam de Heather.

Emma faz que sim com a cabeça.

— Estava.

— Como assim? — A voz de Samira está inconfundivelmente esganiçada. — Não teremos como sair?

— Tem esse risco — responde ele. — Quando neva muito, o caminho fica intransitável... É perigoso demais, mesmo com pneus apropriados. Durante pelo menos umas duas semanas por ano, no total, Corrin fica isolado do restante do mundo.

— Isso pode ser aconchegante — se apressa em dizer Emma, talvez para coibir outras interjeições preocupadas de Samira. — Empolgante. E mandei comprar bastante comida...

— E vinho — acrescenta Miranda.

— ... e vinho — concorda Emma —, o suficiente para umas duas semanas, se precisarmos. Acho que exagerei um pouco. Planejei um pequeno banquete para a noite de réveillon.

Ninguém está prestando muita atenção nela. Acho que estamos todas preocupadas com essa nova constatação sobre o lugar no qual vamos passar os próximos dias. Porque há algo inquietante nesse isolamento, em saber como estamos longe de tudo.

— Mas e a estação? — pergunta Miranda, com um ar triunfante de "peguei você!". — Com certeza deve dar para simplesmente pegar o trem, não?

O guarda-caça olha para ela. Percebo como ele é atraente. Ou pelo menos seria, se não houvesse algo sombrio em seus olhos.

— Os trens também não se deslocam muito bem sob um metro de neve — explica ele. — Então não fazem paradas aqui.

E, de repente, a paisagem, com toda a sua amplidão, parece se encolher em torno de nós.

Doug

Se não fossem os hóspedes, o lugar seria perfeito. Mas Doug imagina que sem eles não teria trabalho.

O máximo que conseguiu, quando foi buscá-los, foi não demonstrar seu desprezo. Eles fedem a dinheiro, este grupo — como todos os que vão para lá. Quando se aproximavam da sede, o homem mais baixo, de cabelo preto — Jethro? Joshua? —, se virou para ele com um ar de "falando de homem para homem", erguendo um reluzente celular prateado.

— Estou procurando o sinal de Wi-Fi — disse o cara —, mas não encontro nada. Obviamente aqui não tem 3G, já saquei. Não dá para ter 3G sem sinal... Ha! Mas achei que ia começar a captar o Wi-Fi. Ou é preciso ficar mais perto da sede?

Doug explicou ao homem que eles não ligavam o Wi-Fi a não ser que alguém pedisse.

— Às vezes o sinal pega, mas você precisa subir até lá... — acrescentou ele, apontando para a encosta do Munro.

O homem demonstrou sua desolação. Por um momento pareceu quase aterrorizado.

A mulher dele disse depressa:

— Tenho certeza de que você consegue sobreviver sem Wi-Fi por alguns dias, amor. — E sufocou qualquer outro protesto com um beijo, a língua se movendo rapidamente.

Doug desviou o olhar.

Aquela mesma mulher, Miranda — a mais bonita —, tinha se sentado ao lado dele no banco da frente do Land Rover, o joelho próximo do dele. Ela também havia apoiado desnecessariamente a mão no braço dele ao entrar no carro. Doug sentia uma lufada do perfume da mulher, intenso e defumado, toda vez que ela se virava para falar com ele. Tinha quase esquecido que havia mulheres assim no mundo: complexas, provocantes, do tipo que tem que seduzir todo mundo que vê pela frente. Perigosas, de uma maneira muito particular. Heather é muito diferente. Será que ela usa perfume? Ele não se lembra de ter notado. Definitivamente, maquiagem, não. Ela fica mais bonita sem nenhum adorno cosmético. Ele gosta do rosto dela, em formato de coração, dos olhos escuros, das linhas elegantes de suas sobrancelhas. Quem não tivesse convivido muito com Heather poderia pensar que ela era uma mulher simples, mas ele achava o contrário; que, no caso dela, as águas são tranquilas porém profundas. Ele tem uma vaga ideia de que ela morava em Edimburgo antes, que tinha uma carreira de verdade lá. Mas não tentou descobrir a história de vida dela. Isso poderia significar ser obrigado a revelar demais sobre a própria trajetória.

Heather é uma boa pessoa. Ele, não. Antes de ir para lá, ele fez uma coisa terrível. Mais de uma, na verdade. Alguém como ela deveria ser protegida de alguém como ele.

Os hóspedes estão sob os cuidados de Heather, por enquanto — e isso é um alívio. Não foi fácil disfarçar sua antipatia pelo grupo. O homem de cabelo escuro — Julien, era esse o nome — é um exemplo típico das pessoas que se hospedam lá. Endinheirado, mimado, querendo contato com a natureza selvagem, mas, secretamente, esperando os luxos dos hotéis que está acostumado a frequentar. Eles sempre demoram um pouco para processar onde foram parar, o isolamento, a simplicidade, a beleza inestimável dos arredores. Volta e meia passam por uma espécie de conversão, são seduzidos por este lugar — quem não seria? Mas Doug sabe que eles não entendem direito. Acham que estão vivendo uma vida rústica, em seus belos chalés com camas de dossel, lareira e piso aquecido e a porra de uma *sauna* na qual podem dar um pulinho se realmente quiserem se esforçar. E os que ele leva para caçar veados se comportam como se de repente tivessem se tornado o Leonardo DiCaprio no filme *O Regresso*, lutando na natureza com unhas e dentes. Não se dão conta de como ele facilitou as coisas, fazendo o trabalho sozinho: o monitoramento das atividades do rebanho, o rastreamento e o planejamento cuidadosos... deixando para eles a única tarefa de apertar o maldito gatilho.

E até o tiro propriamente eles quase nunca acertam. Quando erram, podem provocar um ferimento capaz de levar o animal a sofrer durante dias com uma dor inimaginável. Um tiro mal disparado na cabeça, por exemplo (eles frequentemente apontam para a cabeça, mesmo que Doug diga: *nunca* mire na cabeça, a chance de errar é muito grande), pode lacerar a mandíbula do animal e deixá-lo vivo na mais profunda agonia, incapaz de comer, sangrando lentamente até a morte. Então ele está lá para finalizar o trabalho com um tiro certeiro, um tiro bem no meio do esterno, permitindo que eles voltem para casa posando de caçadores, heróis. O ato de tirar uma vida. O batismo de sangue. Algo para postar no Facebook ou no Instagram — imagens de si mesmos sujos de sangue e rindo como lunáticos.

Ele já tirou vidas; muitas, na verdade. E não apenas de animais. Sabe melhor do que ninguém que não há motivo algum para se gabar. É um lugar escuro de onde, no fundo, nunca se volta. Algo muda em você depois da primeira vez. Uma transformação essencial em algum ponto profundo da alma, a amputação de algo importante. A primeira vez é a pior, mas a cada morte as feridas do espírito vão criando raiz. E depois de um tempo não resta mais nada a não ser cicatrizes.

Ele está ali há tempo suficiente para conhecer todos os diferentes tipos de hóspedes; tornou-se um especialista nisso tanto quanto na vida selvagem. O que não sabe bem é qual variedade detesta mais. O tipo "na natureza selvagem", aqueles que acham que em poucos dias de luxo entraram "em comunhão" com a natureza, ou o outro tipo, aqueles que simplesmente não entendem, que acham que foram enganados — pior, roubados. Eles esquecem o que reservaram. Ficam incomodados com tudo que destoa do tipo de lugar no qual estão acostumados a ficar, com piscinas cobertas e restaurantes com estrelas no Guia Michelin. Em geral, na opinião de Doug, esses são os que têm mais problemas consigo mesmos. Removidas todas as distrações, ali, no silêncio e na solidão, são alcançados pelos demônios dos quais tentavam fugir.

Com Doug, é diferente. Os demônios sempre o acompanham, onde quer que ele esteja. Pelo menos ali têm espaço para vagar. Ele suspeita de que aquele lugar o atraiu por uma razão muito diferente da dos hóspedes. Eles vão até lá pela beleza — ele foi pela hostilidade, a brutalidade do clima, que está em seu momento mais implacável agora, no auge de um longo inverno. Algumas semanas antes, no Munro, ele tinha visto uma raposa se esgueirando pela neve, com a carcaça ressecada de uma pequena criatura presa na boca. Sua pelagem era fina e rugosa, as costelas aparecendo. Quando o viu, a raposa não saiu em disparada na mesma hora. Por um momento, ela o encarou também, hostil, desafiando-o a tentar tomar seu banquete. Ele simpatizou com o animal, uma identificação mais forte do que já tivera com qualquer humano, pelo menos em um bom tempo. Sobrevivendo, existindo — apenas. Não vivendo. Essa é uma palavra para aqueles que buscam entretenimento, prazer e conforto todos os dias.

Ele sabe que teve sorte de conseguir aquele trabalho. Não apenas porque combina com ele, com seu estado de espírito, com seu desejo de ficar o mais distante possível do restante da humanidade. Mas também porque é muito provável que ninguém mais lhe desse emprego. Não com o passado que ele tem. O homem enviado pelo patrão para entrevistá-lo, ao ver a frase em sua ficha, dera de ombros e dissera:

— Bem, definitivamente sabemos que você saberá lidar com qualquer caçador clandestino. Só tente não atacar nenhum dos hóspedes. — E então ele sorriu, para mostrar que estava brincando. — Acho mesmo que você vai ser perfeito para o trabalho.

E isso foi tudo. Ele nem ao menos precisou se justificar ou se explicar, embora não *houvesse* justificativa, não de verdade. Um momento de insanidade violenta? Não é bem isso: ele sabia exatamente o que estava fazendo.

Agora, quando pensa naquela noite, quase nada parece real. Parece algo visto de relance na TV, como se estivesse assistindo às próprias ações de longe. Mas ele se lembra da raiva golpeando seu peito, seguida pelo alívio fugaz. Aquele rosto estúpido e sorridente. Depois o som de algo estilhaçando. Em sua mente? A sensação de se sentir livre dos códigos de comportamento normal, solto em um espaço selvagem. A sensação de seus dedos apertando com firmeza a carne que cedia. Mais forte, mais forte, como se a carne fosse algo que ele estivesse tentando moldar com a pura força bruta em um formato novo e mais agradável. O sorriso finalmente desapareceu. Então veio aquele sentimento distorcido de satisfação, que perdurou por vários minutos até surgir a vergonha.

Sim, teria sido difícil conseguir um emprego fazendo qualquer outra coisa depois disso.

PRESENTE
2 de janeiro de 2019

Heather

Um corpo. Olho para Doug.

Não, não. Não pode ser. Não aqui. Este é o meu refúgio, a minha fuga. Não posso ser obrigada a lidar com isso, não consigo, simplesmente não consigo...

Com esforço, interrompo a enxurrada de pensamentos. Você consegue, Heather. Porque, na verdade, você não tem escolha.

Claro que eu sabia que era uma possibilidade. Muito provável até, considerando o tempo desde o desaparecimento — mais de 24 horas — e as condições lá fora. Seria um desafio até mesmo para alguém que conhecesse o terreno, que tivesse algum tipo de habilidade de sobrevivência. A pessoa que desapareceu, até onde eu sei, não tinha nada disso. Conforme as horas passavam sem que houvesse sinal dela, a probabilidade aumentava.

Assim que soubemos do desaparecimento, acionamos o serviço de socorro da montanha. A resposta não foi o que eu esperava. A atendente disse:

— Neste momento, parece improvável que consigamos chegar até vocês.

— Mas deve ter alguma maneira de chegarem aqui...

— As condições estão muito ruins. Faz muito tempo que não vemos tanta neve assim. É um evento climático muito raro. A visibilidade está tão ruim que não dá nem para pousar um helicóptero.

— Então você está dizendo que estamos por conta própria?

Quando terminei de falar, me toquei do que tinha dito. Nenhuma ajuda. Senti o estômago revirar.

Houve uma longa pausa do outro lado da linha. Quase dava para ouvi-la pensar na melhor maneira de me responder.

— Só enquanto a neve continuar desse jeito — disse ela, por fim. — Assim que tivermos alguma visibilidade, tentaremos ir até vocês.

— Preciso de um pouco mais do que "tentaremos" — retruquei.

— Eu sei, e vamos até vocês assim que for possível. Há outras pessoas na mesma situação: temos uma equipe inteira de alpinistas presa em Ben Nevis e outra situação mais perto de Fort William. Será que poderia descrever exatamente qual é o seu problema, para eu anotar todos os detalhes?

— A vítima foi vista pela última vez aqui na sede às... quatro da manhã de ontem, mais ou menos.

— E qual é o tamanho da área?

— Da propriedade? — Tentei me lembrar do número que ouvi em minhas primeiras semanas aqui. — Pouco mais de vinte mil hectares.

Ouvi a inspiração dela. Então houve outra longa pausa do outro lado da linha, tão longa que quase me perguntei se a ligação tinha caído, se a neve tinha interrompido essa última conexão com o mundo lá fora.

— Muito bem — disse ela, por fim. — Vinte mil hectares. Bem. Mandaremos alguém até aí assim que possível. — O tom dela, no entanto, tinha mudado: havia mais incerteza.

Ouvi a pergunta com tanta clareza quanto se ela a tivesse feito em voz alta: *Mesmo se chegarmos até vocês, como poderemos ter certeza de que vamos encontrar alguém em toda essa imensidão?*

Nas últimas vinte e quatro horas, procuramos o mais longe que conseguimos. Não foi fácil, com a neve caindo assim, implacável. Faz apenas um ano que estou aqui, então nunca tinha presenciado uma nevasca. Este lugar deve ser um dos poucos no Reino Unido — além de algumas ilhas quase desabitadas — onde o tempo inclemente pode impedir por completo o acesso dos serviços de emergência. Sempre avisamos aos hóspedes que eles podem não conseguir sair da propriedade se as condições estiverem ruins. Isso consta até mesmo do documento que eles precisam assinar. Mas mesmo assim é difícil processar o fato de que ninguém pode chegar até aqui. Ou sair. No entanto, é exatamente essa a situação em que nos encontramos agora. Tudo está obstruído pela neve, o que significa que dirigir é impossível — mesmo com pneus de neve ou correntes —, então nossas buscas foram todas feitas a pé. Éramos apenas Doug e eu. E eu estou exausta — tanto mental quanto fisicamente. Não temos nem ao menos Iain, que vem quase todos os dias para fazer trabalhos diversos na propriedade. Ele vai passar a véspera de Ano-Novo com a família: preso do lado de fora com o restante deles, sem utilidade para nós. A mulher do serviço de resgate pelo menos deu alguns conselhos que ajudaram. Ela sugeriu verificar primeiro os locais que poderiam ter sido usados como abrigo. Doug e eu vasculhamos todos os esconderijos em potencial na propriedade, o frio queimando nosso rosto e a neve dificultando nosso progresso a cada passo, até eu ficar tão cansada que me sentia bêbada.

Caminhei com dificuldade até a estação, o que levou cerca de três horas, e procurei por lá. Pelo visto houvera uma conversa entre os hóspedes sobre pegar um trem de volta para Londres.

— Um dos hóspedes desapareceu — afirmei ao chefe da estação, Alec, um homem parrudo com um rosto melancólico e sobrancelhas caídas. — Estamos procurando por toda a propriedade. — Depois descrevi o desaparecido. — Será que eles não teriam pegado um trem? — Eu sabia que era ridículo, mas achei que tinha que perguntar.

Ele riu da minha cara.

— Um trem? Com esse tempo? Perdeu o juízo, moça? E mesmo que não estivesse assim, os trens não circulam na véspera de Ano-Novo.

— Mas talvez você tenha visto algo...

— Não vi ninguém — respondeu ele. — Ninguém desde que aquele grupo chegou, há uns dois dias. Não. Eu notaria se houvesse algum estranho bisbilhotando por aí.

— Bem, será que posso dar uma olhada?

Ele abriu os braços, um convite sarcástico.

— Fique à vontade.

Não havia muito onde procurar: a sala de espera, uma despensa de zelador que parecia ter sido um banheiro em algum momento. E a bilheteria, cujo interior dava para ver pelo vidro do guichê: um cubículo cheio de papéis, do qual, pelo buraco por onde eram passados o dinheiro e os bilhetes, vinha o cheiro de algo doce, ligeiramente apodrecido. Três latas de refrigerante amassadas decoravam um dos cantos da mesa. Eu tinha visto Iain lá dentro certa vez com Alec, fumando. Iain pega o trem com frequência para comprar suprimentos; eles devem ter feito uma espécie de amizade, mesmo que apenas por conveniência.

Logo depois do escritório, havia uma porta. Abri e dei de cara com um lance de escada.

— Essa escada leva para o meu apartamento. Minha *residência* privada... — disse Alec, com um pequeno floreio ao pronunciar "residência".

— Será que...

— Dois cômodos — interrompeu ele. — E um banheiro. Acho que eu saberia se tivesse alguém escondido lá dentro.

Sua voz se elevou um pouco, e ele se colocou entre mim e a porta. Estava muito perto; dava para sentir o cheiro azedo de seu suor.

— Sim — respondi, subitamente ansiosa para ir embora. — Claro.

Depois de iniciar minha tortuosa jornada de volta para a sede, virei-me uma vez e o vi parado lá, me observando enquanto eu me afastava.

Doug e eu não encontramos nada durante as muitas horas de busca. Nenhuma pegada, nenhum fio de cabelo. Os únicos rastros foram as pequenas trilhas deixadas pelos cascos da manada de veados. Pelo visto, houve pouca atividade por parte do hóspede desde que a neve começara a cair.

Há câmeras em apenas um ponto da propriedade: o portão da frente, de onde o longo caminho que leva até a sede segue em direção à estrada. O proprietário mandou instalá-las tanto para intimidar quanto para flagrar caçadores clandestinos. Às vezes, é frustrante como a transmissão é interrompida. Mas dessa vez toda a filmagem estava lá: da noite anterior — véspera de Ano-Novo — até ontem, o primeiro dia do ano, quando o hóspede foi dado como desaparecido. Avancei rapidamente as imagens granuladas, procurando por qualquer sinal de um veículo. Se o hóspede tivesse ido embora de carro — ou mesmo a pé —, a prova estaria ali. Não havia nada. A única coisa que a filmagem mostrava era um registro do início da nevasca pesada conforme a trilha era apagada por um mar branco na tela.

Um cadáver podia ter começado a se tornar uma possibilidade. Mas a confirmação é muito pior.

Doug passa a mão pelo cabelo, que caía nos olhos, molhado pela neve. Ao fazê-lo, vejo que a mão dele — o braço, o corpo inteiro — está tremendo. É estranho ver um homem tão durão quanto Doug, com o corpo de um jogador de rúgbi, nesse estado. Ele era fuzileiro naval, então já devia ter testemunhado seu quinhão de morte. Mas eu também, em minha antiga profissão. E sei que o horror existencial de testemunhar a morte é algo que nunca sai da gente. Além disso, encontrar uma pessoa morta é completamente diferente.

— Acho que você deveria vir e dar uma olhada também — diz ele. — No corpo.

— Você acha necessário? — Não quero que seja. Não quero ver. Vim para este lugar justamente para fugir da morte. — Não é melhor esperar a polícia chegar?

— Não — responde ele. — Eles ainda vão demorar. E acho que você precisa ver o corpo agora.

— Por quê? — pergunto, e percebo que minha pergunta soa queixosa, nauseada.

— Por causa... — Ele passa a mão pelo rosto, estica as bochechas para baixo em uma máscara macabra. — Por causa... do aspecto. Do corpo. Não acho que tenha sido um acidente.

Sinto a pele gelar de uma maneira que não tem absolutamente nada a ver com o clima.

Quando saímos, a nevasca ainda é tão forte que, da porta, só é possível enxergar alguns metros adiante. O lago está praticamente invisível. Vesti as roupas que na prática são meu uniforme para atividades ao ar livre neste lugar: o casaco impermeável comprido e pesado, minhas botas de caminhada, meu gorro vermelho. Ando atrás de Doug, tentando acompanhar seus passos largos, o que não é fácil, porque ele tem mais de um metro e oitenta, e eu mal passo de um metro e meio. Acabo tropeçando. Doug estende uma grande mão enluvada para pegar meu braço e me coloca de novo de pé com a facilidade de quem levanta uma criança. Mesmo por baixo da manga, posso sentir a força de seus dedos, como braçadeiras de ferro.

Penso nos hóspedes, presos em seus chalés. A inatividade deve ser horrível, a espera. Tivemos que proibi-los de se juntar a nós na busca, sob o risco de ter mais um desaparecido na nossa conta. Ninguém deveria sair nessas condições. É o tipo de clima que mata as pessoas: PERIGO DE MORTE, dizem as placas de advertência. Mas o problema é que, para a maioria dos hóspedes, um lugar como este é tão exótico quanto outro planeta. Essas pessoas levam vidas encantadas e suas experiências as ajudaram a se sentirem intocáveis. Estão tão acostumadas a ter essa rede de proteção invisível ao redor delas na vida normal — conectividade, serviços de emergência rápidos, diretrizes de saúde e segurança — que supõem que a levam consigo para todos os lugares. Assinam o documento felizes, porque não pensam de fato a respeito. Não acreditam nele. Não esperam que o pior aconteça. Se realmente parassem para pensar, para *entender*, provavelmente não se hospedariam aqui. Teriam muito medo. Ao compreender como este ambiente é isolado, você se dá conta de que apenas pessoas insanas escolheriam morar em um lugar assim. Pessoas que estão fugindo de alguma coisa, ou que não têm nada a perder. Pessoas como eu.

Agora Doug está me levando para a margem esquerda do lago, em direção às árvores.

— Doug?

Percebo que estou sussurrando. É o silêncio aqui, que fica ainda mais profundo por causa da neve. A voz parece sair muito alta, e você tem a sensação de estar sendo observado. Como se logo atrás da densa parede de árvores, quem sabe, ou da difusa cortina branca, pudesse haver alguém escutando.

— Por que você acha que não foi um acidente?

— Você vai ver quando chegarmos lá — responde Doug. Ele não se dá o trabalho de virar e olhar para mim, nem diminui o passo. E em seguida diz:
— Eu não "acho", Heather. Eu sei.

TRÊS DIAS ANTES
30 de dezembro de 2018

Miranda

É claro que não perdi tempo lendo o e-mail que Emma enviou, com o folheto anexado. Não consigo ficar animada em relação a uma viagem com antecedência — ficar só vendo fotos de mares azul-turquesa ou montanhas cobertas de neve não me interessa. Preciso realmente *estar* lá para sentir alguma coisa, para que seja *verdadeiro*. Quando Emma mencionou este lugar, imaginei vagamente algo antigo, vigas de madeira e fachada de pedra. Então a construção em si é uma surpresa. Puta merda. É tudo de vidro e metal, modernista, parece que veio de *O Mágico de Oz*. A luz extravasa o prédio. É como uma lanterna gigante na escuridão.

— Meu Deus! — diz Julien quando os rapazes finalmente chegam no Land Rover. — É meio medonho, não?

Ele costuma dizer coisas assim.

Apesar de toda a sua inteligência, a sensibilidade artística de Julien é nula. Ele é o tipo de pessoa que circula por uma exposição de Cy Twombly dizendo "Eu podia ter feito um igual aos cinco anos" *um pouco* alto demais. Ele gosta de dizer que é porque é "um pouco rude": seu passado foi sombrio demais para que desenvolvesse qualquer coisa parecida com senso estético. Eu achava isso encantador. Ele era diferente: eu apreciava aquele jeito rude, em comparação com todos os rapazes engomadinhos.

— Gostei — digo.

É verdade. É como se uma nave espacial tivesse acabado de aterrissar às margens do lago.

— Eu também — concorda Emma.

É o tipo de comentário que ela faria, mesmo que achasse a construção horrorosa. Às vezes eu me vejo testando Emma, dizendo as coisas *mais absurdas*, praticamente instigando-a a me contradizer. Mas ela nunca me contradiz — está ansiosa demais para ser aceita. Apesar disso, ela é confiável — e Katie e Samira me abandonaram ultimamente. Emma está sempre disponível para ir ao cinema ou às compras ou para tomar um drinque. Sempre sugiro o lugar, ou a atividade, e ela sempre concorda. Para ser sincera, é revigorante: Katie está sempre tão ocupada com o trabalho que sou sempre eu quem vai encontrá-la, em algum bar urbanoide horroroso, apenas para usufruir de três minutos de seu tempo.

Com Emma, é mais ou menos como eu imagino que seria se eu tivesse uma irmã mais nova. É quase como se ela se espelhasse em mim, o que me dá uma deliciosa sensação de poder. Da última vez que fomos fazer compras, eu a levei à Myla.

— Vamos escolher alguma coisa que deixe Mark de queixo caído — falei.

Encontramos o conjunto perfeito: um sutiã ligeiramente vulgar, calcinha com abertura e cinta-liga. De repente vislumbrei a imagem dela contando a Mark que tinha sido eu quem a ajudara a escolher, e senti um inesperado formigamento de desejo ao pensar nele descobrindo que tudo tinha sido obra minha. Não tenho nenhum interesse em Mark, é claro, nunca tive. É verdade que sempre achei sua atração silenciosa por mim um belo afago no ego. Mas nunca algo que me excitasse.

Com Katie sumida e Samira dedicando todo o seu tempo a Priya — ela está um pouco obcecada com essa criança, não pode ser saudável compartilhar tantas fotos nas redes sociais —, eu me vi obrigada a recorrer à companhia de Emma. Definitivamente uma terceira opção.

Eu estava ansiosa por isso, por estarmos todos juntos novamente. Há certa segurança em, quando estamos juntos, voltarmos a desempenhar nossos antigos papéis. Podemos passar meses sem nos ver, mas quando nos reencontramos, tudo volta a ser como sempre foi, quase como era quando estávamos em Oxford, nossos dias de glória. A pessoa com quem mais quero estar é Katie, claro. Ao vê-la hoje de manhã na estação de trem, com seu novo corte de cabelo e roupas que não reconheci, eu me dei conta de quanto tempo se passou desde a última vez que nos vimos... e de como senti sua falta.

O interior da sede é lindo — mas fico feliz por saber que não vamos dormir aqui, só fazer as refeições. O vidro enfatiza o contraste entre o espaço iluminado do lado de dentro e a escuridão do lado de fora. De repente, percebo como ficamos visíveis para quem estiver do outro lado do vidro, iluminados feito insetos em um pote... ou atores em um palco, cegados pelos holofotes diante da plateia. Poderia haver qualquer pessoa lá fora, escondida na escuridão, espreitando, sem que nenhum de nós soubesse.

Por um momento, o velho sentimento sombrio ameaça emergir, a sensação de estar sendo observada. Algo que carrego comigo há uma década, desde que tudo começou. Lembro a mim mesma que a questão é justamente que não *há* ninguém lá fora. Que estamos completamente sozinhos; exceto pelo guarda-caça e pela gerente — Heather —, que veio nos receber.

A mulher tem trinta e poucos anos, é baixa e até bonita — se bem que um bom corte de cabelo e um pouco de maquiagem teriam feito muito bem à sua aparência. Eu me pergunto que diabo alguém como ela está fazendo morando sozinha em um lugar como este, porque ela realmente *mora* aqui — ela nos disse que seu chalé fica "logo ali, um pouco mais perto das árvores". Viver efetivamente neste lugar deve ser muito solitário. Eu enlouqueceria se tivesse apenas meus pensamentos como companhia. Às vezes, quando estou em casa, ligo a TV *e* o rádio, só para não ouvir o silêncio.

— E vocês — disse ela — vão ocupar todos os chalés mais próximos da sede. Os outros hóspedes vão ficar no alojamento do outro lado do lago.

— Os outros hóspedes? — pergunta Emma. Então fica um silêncio tenso.
— Que outros hóspedes?

Heather assente.

— Um casal de islandeses... Eles chegaram ontem.

Emma franze a testa.

— Não entendi. Achei que teríamos o lugar só para a gente. Foi o que você me informou, quando nos falamos. "Vocês devem ficar com o lugar todo para vocês", foi exatamente o que me disse.

Heather tosse.

— Acho que houve um... pequeno mal-entendido. De fato achei que seria o caso quando nos falamos. Nem sempre usamos o alojamento. Mas eu não sabia que meu colega havia feito a reserva e... ah... ainda não tinha conseguido preencher a ficha.

O clima estava completamente arruinado. A expressão "os outros hóspedes" já soa desagradável por si só, dá uma sensação de infiltração, de invasão. Se estivéssemos em um hotel, tudo bem, seria de se esperar estarmos cercados por estranhos. Mas a ideia de ter aquelas outras pessoas ali, no meio do nada, conosco, faz com que toda aquela imensidão selvagem pareça um pouco superlotada.

— Eles estarão presentes no jantar típico das Terras Altas hoje à noite — diz Heather, em tom de desculpa —, mas o alojamento tem cozinha própria, então, fora isso, eles não vão usar a sede.

— Graças a Deus — diz Giles.

Acho que nunca vi Emma tão irritada, os punhos cerrados junto ao corpo, os nós dos dedos brancos.

Há um súbito estampido atrás de nós. Todos nos viramos e vemos Julien segurando uma garrafa de champanhe recém-aberta, a espuma saindo do gargalo como fumaça.

— Pensei que isso animaria um pouco o clima pesado — diz ele. O champanhe transborda do gargalo e cai no tapete aos pés dele: Bo estende uma taça para salvar parte do líquido. — Quem sabe... Talvez os outros hóspedes sejam divertidos. Talvez eles queiram vir celebrar a véspera de Ano-Novo com a gente amanhã.

Não consigo pensar em nada pior do que duas pessoas aleatórias chegando e estragando nossa festa; tenho certeza de que Julien também não. Mas isso é ele dando uma de bom-moço. Ele sempre deseja com todas as forças ser amado e parecer divertido, vive querendo que as outras pessoas pensem coisas legais dele. Suponho que essa seja uma das características pelas quais me apaixonei.

Heather ajuda Emma a buscar taças na cozinha. Os outros as pegam, sorrindo de novo, deixando-se levar pela aura de celebração criada pelo champanhe. Sinto uma onda de afeição. É tão bom vê-los novamente. Já fazia tanto tempo. É algo especial, hoje em dia, estarmos todos juntos assim. Samira e Katie estão a meu lado. Eu abraço as duas.

— As três mosqueteiras — sussurro.

A ligação mais profunda do círculo íntimo. Eu nem me importo quando ouço Samira xingar baixinho — meu abraço fez com que ela derramasse um pouco de champanhe na blusa.

Vejo que Julien está oferecendo uma taça a Heather, mesmo que dê para perceber que ela não quer. Pelo amor de Deus. Tivemos um pequeno desentendimento a respeito do champanhe ontem, na loja de vinhos. Doze garrafas de Dom Pérignon: mais de mil libras só de champanhe.

— Por que você não pegou garrafas de Moët, como uma pessoa normal? — perguntei.

— Porque você reclamaria. Da última vez você me disse que ficou com dor de cabeça, por causa "daquele açúcar todo" que adicionam nas marcas comuns. Miranda Adams merece só o que há de melhor.

É o roto falando do esfarrapado. A verdade é que, com Julien, sempre tem que ser um pouco mais. Um pouco mais de extravagância, um pouco mais de dinheiro. Uma ânsia por ter mais do que o seu quinhão... E o trabalho dele não ajuda. Em caso de dúvida, recorra ao dinheiro: essa é a solução de Julien. Bem, para ser totalmente sincera, a minha também. Gosto de brincar que nós despertamos o pior um do outro. Mas isso talvez seja mais verdadeiro do que deixo transparecer.

Acabei permitindo que ele comprasse o maldito champanhe. Sei o quanto ele quer esquecer o estresse deste ano.

Como eu previa, a mulher, Heather, não bebe o champanhe. Ela toma um gole minúsculo, só por educação, e coloca a taça de volta na bandeja. Imagino que ela considere falta de profissionalismo beber mais do que isso, e está certa. Então, graças à "generosidade" de Julien, temos uma taça desperdiçada, maculada pela saliva daquela desconhecida.

Heather recapitula para nós a programação do fim de semana. Amanhã vamos caçar veados.

— Doug vai levar vocês. Ele virá buscá-los bem cedo.

Doug. Estou fascinada por ele. Percebi que não gostou muito da gente. Também percebi que o deixei desconfortável. Essa informação é uma espécie de poder.

Giles está perguntando a Heather algo sobre trilhas. Ela pega um mapa oficial da área e o abre na mesa de centro.

— Há muitas opções — explica ela. — Na verdade, depende do que você está procurando... e do tipo de equipamento que trouxe. Algumas pessoas vêm com toda a parafernália: picaretas de gelo, grampos, mosquetões...

— Hum, acho que não faz nosso estilo — diz Bo, sorrindo.

Não podia ser mais verdadeiro.

— Bem, se querem algo bem tranquilo, tem a trilha em volta do lago, é claro. — Ela percorre o trajeto com o dedo no mapa. — São apenas alguns quilômetros, totalmente plana. Há algumas cachoeiras, mas as pontes que passam por cima delas são bem seguras, então não é nada muito complicado. Podem até fazer essa trilha no escuro. No outro extremo da área, temos o Munro, que pode interessar se estiverem planejando levar uma conquista para casa.

— Como assim? — pergunta Julien.

— Ah, como um troféu, sabe — explica ela. — É assim que se diz quando se escala uma montanha. Você a conquista.

— Ah, sim — diz ele, com um sorriso rápido. — É claro... Acho que eu já tinha ouvido falar disso.

Não, não tinha. Mas Julien não gosta de ficar por baixo. Mesmo que não tenha nenhuma sensibilidade artística, as aparências são importantes para o meu marido. A imagem que se apresenta ao mundo. O que as outras pessoas pensam a seu respeito. Sei disso melhor do que ninguém.

— Ou vocês podem fazer o meio-termo. Tem a caminhada até a antiga sede, por exemplo — diz ela.

— A *antiga* sede? — pergunta Bo.

— É. A sede original foi destruída em um incêndio há pouco menos de um século e não restou quase nada. Ou seja, não tem muita coisa para ver, mas é um bom ponto de referência para ter como objetivo, e a vista da propriedade lá de cima é incrível.

— Imagino que não houve sobreviventes — comenta Giles.

— Não. Vinte e quatro pessoas morreram. Ninguém sobreviveu a não ser dois tratadores, que dormiam nos estábulos com os animais. Uma das antigas cocheiras ainda está lá, mas talvez a estrutura não seja segura: melhor não se aproximar muito.

— E ninguém sabe como o fogo começou? — pergunta Bo.

Estamos todos com um interesse macabro — daria para ouvir a queda de um alfinete —, mas ele parece sinceramente ressabiado, o olhar desviando rapidamente para o fogo rugindo na lareira. Ele é um cara urbano. Aposto que o mais perto que Bo normalmente chega de fogo de verdade é quando toma um drinque flambado.

— Não — responde Heather. — Não sabemos. Talvez tenham deixado uma das lareiras acesa. Mas há uma teoria... — Ela hesita, como se não tivesse certeza se deve continuar, mas em seguida prossegue: — Há uma teoria de que um dos funcionários, um guarda-caça, ficou tão traumatizado com suas experiências na guerra que ateou fogo de propósito na sede. Uma espécie de assassinato seguido de suicídio. Dizem que dava para ver o incêndio lá de Fort William. Levou mais de um dia para a ajuda chegar... e quando chegou já era tarde demais.

— Que merda — diz Mark, e em seguida sorri.

Reparo que Heather não parece muito satisfeita com o sorriso de Mark. Ela provavelmente está se perguntando como é que alguém pode se divertir com a ideia de mais de vinte pessoas morrendo queimadas. É preciso conhecer Mark muito bem para entender que ele tem um senso de humor bastante sombrio — mas, no geral, inofensivo. Você aprende a perdoá-lo por isso. Assim como todos aprendemos que Giles, embora goste de parecer o sr. Tranquilo, pode se mostrar um pouco sovina quando se trata de pagar a próxima rodada de bebida, e que é melhor só falar com Bo de manhã depois de ele ter tomado pelo menos duas xícaras de café. Ou que Samira, toda doce e delicada por fora, sabe guardar rancor como ninguém. Ter amigos de longa data é isto: a gente simplesmente sabe essas coisas. Aprende a amá-los. É o que nos mantém unidos, como uma família, imagino. Todas as histórias. Nós sabemos tudo que há para saber uns sobre os outros.

Heather pega a prancheta que estava debaixo do braço, ganhando um súbito ar profissional.

— Quem de vocês é Emma Taylor? É o nome que está no cartão de crédito que pagou o sinal.

— Sou eu. — Emma levanta a mão.

— Ótimo. Você vai encontrar todos os suprimentos que pediu na geladeira. Estou com a lista aqui. Filé, ostras... Iain os comprou hoje de manhã... Salmão defumado, cavala defumada, caviar, endívias, queijo roquefort, nozes, chocolate cem por cento cacau, chocolate oitenta e cinco por cento cacau, ovos de codorna — ela faz uma pausa para respirar —, creme de leite, batata, tomate...

Cristo. Minha própria contribuição secreta para os trabalhos de repente parece bastante exígua. Tento fazer contato visual com Katie para compartilharmos um olhar divertido. Mas faz tanto tempo que não nos vemos que talvez estejamos um pouco fora de sintonia. Ela apenas olha pelas grandes vidraças, parecendo perdida em pensamentos.

Emma

Verifico a lista. Vejo que compraram os tomates errados — não são tomates-cereja —, mas acho que posso dar um jeito. Poderia ser pior. Acho que sou muito exigente no que diz respeito à comida: tomei gosto na faculdade e desde então cozinhar é uma das minhas paixões.

— Obrigada — diz Heather quando devolvo a lista.

— Onde compraram todas essas coisas? — pergunta Bo. — Imagino que não haja muitos estabelecimentos por aqui.

— Não. Iain comprou a maior parte em Inverness e trouxe para cá de trem... Foi mais fácil.

— Mas por que fizeram uma estação de trem aqui? — pergunta Giles. — Eu sei que desembarcamos nela, mas, tirando isso, não deve ser usada por muitas pessoas, não é?

— Não — responde ela. — Nunca foi. É uma história curiosa. No século XIX, o proprietário insistiu que a companhia ferroviária construísse a estação quando fizeram a ele a proposta que a linha férrea passasse por suas terras.

— Devia ser praticamente uma plataforma particular — diz Nick.

A mulher sorri.

— Sim e não. Porque houve... consequências inesperadas. Estamos no país do uísque. E havia muita destilação ilegal naquela época... e roubos às grandes destilarias. A antiga fábrica da Glencorrin, por exemplo, fica bem perto daqui. Antes da ferrovia, os contrabandistas tinham que recorrer a carroças, que eram muito lentas, e a chance de serem paradas pelas autoridades na longa viagem rumo ao sul era grande. Mas com o trem era outra história. De repente, eles podiam levar seu produto direto para Londres em um dia. Reza a lenda que alguns dos agentes ferroviários recebiam dinheiro deles, prontos para fazer vista grossa quando necessário. E algumas pessoas — ela faz uma pausa, prestes a dar o golpe de misericórdia — dizem que o antigo proprietário também fazia parte do esquema, que já tinha tudo planejado desde o dia em que pediu a estação de trem. — Ela chega mais para a frente na poltrona. — Se estiverem interessados, há depósitos clandestinos de uísque em toda a propriedade. Estão marcados no mapa. Descobri-los é uma espécie de hobby para mim.

Por cima da cabeça dela, vejo Julien revirar os olhos. Nick, no entanto, está intrigado.

— Como assim? — pergunta ele. — Ainda não foram todos encontrados? Quantos depósitos existem?

— Não temos certeza. Toda vez que penso que achei o último, me deparo com outro. Eram quinze no total, na última contagem. Foram projetados com muita inteligência, pequenos dólmens, na verdade, construídos nas rochas, cobertos de mato. A menos que esteja bem em cima deles, são praticamente invisíveis. Desaparecem nas encostas. Se quiserem, posso mostrar alguns a vocês.

— Sim, por favor — diz Katie.

Ela fala ao mesmo tempo que Julien responde:

— Não, obrigado.

Há uma pausa ligeiramente constrangedora.

— Bem... — Heather abre um sorriso tímido e educado, mas há uma ponta de frieza no olhar que lança a Julien. — Não é obrigatório, é claro.

Tenho a impressão de que talvez ela não seja tão doce e reservada quanto parece. Que bom. Julien passa um pouco do limite, na minha opinião. As pessoas parecem estar sempre dispostas a permitir que aja como quiser, em parte porque ele é lindo e em parte porque é capaz de ativar seu charme como se pressionasse um botão. Ele em geral faz isso depois de ter dito alguma coisa especialmente controversa ou cruel, uma forma de tentar amenizar um pouco e fazer as pessoas pensarem que não pode estar falando sério.

Isso pode parecer recalque meu. Afinal, Mark sempre comete o erro de ofender as pessoas apenas sendo ele mesmo: rindo de forma inadequada ou fazendo piadas de mau gosto. Eu sei com quem a maioria das pessoas preferiria sair para jantar. Mas pelo menos Mark é, à sua maneira, autêntico — mesmo que às vezes isso signifique autenticamente idiota (eu não fecho os olhos para os defeitos dele). Julien, por sua vez, é muito superficial. Isso me faz pensar no que ele esconde por baixo dessa camada.

Meus pensamentos são interrompidos por Bo.

— Isto aqui é incrível — diz ele, olhando em volta.

E *é*. É melhor do que qualquer lugar que escolhemos nos últimos anos, sem dúvida. Eu me sinto verdadeiramente relaxada pela primeira vez no dia, e me permito aproveitar o fato de estar ali, me orgulhar de ter encontrado este lugar.

O cômodo em que estamos é a sala de estar: dois enormes sofás macios e uma variedade de poltronas, lindos tapetes antigos, uma grande lareira com uma pilha de lenha recém-cortada ao lado.

— Colocamos turfa com a lenha — diz Heather — para o fogo ficar mais vigoroso.

As prateleiras superiores estão cheias de livros antigos, lombadas verde-esmeralda e vermelhas com detalhes em dourado, e as de baixo, repletas de jogos clássicos: Monopoly, Palavras Cruzadas, Twister, Detetive.

Na parede interna — a exterior é toda de vidro —, há várias cabeças de veado penduradas. As sombras dos chifres são enormes, como se fossem projetadas por velhas árvores mortas. Os olhos de vidro têm aquele mesmo efeito de algumas pinturas: parecem nos seguir aonde quer que vamos, olhando sinistramente para baixo. Vejo Katie observá-los e estremecer.

Era de se esperar que o estilo moderno da construção não combinasse com o interior aconchegante, mas, de alguma forma, a mistura funciona. Na verdade, as paredes externas de vidro parecem se dissolver, como se não houvesse barreira entre nós e a paisagem do lado de fora. É como se você pudesse simplesmente andar do tapete direto para o lago, imenso e prateado à luz da noite, emoldurado pelo negro *staccato* de árvores. É tudo perfeito.

— Tudo bem — diz Heather. — Vou deixá-los agora, para que possam se instalar e decidir em quais chalés preferem ficar.

Ela começa a se afastar, mas para de repente e se vira, batendo com a palma da mão na cabeça, uma pantomima de esquecimento.

— Deve ser o champanhe — diz ela, embora eu duvide muito; ela só bebeu um gole. — Há algumas coisas extremamente importantes que preciso lhes dizer a respeito da segurança. Pedimos que, caso estejam pensando em fazer caminhadas para além do nosso entorno imediato, até o lago, por exemplo, nos avisem. Este lugar parece inofensivo, mas nesta época do ano as condições podem mudar em questão de horas, às vezes minutos.

— Mudar como? — pergunta Bo.

Isso tudo deve ser muito estranho para ele: uma vez eu o ouvi dizer que morou em Nova York por cinco anos e só saiu da cidade uma vez, porque "não queria perder nada". Acho que ele não é muito fã da natureza.

— Tempestades de neve, nevoeiros repentinos, quedas bruscas de temperatura. É o que torna esta paisagem tão interessante, mas também letal quando quer. Se, digamos, começar uma tempestade, é bom sabermos se estão fazendo uma caminhada ou seguros nos chalés. E já tivemos *alguns* problemas com caçadores clandestinos no passado... — diz ela com uma careta discreta.

— Isso parece um tanto vitoriano — comenta Julien.

Heather ergue a sobrancelha.

— Bem, essas pessoas infelizmente *não são* nada vitorianas. Não estamos falando de heróis românticos clássicos, caçando para comer. Eles têm equipamentos e rifles. Às vezes, agem durante o dia, usando o melhor material de camuflagem que o dinheiro pode comprar. Às vezes, trabalham à noite. Não fazem isso por diversão. Vendem a carne no mercado negro para restaurantes, e os chifres, na internet ou no exterior. Há um grande mercado na Alemanha, por exemplo. Temos câmeras no portão principal da propriedade agora, então isso ajuda, mas não impede que eles entrem.

— Devemos nos preocupar? — pergunta Samira.

— Ah, não — responde Heather depressa, talvez percebendo pela primeira vez como tudo aquilo pode soar para hóspedes que foram até lá em busca da paz e da tranquilidade das Terras Altas escocesas. — Não, não mesmo. Já faz algum tempo que... não temos nenhum incidente de caça clandestina. Doug cuida de tudo. Eu só queria que vocês ficassem cientes. Se virem alguém que não reconheçam na propriedade, avisem. Não se aproximem.

Percebo que toda essa conversa de perigo deixou o clima tenso.

— Ainda não brindamos por estarmos aqui — digo rapidamente, pegando minha taça de champanhe. — A nós!

Bato minha taça na de Giles com força demais, e ele dá um salto para trás para não se molhar. Então entende a ideia, se vira para Miranda e faz o mesmo. Parece funcionar: uma pequena reação em cadeia se espalha pela sala, a familiaridade do ritual provocando sorrisos. O que nos faz lembrar que estamos celebrando. Que é bom — ou melhor, maravilhoso — estarmos aqui.

Katie

Não faz sentido expressar minha preferência em relação ao chalé em que gostaria de ficar. Sou a solteirona do grupo, e houve um acordo tácito entre todos de que o meu deveria ser o menor. Há certa disputa bem-humorada sobre quem vai ficar com qual. Um dos chalés é um pouco maior que os demais, e Samira — provavelmente com razão — acha que ela e Giles devem ficar com ele, por causa de Priya. E então, tanto Nick quanto Miranda querem aquele com a melhor vista do lago — por um momento, suspeito de que Nick está dizendo isso apenas para irritar Miranda, mas em seguida ele aceita, educadamente, que ela fique com o chalé. Todos estão se comportando da melhor maneira possível.

— Vamos dar um passeio — sugere Miranda, depois que tudo está decidido. — Explorar um pouco.

— Mas está totalmente escuro — diz Samira.

— Bem, isso vai deixar as coisas ainda melhores. Podemos levar um pouco do champanhe para o lago.

Uma ideia típica de Miranda. Qualquer outra pessoa se contentaria em simplesmente ficar na sede até a hora do jantar, mas ela está sempre procurando uma aventura. Quando entrou na minha vida, cerca de vinte anos atrás, na mesma hora tudo se tornou mais emocionante.

— Tenho que colocar Priya na cama — comenta Samira, olhando para a bebê, que adormeceu no carrinho. — Passou do horário dela.

— Tudo bem — diz Miranda, de bate-pronto, praticamente sem virar o rosto.

Eu não sei se ela repara no olhar magoado de Samira. Durante a maior parte do dia, Miranda agiu como se Priya fosse um excesso de bagagem. Eu me lembro, há alguns anos, de ela dizer "quando Julien e eu tivermos filhos". Não tenho me encontrado muito com ela ultimamente, então não sei bem se sua indiferença é genuína ou se está mascarando algum sofrimento pessoal. Miranda sempre foi especialista em blefar.

O resto de nós — incluindo Giles — vai lá para fora, rumo à escuridão. Samira lança um olhar de reprovação para ele enquanto se dirige ao chalé; era de se esperar que ele ajudasse a colocar Priya para dormir. E isso é provavelmente o mais próximo de um desentendimento entre os dois que já testemunhei. Eles formam um casal tão perfeito — tão respeitosos, tão em sintonia, tão amorosos... É quase enjoativo.

Seguimos aos tropeços pelo terreno irregular em direção à água. Bo, Julien e Emma usam as lanternas disponíveis na sede para iluminar o caminho. Com o calor dentro da sede, eu tinha me esquecido de como a temperatura era brutal do lado de fora. Faz tanto frio que parece que a pele do meu rosto está grudando no meu crânio, em protesto contra o ar cortante. Alguém segura meu braço e eu tomo um susto, mas percebo que é Miranda.

— Oi, sumida — diz ela. — É tão bom ver você. Meu Deus, como eu estava com saudade.

É bem incomum da parte dela fazer esse tipo de confissão — e há algo na maneira como diz isso também. Olho para ela, mas está escuro demais para discernir sua expressão.

— Eu também — digo.

— E você está com um corte de cabelo diferente, não está?

Sinto a mão dela subir para brincar com os fios que emolduram meu rosto e faço um esforço para não me afastar. Miranda sempre foi do tipo que toca nas pessoas — e sempre fui o extremo oposto disso.

— Estou — respondo. — Segui seu conselho e fui ao Daniel Galvin.

— Sem mim?

— Ah... Não achei que... Acabei tendo umas horinhas de folga... Fechamos um caso mais cedo do que o esperado.

— Bem — diz ela —, da próxima vez que for, me avise. Podemos aproveitar para nos ver. Ultimamente parece que você desapareceu da face da Terra. — Ela abaixa a voz. — Tive que recorrer a Emma... Meu Deus, Katie, ela é tão legal que me irrita.

— Desculpe, é que tenho estado ocupada demais no trabalho. Você sabe, tentando virar sócia do escritório.

— Mas não vai ser sempre assim, vai?

— Não, acho que não.

— Porque andei pensando... Você lembra como era? Quando tínhamos vinte e poucos anos? A gente se via toda semana, você e eu, sem falta. Mesmo que fosse só para sair e encher a cara na sexta à noite.

Faço que sim com a cabeça. Mas não tenho certeza se ela consegue ver.

— Lembro — digo, e minha voz sai um pouco rouca.

— Ah, Deus, e o ônibus noturno? Nós duas pegando no sono e indo parar no ponto final. Kingston, não foi? E aquela vez que fomos ao mercado vinte e quatro horas e do nada você decidiu que tinha que fazer uma omelete quando chegasse em casa? Aí deixou cair a caixa de ovos e aquela meleca se espalhou por toda parte, por *toda parte* mesmo, e a gente simplesmente saiu correndo com nossos saltos altos idiotas... — Ela ri e em seguida para. — Sinto falta de tudo isso... Das confusões.

O tom de sua voz é bem melancólico. Fico feliz por não conseguir ver sua expressão.

— Eu também — digo.

— Olhem só vocês duas — diz Julien, voltando-se para nós. — Unha e carne. Sobre o que estão fofocando?

— Vamos, compartilhem com todo mundo! — diz Giles.

— Bem — se apressa em dizer Miranda, inclinando-se na minha direção —, estou feliz por termos este momento... para colocar as coisas em dia. Senti mesmo sua falta, K. — Ela aperta de leve meu braço, e, mais uma vez, penso ter notado um leve vacilar em sua voz.

Sinto um formigamento de culpa; tenho sido uma péssima amiga.

E então ela se transforma, tirando uma garrafa de champanhe de baixo do braço e gritando para os outros:

— Vejam o que eu trouxe!

Há gritinhos e comemorações. Giles faz uma dança ridícula como um garotinho liberando energia reprimida. E isso parece ser contagioso... De repente, todos nós estamos fazendo muito barulho, animados, nossas vozes ecoando na paisagem erma.

Emma para subitamente à nossa frente, exclamando, baixinho:

— Ah!

Então eu vejo porque ela parou. Há uma figura no píer para onde estamos indo, uma silhueta ao luar. É muito alta e está de pé, imóvel, de uma forma surpreendente, quase desumana. O guarda-caça, imagino — pela altura parece que é ele. Ou talvez seja um dos outros hóspedes que não conhecemos.

Bo aponta sua lanterna para a figura e esperamos que o homem se vire, ou pelo menos se mexa. Mas então Bo começa a rir, e é quando todos percebemos. Não é um homem. É uma estátua; o olhar distante, contemplativo, como uma obra de Antony Gormley.

Todos nos sentamos no píer e contemplamos o lago. De vez em quando há uma leve perturbação na superfície, apesar de quase não estar ventando. As ondulações devem ser causadas por algo nas profundezas, o espelho d'água escondendo esses segredos.

Apesar do champanhe, todos estavam meio contidos. Talvez seja apenas a imensidão do nosso entorno — os vastos picos negros que se erguem a distância, a amplidão do céu noturno, o silêncio dominante — que nos faz ficar calados.

O silêncio, porém, não é assim tão dominante. Depois de ficar sentado ali por algum tempo, você começa a ouvir outros sons: farfalhares e ruídos nos arbustos, misteriosos ecos líquidos vindos do lago. Heather nos contou sobre os lúcios gigantes que nadam ali — sua existência confirmada pelo exemplar monstruoso pendurado na parede da sede. Mandíbulas enormes, dentes afiados, como se fossem remanescentes de monstros jurássicos.

Ouço o sussurrar dos pinheiros-escoceses que se erguem acima de nós, balançando com a brisa, e de vez em quando um baque surdo: uma rajada forte o bastante para derrubar um monte de neve depositada nos galhos. Em algum lugar, bem perto, ressoa o lamento pesaroso de uma coruja. É um som ao mesmo tempo tão familiar e estranho que é difícil acreditar que seja de verdade, e não algum tipo de efeito especial.

Giles tenta imitá-lo.

— *Tui-tuui, tui-tuoo!*

Todos nós rimos, como era de se esperar, mas percebo que há algo inquietante naquele som. O pio da coruja, um ruído tão incomum para moradores da cidade como nós, acaba de enfatizar como este lugar nos é pouco familiar.

— Eu nem sabia que havia lugares assim no Reino Unido — comenta Bo, como se pudesse ler meus pensamentos.

— Ah, Bo, você é um ianque. Não temos apenas Londres e lindos vilarejos sem graça — diz Miranda.

— Eu não sabia que você costumava sair muito da capital, Miranda — comenta Nick.

— Ei! — Ela dá um soco no braço dele. — Eu saio, de vez em quando. Fomos ao Soho Farmhouse antes do Natal, não fomos, Julien?

Todos nós rimos, incluindo a própria Miranda. As pessoas acham que ela não sabe rir de si mesma, mas sabe, sim... contanto que no fim das contas não fique *muito* por baixo.

— Vamos, abra logo essa garrafa, Manda — pede Bo.

— É... Abra, abra — começa a gritar Giles, e todos fazem coro; é praticamente impossível não fazer.

Nossos gritos se tornam um canto, como algo estranhamente tribal. Isso me faz pensar em uma seita pagã; um efeito da paisagem, é provável — misteriosa e ancestral.

Miranda se levanta e atira a rolha no lago, que produz a própria sucessão de ondulações, que crescem em anéis reluzentes sobre a água. Bebemos direto da garrafa, passando-a de um para outro como escoteiros, o líquido frio e efervescente ardendo na garganta.

— Como em Oxford — diz Mark. — Sentados à beira do rio, depois das provas finais, enchendo a cara às três da tarde.

— Só que naquela época bebíamos cava — corrige Miranda. — Jesus, a gente bebia litros daquela coisa. Como é que nunca notamos que tem gosto de vômito?

— E teve aquela festa que vocês deram às margens do rio — lembra Mark. — Vocês duas — ele aponta para Miranda e para mim — e Samira.

— Ah, sim. Qual era o tema mesmo? — pergunta Giles.

— *Belos e Malditos* — respondo.

Todos tinham que ir com trajes dos anos 1920, para que pudéssemos fingir que éramos jovens aristocratas boêmios de Londres, como Evelyn Waugh e seus amigos. Meu Deus, como éramos pretensiosos. Lembrar disso é como ler uma antiga anotação em um diário: constrangedor, mas ao mesmo tempo enternecedor. Porque *foi* uma noite maravilhosa, quase mágica. Nós acendemos velas e as colocamos em lanternas ao longo de toda a margem. Todos se esmeraram muito em seus trajes e estavam lindos: as moças com vestidos de melindrosa cobertos de lantejoulas e os rapazes de black-tie. Miranda era a mais deslumbrante, é claro, com um longo vestido metálico. Eu me lembro de um momento embriagado de completa euforia, contemplando a festa. Como eu tinha ido parar em um lugar como aquele? Com todas aquelas pessoas sendo minhas amigas? E sobretudo com aquela garota — tão glamorosa, tão *radiante* — sendo minha melhor amiga?

Enquanto voltamos na direção das luzes da sede e dos chalés, vejo outra estátua, um pouco adiante, à nossa esquerda, uma silhueta recortada pela luz projetada pelo prédio da sauna. Essa está de costas para o lago, virada para nós. E provoca em mim o mesmo choque fugaz e misterioso que a outra; imagino que seja exatamente esse o efeito pretendido para elas.

A privacidade do meu chalé é um descanso bem-vindo. Já faz quase oito horas que estamos todos juntos. O meu é o mais distante da sede deste lado, logo depois da sauna coberta de musgo. Também é o menor. Nada disso necessariamente me incomoda. Levo mais tempo que o normal desfazendo a mala, embora tenha trazido bem pouca coisa. O champanhe deixou um gosto amargo na boca, e o pouco que bebi está pesando no estômago. Tomo um copo de água. Em seguida, um longo banho quente na banheira de metal, usando o óleo de banho orgânico fornecido pelo hotel, que cria uma espessa névoa aromaterapêutica de alecrim e gerânio. Há uma janela alta voltada para o lago, embora a vista esteja parcialmente bloqueada por ramos de hera que crescem desordenados, dignos de uma pintura pré-rafaelita. A janela também é alta o suficiente para que alguém veja o interior e me observe no banho por um tempo antes que eu perceba — se é que eu perceberia. Não sei por que isso me ocorreu — ainda mais considerando que quase não há ninguém aqui para me espiar —, mas, uma vez que o pensamento penetra minha mente, não consigo mais afastá-lo. Fecho a pequena cortina quadrada de linho, bloqueando a vista. Ao fazer isso, vejo meu reflexo no espelho acima da pia. A luz é fraca, mas acho que estou com uma péssima aparência: pálida e abatida, meus olhos, duas covas escuras.

Admito que cheguei a considerar a ideia de não vir este ano. Simplesmente fingir que não vi o e-mail de Emma na minha caixa de entrada até que fosse "tarde demais" para fazer algo a respeito. Uma constatação repentina e rebelde: talvez eu já tenha feito a minha parte. Poderia ficar escondida aqui por três dias e deixar que os outros façam barulho e drama suficientes sem se dar conta de que desapareci. Nick, Bo e Samira são bastante ruidosos quando se empolgam, mas Miranda é capaz de produzir barulho e drama suficientes para uma festa inteira *sozinha*.

É claro que ajudaria o fato de eu ser considerada a mais quieta. A observadora, que se camufla no ambiente. Era essa a dinâmica quando morávamos juntas, Miranda, Samira e eu. Elas eram as artistas, e eu, a plateia.

Se contasse tudo isso para as pessoas com quem trabalho, acho que elas ficariam surpresas. Sou uma das advogadas que está há mais tempo no escritório agora. Com sorte, em pouco tempo me tornarei sócia. As pessoas ouvem o que eu digo. Faço apresentações, me sinto muito confortável com o som da minha própria voz, ressoando em uma sala de reuniões silenciosa. Gosto da sensação, na verdade, de ver os rostos virados para mim, ouvindo atentamente o que tenho a dizer. Eu imponho respeito. Comando uma equipe. E descobri que gosto de estar no comando. Acho que todos temos diferentes versões de nós mesmos.

Neste grupo, sempre fui um zero à esquerda. As pessoas com certeza se perguntam como alguém que nem eu tem uma amiga como Miranda. Mas na amizade, como no amor, os opostos geralmente se atraem. Extrovertido e introvertido, yin e yang.

Seria muito fácil não gostar de Miranda. Ela foi abençoada pelos deuses da beleza e da fortuna. Tem o tipo de aparência absurda que vemos ser usada como "exemplo ruim e fora da realidade para garotas jovens" — como se tivesse sido photoshopada na vida real. Não parece justo que uma pessoa tão magra tenha seios daquele tamanho; eles não são em grande parte gordura? E o cabelo louro espesso, irritantemente brilhante, os olhos verdes... Ninguém na vida real parece ter olhos verdes de verdade, exceto Miranda. Ela é o tipo de pessoa que se imaginaria de imediato ser uma babaca. E ela pode ser, sem dúvida.

A questão é que, por trás de sua maneira ocasionalmente despótica de agir, Miranda sabe ser muito carinhosa. Como na época em que o casamento dos meus pais estava desmoronando, por exemplo, e ela me fez um convite para ficar em sua casa sempre que eu quisesse, me dando a oportunidade de fugir das brigas homéricas na minha. Ou quando, no sexto ano, meu namorado Matt me largou sem a menor cerimônia para ficar com Freya, que era mais bonita e mais popular, e Miranda não apenas me ofereceu um ombro amigo para chorar, mas também espalhou o boato de que ele tinha clamídia. Ou ainda quando eu não tinha dinheiro para comprar um vestido para o baile de verão da faculdade e, sem fazer alarde algum, ela me deu um dos seus longos, de seda prateada.

Quando abri os olhos em um determinado momento da viagem de trem, flagrei Miranda me observando. Aqueles olhos verdes dela. Tão perspicazes, tão críticos. Um leve franzir de testa, como se estivesse tentando decifrar alguma coisa. Fingi pegar no sono de novo bem rápido. Às vezes, realmente acredito que Miranda me conhece há tanto tempo que, em algum momento, desenvolveu a capacidade de ler minha mente se observar com bastante atenção.

Nós duas temos uma relação ainda mais antiga do que a do restante do grupo. A gente se conheceu em uma pequena escola em Sussex. As duas garotas novas. Uma, a menina de ouro, ostentando o brilho do dinheiro — ela havia sido transferida de uma escola particular das redondezas, pois seus pais queriam que ela "se esforçasse mais" (e achavam que uma educação inclusiva aumentaria suas chances de entrar em Oxford). A outra, a garota de cabelo castanho sem graça, muito magra em seu uniforme de segunda mão grande demais. A menina de ouro (já popular na primeira manhã), com pena dela, insistiu que se sentassem juntas. Transformando-a em seu projeto, fazendo com que se sentisse aceita, menos sozinha.

Eu nunca soube por que ela me escolheu para ser sua melhor amiga. E ela *de fato* me escolheu: não tive praticamente nada a ver com isso. Mas Miranda sempre gostou de fazer coisas inesperadas, sempre gostou de desafiar as expectativas das pessoas em relação a ela. As meninas faziam fila para serem suas amigas, ainda me lembro disso. Todo aquele cabelo, tão louro e sedoso que não parecia real. Cílios tão longos que uma vez ela foi repreendida por uma professora por estar usando rímel — que injustiça! Seios de verdade — aos doze anos. Ela era boa nos esportes, inteligente, mas não inteligente *demais* (embora em uma escola só para meninas o talento acadêmico não fosse uma desvantagem como em uma escola mista).

As outras garotas não conseguiam entender. Por que ela seria minha amiga se podia ter qualquer uma delas? Devia haver alguma coisa estranha nela se seu gosto para pessoas era tão "improvável" assim. Ela poderia ter comandando aquela escola como uma rainha. Mas por causa disso, da nossa amizade, provavelmente nunca foi tão popular quanto poderia ter sido. Mas isso não fazia diferença para os garotos nas festas que começamos a frequentar na adolescência. *Eu* nunca recebia convites para ir ao alojamento estudantil na escola para garotos no fim da rua ou para festas na praia. Miranda poderia me deixar para trás, mas me levava junto.

Quando penso nisso, fico ainda mais envergonhada. É a mesma sensação de quando ficava em sua bela casa eduardiana e me sentia tentada a levar um pequeno troféu comigo. Algo insignificante, que ela dificilmente notaria: um grampo de cabelo ou um par de meias rendadas. Apenas para ter algo bonito para olhar no meu pequeno quarto bege em minha lúgubre casinha de dois andares com manchas nas paredes e venezianas quebradas.

Por volta das oito da noite, ouço uma batida na porta: Nick e Bo, graças a Deus. Por um momento pensei que pudesse ser Miranda. Nick e eu nos conhecemos na semana de calouros e somos amigos desde então. Ele esteve ao meu lado durante todos os altos e baixos da universidade.

Os dois entram, dando uma olhada no lugar.

— O seu chalé é igualzinho ao nosso — diz Nick ao entrar —, só um pouco menor. E *muito* mais arrumado... Bo já ocupou todo o espaço com as coisas dele.

— Ei — repreende Bo. — Só porque não viajo com apenas três versões da mesma roupa.

Não é exagero. Nick é uma daquelas pessoas que impõem um uniforme a si mesmas: camisa branca, jeans *selvedge* escuros e botas *chukka*. Talvez um blazer elegante, e sempre, claro, os óculos Cutler and Gross com armação de tartaruga, que são sua marca registrada. De alguma forma, funciona nele. O visual fica elegante, impositivo, enquanto em reles mortais pode parecer um pouco sem graça.

Nós nos sentamos juntos no conjunto de poltronas diante da cama.

Bo fareja o ar.

— O cheiro aqui também é maravilhoso. O que é?

— Tomei um banho de banheira.

— Ah, bem que achei que aquele óleo parecia ótimo. Eles não economizam, hein? Emma realmente arrasou. Incrível.

— É verdade — digo, mas não tão entusiasmada quanto eu queria.

— Está tudo bem? — Nick me cutuca com o ombro. — Espero que não se importe com o que vou falar, mas você parece um pouco... estranha. Desde de manhã. Você sabe, aquela coisa no trem mais cedo, de você ir para o outro vagão, tenho certeza de que não foi intencional. Se tivesse sido Miranda, seria outra história... — Ele ergue as sobrancelhas olhando para Bo, que faz um gesto com a cabeça, concordando. — Eu não necessariamente faria a mesma suposição. Mas foi Emma. Acredito, de verdade, que ela não seja assim.

— Mas acho que ela não é muito minha fã.

Emma é correta demais, então já me perguntei se no passado ela viu algo que não gostou em mim, sentiu aversão e por isso se afastou.

Bo franze a testa.

— Por que você acha isso?

— Talvez seja só impressão.

— Eu realmente não levaria tanto para o lado pessoal — diz Nick.

— É. Talvez seja só porque faz muito tempo que não vejo todo mundo. E eu não deveria beber de dia, sempre fico me sentindo estranha. Ainda mais quando não como — digo.

— Verdade — concorda Bo.

Mas Nick não diz nada. Simplesmente fica olhando para mim.

Então pergunta:

— Tem mais alguma coisa acontecendo?

— Não — respondo. — Não, não tem mais nada.

— Tem certeza?

Faço que sim.

— Tudo bem, então vamos — diz Nick —, vamos alimentá-la nesse jantar. É bom que haja pelo menos uma combinação de gaitas de foles, carne de veado e *kilts*, senão vou pedir meu dinheiro de volta.

Nick, Bo e eu caminhamos até a sede de braços dados. Nick, como sempre, tem cheiro de frutas cítricas e talvez um toque de incenso. É um perfume tão familiar e reconfortante que tenho vontade de enfiar meu rosto no ombro dele e lhe contar o que está me atormentando.

Fui meio apaixonada por Nick Manson em Oxford, no começo. Acho que a maioria das pessoas do meu grupo de seminários também. Ele era bonito, mas de uma maneira mais adulta, completamente diferente de todos os outros caras do primeiro ano — muitos ainda cheios de acne e desajeitados ou incapazes de conversar com garotas. A beleza dele era muito mais sofisticada do que, digamos, a beleza de Julien, cultivada na academia. Nick parecia ter sido enviado de outro planeta, e, de certa forma, tinha sido mesmo. Ele havia se bacharelado em Paris (seus pais eram diplomatas), onde também aprendeu a falar francês e a gostar de cigarros Gitanes. Hoje Nick ri de como era pretensioso — mas a maioria dos universitários era assim naquela época... Só que a versão dele parecia autêntica, legítima.

Ele saiu do armário para um grupo seleto de amigos no meio do nosso segundo ano. Não foi exatamente uma surpresa. Não tinha saído com nenhuma das garotas que se atiravam em cima dele com uma avidez constrangedora, então talvez aquilo já abrisse margem para dúvida. Eu havia escolhido não pensar muito nisso, pois tinha minha própria explicação para seu aparente celibato: ele estava se guardando para a mulher certa.

Foi um certo baque quando ele contou, não vou mentir. Minha paixão por ele tinha toda a intensidade que uma pessoa nessa idade costuma ter. Mas com o tempo aprendi a amá-lo como amigo.

Quando conheceu Bo, ele sumiu. De repente, passei a vê-lo com muito menos frequência e a ter muito menos notícias dele. Foi difícil não ficar ressentida. Com Nick, por me deixar de lado — porque foi assim que me senti na época. Com Bo, por ser o usurpador. Além disso, Bo tinha problemas. Era viciado, ou ainda é, como diz, só que agora um viciado em recuperação, que não usa mais drogas. Nick se tornou praticamente seu cuidador em tempo integral por alguns anos. E suspeito de que Bo, por sua vez, também tenha ficado magoado comigo, por ser uma amiga íntima de Nick. Acho que agora ele está mais confiante e seguro do relacionamento deles... Ou talvez todos nós tenhamos amadurecido um pouco. Mesmo assim, com Bo, às vezes sinto que estou exagerando um pouco. Sendo meio que aduladora demais. Porque, para ser totalmente sincera, ainda acho que, com toda a sua carência — porque ele *é* carente, até hoje —, ele é o motivo de Nick e eu não sermos mais tão próximos. Ainda temos intimidade, é verdade. Mas não é como antes.

Está ainda mais frio agora; nossas respirações misturadas esfumaçam o ambiente. Espirais de névoa pairam sobre o lago, mas ao nosso redor o ar está límpido, e quando olho para cima é como se o frio tivesse de alguma forma aguçado a luz das estrelas. Enquanto cambaleamos pelo caminho até a sede, olho por acaso para a sauna, onde vi a segunda estátua mais cedo, aquela voltada para nós. Mas, curiosamente, embora eu a procure na luz que vem da construção, supondo que esteja escondida em meio às sombras, não consigo vê-la. A estátua sumiu.

PRESENTE

2 de janeiro de 2019

Heather

Enquanto tento caminhar pela neve, pisando nas grandes pegadas de Doug, penso nos hóspedes esperando nos chalés, especulando: ainda sem saber de nada.

A não ser que... Afasto o pensamento. Não posso deixar que minha mente tire conclusões precipitadas. Mas, se Doug estiver certo, há algo mais sinistro acontecendo. E tinha alguma coisa errada entre eles, isso estava claro. Havia ocorrido um "desentendimento", foi assim que descreveram a situação quando foram me contar sobre o sumiço.

Seria fácil dizer, em retrospecto, que tive um mau presságio três dias atrás, quando eles chegaram. Não previ exatamente isso, mas pressenti *alguma coisa*.

Meu Jamie era fascinado pela ideia do "cérebro reptiliano". Talvez fosse algo relacionado ao trabalho dele. Ele via as pessoas no limite, agindo puramente por instinto: o pai que fugia de uma casa em chamas antes de salvar os filhos ou, ao contrário, aquele que protegia a esposa e o bebê das labaredas e sofria queimaduras de terceiro grau em metade do corpo. Tudo se resume à amídala — um minúsculo nódulo, escondido entre as pequenas células cinzentas, a raiz de nossas ações mais instintivas. Ela está por trás do desejo egoísta de pegar o maior biscoito, o assento mais confortável. É o que nos alerta para o perigo antes mesmo que tenhamos consciência de uma ameaça. Sem ela, um rato de laboratório corre diretamente para as mandíbulas de um gato.

Jamie acreditava que as pessoas são basicamente animais civilizados. Que os instintos básicos ficam escondidos sob uma camada de verniz social; sufocados, controlados. Mas que, em momentos de estresse, mesmo não tão grandes, nosso animal interior tem a chance de irromper. Uma vez, Jamie ficou preso em um trem nos arredores de Edimburgo por quatro horas, por causa de uma falha elétrica.

— Dava para saber de imediato quais daquelas pessoas seriam capazes de comer você sem hesitar se estivéssemos presos em um bote salva-vidas juntos. Um homem começou a esmurrar a porta da cabine do maquinista em poucos minutos, o rosto completamente vermelho. Parecia um animal enjaulado. Ele olhava para todos nós como se estivesse apenas esperando que alguém lhe dissesse para ficar quieto... e assim teria uma desculpa para perder completamente a cabeça — contou ele.

Esse é o problema, sabe. Algumas pessoas, submetidas a determinada pressão, fora dos ambientes aos quais estão habituadas e nos quais se sentem confortáveis, não precisam de muito incentivo para se transformar em monstros. E às vezes a gente simplesmente tem uma forte intuição em relação às pessoas, algo inexplicável; a gente apenas sabe, bem lá no fundo. Isso também é o cérebro reptiliano.

Então me vejo, agora, voltando três dias para a noite em que eles chegaram. Minhas primeiras impressões animais.

O jantar típico das Terras Altas na primeira noite da estadia é uma das promessas do folheto. No entanto, toda vez que o oferecemos, tenho a impressão de que os hóspedes ficariam felizes em pulá-lo. Parece sempre assumir a atmosfera de uma celebração forçada, como um almoço oficial entre chefes de Estado. Tenho certeza de que é apenas mais uma forma de arrancar dinheiro deles. A margem de lucro obtida com a comida, mesmo levando em consideração o fato de que usamos "os melhores ingredientes locais", é enorme. Também me pergunto se é uma maneira de manter a comunidade do nosso lado, porque rapazes e moças das redondezas são contratados para a equipe que serve o jantar, e todos os ingredientes são comprados de fornecedores da região — menos a carne de veado, que é caçada na propriedade.

Li as manchetes da época em que o patrão comprou este lugar — da família que era proprietária destas terras havia gerações —, matérias denunciando os "preços elitistas", a "proibição aos moradores locais de entrarem em sua própria terra". Há um direito de ir e vir nas Terras Altas, que o antigo proprietário sempre havia respeitado, mas o patrão mandou instalar cercas e placas ameaçadoras. Ele alega que são para impedir a entrada de caçadores clandestinos, mas, curiosamente, isso não parecia um grande problema para o proprietário anterior. Talvez os caçadores clandestinos ainda não tivessem se organizado, se armado ou identificado a demanda substancial por carne de veado e cabeças de cervo empalhadas. Mas acho que a matança de veados que acontece agora pode ser encarada por outro ângulo. Algo na linha de uma lição ensinada, de algo tomado de volta.

Uma vez, na loja mais próxima de nós, em Kinlochlaggan (ainda assim, a mais de uma hora de distância), por acaso mencionei à vendedora onde eu trabalhava.

— Você parece uma pessoa boa, moça — disse ela —, mas aquele lugar é horrível. Dinheiro de fora. — (Ela se referia, presumo, ao fato de o patrão ser inglês, e os hóspedes, com frequência, virem da Inglaterra ou de outros lugares ainda mais distantes.) — Um dia desses, eles vão pagar caro por impedir que as pessoas usufruam do que é delas.

Então me lembrei da teoria que tinha ouvido sobre a antiga sede, a que não conto aos hóspedes: de que o fogo não tinha sido iniciado pelo guarda-caça, mas por um morador das redondezas insatisfeito, ofendido pelo proprietário.

Se o jantar das Terras Altas tem como objetivo diminuir o ressentimento em relação à propriedade, não sei bem se está funcionando. Na melhor das hipóteses, a equipe de garçons provavelmente volta para casa com histórias sobre o mau comportamento dos hóspedes. Eu me lembro de uma despedida de solteiro na qual um padrinho bêbado — mas não tão bêbado assim — apalpou uma garçonete muito nova quando ela se abaixou para pegar um guardanapo que tinha caído. Hóspedes adormeceram em cima dos pratos, sucumbindo a uma quantidade excessiva de uísque puro malte de Glencorrin. Alguns vomitaram em cima da mesa, na frente da equipe.

O grupo de hóspedes londrinos tinha se comportado melhor do que os da despedida de solteiro, certamente. Havia um bebê, então isso com certeza contou, mesmo que os pais não tivessem se juntado a nós (a mãe pediu que a refeição deles fosse servida no chalé). Restaram sete deles. O homem de cabelo escuro e a loura alta, Julien e Miranda. Um par perfeito, o mais bonito, e até os nomes deles eram os mais elegantes do grupo. Havia também o homem magro, refinado e de cabelo ruivo com óculos sérios — Nick — e seu namorado americano, Bo. O terceiro casal: Mark e Emma. Ele era quase bonito, mas os olhos eram muito juntos, como os de um pequeno predador, e a parte de cima do corpo era desproporcionalmente atarracada, dando a ele a aparência pouco natural de um boneco. Eu me peguei pensando que ela era a versão barata da loura mais alta; cabelo escuro nas raízes, um pneuzinho aparente pulando do cós da calça jeans, onde a blusa tinha subido. Fiquei surpresa comigo mesma. Não costumo ser uma pessoa crítica. Mas, mesmo quando não se interage muito com outras pessoas — como eu —, o instinto de julgar, essa característica básica do ser humano, não nos abandona. E a semelhança era impossível de ignorar. O cabelo dela estava tingido no mesmo tom, as roupas eram do mesmo estilo, e ela havia até pintado os olhos da mesma forma, um discreto esfumaçado preto nos cantos. Mas ao passo que a maquiagem fazia os olhos da amiga parecerem grandes e felinos, no caso de Emma servia apenas para enfatizar como os dela eram pequenos.

Então havia a última, Katie. A estranha. Quase não percebi sua presença no começo. Ela estava de pé, imóvel, silenciosa, nas sombras no canto da sala — quase como se quisesse ser engolida por elas. De alguma maneira, não combinava com os outros. Sua pele era pálida e havia grandes olheiras roxas sob seus olhos. Suas roupas eram muito formais, como se ela estivesse em uma viagem de trabalho e tivesse ido parar ali por engano.

Em geral, embora tenha que decorar os nomes, prefiro *pensar* nas pessoas que ficam aqui simplesmente como os "hóspedes": hóspede 1, hóspede 2 etc. Prefiro não imaginar essas pessoas como indivíduos com uma vida fora deste lugar. Talvez pareça estranho. Acho que posso dizer que é uma tática de sobrevivência. Não se envolva na vida deles. Não deixe que a felicidade deles — ou a falta dela — afete você. Não se compare à plenitude deles, dos casais que vêm em busca de um refúgio romântico, das famílias felizes.

As últimas vinte e quatro horas significaram uma proximidade maior com o grupo — uma intimidade forçada da qual eu poderia muito bem abrir mão.

Mas acho que, para ser sincera, desde o começo fiquei curiosa a respeito deles. Talvez porque tivessem mais ou menos a minha idade: trinta e poucos anos, imagino. Eu poderia ser como eles, se tivesse arrumado um emprego na cidade com um bom salário, depois da universidade, como alguns dos meus amigos. Parecia que o universo estava me dizendo: era isso que você podia ter tido. É nesse lugar que você poderia estar, é isso que você poderia estar fazendo, na época mais solitária do ano (porque a véspera de Ano-Novo é solitária, não?).

Eu poderia estar com inveja. E, no entanto, não estava. Não conseguia identificar ao certo, mas havia um desconforto, um descontentamento, que parecia cercá-los. Mesmo quando riam, se cutucavam e se provocavam, eu sentia que havia algo nas entrelinhas — algo estranho. Às vezes eles pareciam atores num grande show, encenando que estavam se divertindo muito. Eles riam um pouco *demais*. Bebiam demais também. E, ao mesmo tempo, apesar de todos esses sinais de alegria, pareciam estar vigiando uns aos outros. Talvez essa impressão pareça mais forte do que é porque estou vendo as coisas em retrospecto. Imagino que provavelmente haja tensões na maioria dos grupos de amigos. Mas eu tinha a sensação de que eles não pareciam tão confortáveis juntos. O que era estranho, porque me disseram no começo que eram amigos havia muitos anos. Só que velhos amigos são assim, não é? Às vezes nem se dão conta de que não têm mais nada em comum. Que talvez nem se gostem mais.

Os outros hóspedes, o casal de islandeses, chegaram no momento em que a entrada estava sendo servida — salmão de pescadores locais e ervas silvestres —, e foram recebidos pelo grupo com uma hostilidade de arrepiar.

Iain tinha feito a reserva deles. Eu estava em uma das minhas raras idas ao comércio local, então ele teve que atender a ligação. Tinha visto que o alojamento estava disponível no sistema, conforme me explicou, e verificou com o patrão, que aprovou tudo. Fiquei irritada, porque ele não escreveu os nomes dos hóspedes no livro de registros; se eu soubesse, não teria garantido ao outro grupo que eles teriam o lugar só para eles.

Eu não tinha certeza do comportamento que poderia esperar daqueles dois. Eles não eram do tipo usual, abastados. Ambos tinham a pele do rosto queimada pelo vento, a aparência castigada das pessoas que passam muito tempo expostas às intempéries. O homem tinha olhos azuis muito claros, como os de um lobo, e o cabelo louro e pegajoso preso com uma correia de couro. A mulher tinha um piercing no septo e um rabo de cavalo escuro e emaranhado.

Eles chegaram à estação com mochilas enormes, quase metade do seu tamanho. Explicaram que haviam feito a travessia em um barco de pesca que ia da Islândia para Mallaig, mais ao norte na costa — vi a linda loura franzir o nariz para isso —, onde Iain os pegou e os levou de caminhonete até a propriedade. Eles chegaram com as vestimentas adequadas — casacos impermeáveis e botas pesadas —, fazendo com que as sofisticadas galochas Barbours and Hunter que o outro grupo usava parecessem ligeiramente ridículas. Não haviam trocado de roupa para o jantar, de modo que até mesmo Doug e Iain, com seus *kilts* especiais de Loch Corrin, pareciam muito arrumados ao lado deles, assim como a equipe de garçons, as duas moças e o rapaz de camisa branca e aventais com estampa xadrez. A loura bonita olhou para os dois recém-chegados como se eles fossem criaturas que acabavam de emergir do fundo do lago. Felizmente, o lugar deles era ao meu lado; a loura estava sentada à minha frente, ao lado de Doug, e pareceu decidir bem rapidamente que não desperdiçaria seu tempo com eles, dedicando sua atenção a Doug. Olhei para ela, com todo aquele brilho: a blusa de seda fina, os brincos com duas pedras cintilantes — diamantes? Ela o observava como se o que quer que ele estivesse dizendo fosse a coisa mais fascinante que já ouvira, os lábios curvados em um meio sorriso, o queixo apoiado na palma da mão. Doug não ficaria interessado por alguém como ela, ficaria? Ela não fazia o tipo dele, ou fazia? Então lembrei que não tinha absolutamente nenhuma ideia de qual era o tipo dele, porque na verdade eu não sabia nada a seu respeito.

Voltei minha atenção novamente para os hóspedes islandeses ao meu lado. Eles falavam um inglês quase perfeito, com apenas uma ligeira musicalidade que revelava que eram estrangeiros.

— Você trabalha aqui há muito tempo? — perguntou a mulher, Kristin.

— Pouco menos de um ano.

— E mora aqui sozinha? — Essa pergunta veio do homem, Ingvar.

— Bem, não exatamente. Doug... Aquele ali, também mora aqui. Iain mora na cidade, Fort William, com a família.

— Foi ele quem nos pegou?

— Sim.

— Ah — disse Ingvar —, ele parece um bom homem.

— Sim. — Embora eu tenha pensado: *Sério? Iain é tão taciturno. Ele chega, faz o trabalho de acordo com as ordens do patrão e vai embora. É uma pessoa muito reservada. Claro, ele poderia dizer exatamente o mesmo de mim.*

— O que faz alguém como você vir morar em um lugar como este? — perguntou Ingvar, de forma quase amável.

A maneira como ele perguntou, como se entendesse, quase me fez pensar que ele havia intuído alguma coisa.

— Eu gosto daqui. — Até para mim mesma soei na defensiva. — A beleza natural, a paz...

— Mas deve ser solitário viver aqui, não?

— Não muito — respondi.

— Não dá medo? — Ele sorriu ao dizer isso, e senti um leve arrepio percorrer o meu corpo.

— Não — respondi, de forma ríspida.

— Acho que a gente se acostuma — disse ele, não notando ou ignorando minha rispidez. — De onde viemos, sabemos como é viver sozinho. Mas, se não tomar cuidado, isso pode deixar você um pouco maluco. — Ele girou o dedo na têmpora. — Toda a escuridão no inverno, a solidão.

Não é bem verdade, pensei. Às vezes a solidão é a única maneira de recuperar a sanidade. Mas o que ele disse também me fez pensar. Se eu morasse na Islândia — com suas longas noites de inverno —, será que não ia querer ir para um lugar que ficasse mais longe do frio e da escuridão do que a Escócia? Pelo preço dos chalés neste lugar, dava para ir até o relativo calor do sul da Europa. E, ao pensar nisso, me perguntei como duas pessoas que tinham chegado até aqui pegando carona em um barco de pesca poderiam pagar nossas diárias. Mas talvez eles tivessem feito aquilo apenas pela aventura. Recebemos todo tipo de gente aqui.

— Devemos nos preocupar? — perguntou Ingvar em seguida. — Por causa das notícias?

— Que notícias?

— Você não sabe? Sobre o Estripador das Terras Altas.

Claro que eu sabia, mas estava torcendo para que os hóspedes não soubessem. Eu tinha visto as fotos no jornal no dia anterior: o rosto das seis vítimas. Todas jovens, todas bonitas. Era possível esbarrar com uma centena de garotas como aquelas caminhando pela Princes Street, em Edimburgo — mesmo assim, elas tinham o olhar agourento que todas as vítimas têm nas fotos, como se houvesse algo em cada rosto sorridente e inócuo que profetizasse seu destino; era só olhar com atenção. Elas pareciam, de alguma forma, ter sido marcadas para morrer.

— Sim — respondi com cautela. — Li os jornais. Mas a Escócia é um lugar muito grande, sabe, não acho que vocês tenham nada com que...

— Pensei que as vítimas tivessem sido encontradas nas Terras Altas Ocidentais.

— Ainda assim — insisti. — É uma área bem grande. Seriam as mesmas chances de esbarrar com o monstro do lago Ness.

Eu estava soando um pouco mais blasé do que me sentia. Naquela manhã, Iain dissera: "Você deveria avisar aos hóspedes para não saírem à noite, Heather. Por causa das notícias."

Fiquei muito nervosa com o fato de Iain — que quase nunca mencionava os hóspedes — ter manifestado preocupação com o bem-estar deles.

Não achava que aquele homem, Ingvar, tivesse medo de alguma coisa. Na verdade, tive a impressão de que ele estava se divertindo com toda aquela história; um sorriso ainda parecia adornar os cantos de sua boca. Foi um alívio quando ele perguntou sobre caça, e pude escapar do escrutínio daqueles claríssimos olhos azuis. Eu me lembro de pensar que havia algo de enervante neles: não pareciam muito humanos.

— Ah, sobre caça é melhor você perguntar para Doug — falei. — Isso é definitivamente especialidade dele.

Doug olhou em nossa direção. A loura também, sem dúvida irritada com a interrupção.

— Vocês costumam caçar à noite — perguntou Ingvar —, usando lanternas e cachorros?

— Não — respondeu Doug, muito rápido e surpreendentemente alto.

— Por que não? — perguntou Ingvar, com aquele sorriso estranho outra vez. — Eu soube que é muito eficaz.

A resposta de Doug foi direta.

— Porque é perigoso e cruel. Eu nunca usaria lanternas.

— Lanternas? — perguntou a loura.

— Holofotes — respondeu ele, mal olhando na direção dela. — Iluminar os veados, para que fiquem paralisados. Isso confunde os animais... e os aterroriza. O que significa que com frequência você atira no veado errado: fêmeas com filhotes, por exemplo. Às vezes os caçadores usam cachorros, que estraçalham o animal. É uma barbaridade.

Depois que ele disse isso, fez-se um silêncio muito tenso. Eu me dei conta de que talvez aquilo fosse o máximo que já ouvira Doug dizer de uma só vez.

Os dois islandeses estão ansiosos para ajudar com as buscas. Eles são provavelmente os únicos em quem confio nas atuais circunstâncias: devem conviver com condições climáticas similares o tempo todo. Mas continuam sendo hóspedes, e eu continuo responsável pelo seu bem-estar. Além disso, não sei nada a respeito deles. São dois desconhecidos. Todos os hóspedes, aliás. Então meu cérebro reptiliano diz em alto e bom som: *Não confie em ninguém.*

Eu me pergunto o que os hóspedes pensam de mim. Talvez vejam uma pessoa organizada, meio sem graça, no controle de absolutamente tudo. Pelo menos é isso que veem quando visto o disfarce engenhoso que bolei para mim mesma, como uma carapaça rígida. Dentro da carapaça, a realidade é muito diferente: há uma pessoa que mantém os próprios cacos unidos com fita adesiva e cola, além de remédio para dormir prescrito pelo médico — ultimamente a única coisa capaz de me convencer a fazer uma incursão à civilização. Tomado às vezes, muitas vezes, com um *pouco* de vinho demais. Não estou dizendo que tenho um problema com bebida; não tenho. Mas nunca bebo por prazer. Bebo por necessidade. Uso a bebida como mais um analgésico: para atenuar as arestas das coisas, para aliviar o tormento crônico e doloroso da memória.

TRÊS DIAS ANTES
30 de dezembro de 2018

Miranda

A refeição acontece na grande sala de jantar da sede, bem ao lado da sala de estar, iluminada com umas centenas de velas, e é servida por adolescentes cheios de espinhas usando avental xadrez. Temos dois desfalques: Samira e Giles vão jantar no chalé. Samira disse que já ouviu muitas histórias sobre pais "que deixaram os filhos sem supervisão por cerca de apenas uma hora", tempo suficiente para algo horrível acontecer. "Sim", eu disse a ela, com toda a paciência, "mas não no meio do nada". Além disso, Priya dificilmente vai sair andando por aí aos seis meses de idade, pelo amor de Deus. Mas Samira foi irredutível.

Quase não consigo acreditar que essa mulher é a mesma Samira que, durante uma festa, no alto dos nossos vinte e poucos anos, decidiu saltar o vão de sessenta centímetros de largura entre o prédio do alojamento e o prédio ao lado, apenas por diversão. Ela sempre foi uma garota ousada, festeira, com quem se podia contar para acelerar o ritmo em uma noitada. Apesar de Katie ser minha amiga mais antiga, Samira é provavelmente muito mais parecida comigo: aquela com quem sempre me identifiquei mais. Agora tenho a impressão de que mal a reconheço. Talvez seja apenas porque ela está muito ocupada com Priya. Tenho certeza de que a verdadeira Samira está em algum lugar lá dentro. E espero que esta seja nossa chance de recuperar o tempo perdido, de lembrar que somos parceiras no crime. Mas, sinceramente, depois que têm filhos, algumas pessoas parecem passar por um transplante de personalidade. Ou uma lobotomia. Talvez eu deva me considerar uma pessoa de sorte por, ao que parece, não conseguir engravidar. Meu Deus, pelo menos vou continuar a ser eu mesma.

Estou sentada entre o guarda-caça, Doug, e o outro cara, Iain. Ambos estão usando *kilt* verde e uma bolsa de couro amarrada na cintura, tudo muito caricatural. Nenhum dos dois parece particularmente feliz. Como era de se imaginar, o guarda-caça fica melhor com o traje. Ele *é mesmo* muito atraente. Lembro que, antes de Julien, às vezes eu me sentia atraída por homens assim. Do tipo calado e pensativo: o desafio de fazê-los falar, de fazer com que se importem.

Eu me viro para ele e pergunto:

— Você sempre foi guarda-caça?

Ele franze a testa.

— Não.

— Ah, e o que fazia antes?

— Era fuzileiro naval.

Eu o imagino de cabelo bem curto e uniforme. É uma imagem agradável. Ele fica bonito arrumado, mesmo que eu tenha certeza de que seu cabelo não vê uma escova há uns cinco anos. Fico satisfeita com a roupa que estou usando: minha blusa de seda, desabotoada um pouco além do estritamente necessário, e meu jeans novo.

— Já teve que matar alguém? — pergunto, inclinando-me para a frente e apoiando o queixo na mão.

— Tive.

Ao dizer isso, a expressão dele é neutra, não revela qualquer emoção. Sinto um ligeiro arrepio, que pode ser de inquietação... ou desejo.

Julien está sentado bem diante de nós, com uma visão frontal de tudo. Não há nada como provocar um pouco de ciúme para apimentar as coisas em uma relação — em especial a nossa. Pode ser um garçom já bem conhecido em um restaurante, ou o cara na espreguiçadeira ao lado que, segundo Julien, não tira os olhos de mim (ele provavelmente tem razão). "Você queria que ele fizesse isso com você?", ofegaria ele no meu ouvido mais tarde, "ou isso?".

Para ser sincera, ultimamente o sexo se transformou em um meio para um fim específico, não uma forma de prazer. Tenho um aplicativo, recomendado por Samira, que identifica meus dias mais férteis. E há também, é claro, certas posições que funcionam melhor. Já expliquei isso a Julien muitas e muitas vezes, mas ele parece não entender. Acho que, nos últimos tempos, ele parou de tentar. Então, sim, seria bom apimentar um pouco as coisas.

Eu me viro para Doug, mantendo Julien em meu campo de visão periférica. Ele está conversando com a mulher islandesa, então toco a mão de Doug, só por diversão. Talvez eu já tenha tomado uma ou duas taças além da conta. Sinto seus dedos estremecerem com o toque.

— Desculpe — digo, toda inocente. — Poderia me passar o molho?

Acho que está funcionando. Julien definitivamente parece muito irritado com alguma coisa. Para todos os efeitos, ele está se divertindo muito — é sempre muito importante passar a imagem certa para o mundo —, mas eu o conheço bem demais. Essa tensão específica na lateral do pescoço, o ranger de dentes.

Olho para onde a pobre Katie está sentada, na outra ponta da mesa, ao lado do islandês de olhos estranhos, que parece interessado nela. É um pesadelo eles estarem aqui também. Será que vamos ter que compartilhar a sauna? A julgar pelo estado das roupas que estão usando, eu teria que me desinfetar depois.

O homem, agora, está inclinado na direção de Katie como se nunca tivesse visto nada tão fascinante ou bonito na vida. Levando-se em conta sua parceira, ele claramente tem um gosto *pouco convencional*.

Embora... sem dúvida haja algo diferente em Katie. Ela parece cansada e pálida, como sempre, mas, para começar, há o novo corte de cabelo. No salão que ela frequenta, eles cortam seu cabelo à la sra. Williams, nossa antiga treinadora de hóquei da escola. Era de se esperar que, com o salário de advogada corporativa, ela se esforçasse um pouco mais às vezes. Venho dizendo a ela para ir ao Daniel Galvin há tempos — retoco as luzes no salão dele a cada seis semanas —, então não sei por que fiquei tão chateada por ela ter finalmente me ouvido. Talvez porque ela não tenha me dado nenhum crédito por isso, e eu ache que mereça. Talvez por eu ter imaginado que iríamos juntas. Passar a manhã no salão, só nós duas.

Ainda me lembro da garota que ela era antigamente: sem peito, ao passo que o de todas as outras meninas começava a crescer. Cabelo escorrido, pernas tortas, o marrom do uniforme da escola acentuando o aspecto macilento de sua pele.

Sempre gostei de um projeto.

Olhe só para ela agora. É difícil ser objetiva, pois a conheço há tanto tempo que somos praticamente irmãs, mas consigo imaginar que alguns homens a achem atraente. Claro: ela nunca será bonita, mas aprendeu a tirar proveito do que tem. O novo cabelo. Os dentes alinhados e clareados. As roupas com um corte perfeito para valorizar ao máximo sua figura franzina (eu nunca poderia usar uma blusa como aquela sem que meus peitos criassem uma espécie de plataforma que lhes deixaria parecendo ainda maiores). Fez uma otoplastia para corrigir as orelhas de abano, um presente para si mesma quando foi contratada pelo escritório de advocacia. Ela parece quase... elegante. Daria até para pensar que é francesa: seu jeito de extrair o melhor dessas características meio complicadas. Como é mesmo a expressão que os franceses têm para isso? *Jolie laide*: uma feia bonita.

Katie jamais ouviria assobios de peões de obra ou homens em vans. Nunca entendi por que algumas pessoas acham que uma mulher pode se sentir lisonjeada com uma coisa dessas. Olha, tudo bem, eu *sei* que sou atraente. Muito atraente. Pronto, falei. Você me odeia agora? Que seja, não preciso que minha beleza seja confirmada por um bando de trabalhadores barrigudos da construção civil que assobiariam para qualquer uma com uma saia curta ou uma blusa justa. Quando muito, eles a rebaixam.

Não gritariam um elogio para Katie, no entanto. Bem, talvez gritassem "Dá um sorriso, coisa linda!". Mas não a desejariam. Não a entenderiam. *Quase* tenho inveja disso. É algo que nunca terei, a sutileza de um segundo olhar.

Enfim. Talvez agora que estamos finalmente juntas eu possa descobrir o que está acontecendo em sua vida — o que provocou essa misteriosa mudança.

Emma

É difícil não passar toda a refeição observando as pessoas ao redor da mesa, verificando se todos estão se divertindo. Eu realmente gostaria de ter dispensado esse jantar quando fiz as reservas — na época pareceu uma ótima ideia, mas a presença do casal de islandeses deixa uma dinâmica estranha. E essa proximidade com os outros hóspedes apenas enfatiza a confusão que fez com que não tivéssemos o lugar apenas para nós. Eu sei que deveria relaxar: *o que não tem remédio, remediado está*, e tudo o mais, mas eu queria muito que a estadia fosse perfeita para todos. Os outros hóspedes terem uma aparência tão estranha e desleixada não contribui muito: dá para perceber como especialmente Miranda está decepcionada com a presença deles. Katie está sentada ao lado do homem, Ingvar — que olha para ela como se quisesse que a nossa amiga estivesse no prato à sua frente, no lugar da carne.

Eu, enquanto isso, estou sentada ao lado de Iain. Ele não fala muito, mas, quando se propõe a dizer alguma coisa, o sotaque é tão carregado que é difícil entender tudo.

— Você também mora aqui? — pergunto.

— Não — responde ele. — Moro em Fort William, com minha esposa e meus filhos.

— Ah. Trabalha aqui há muito tempo?

Ele faz que sim com a cabeça.

— Desde que o atual proprietário comprou o lugar.

— O que você faz?

— O que precisar ser feito. Tarefas variadas, em todos os cantos. No momento, estou trabalhando na casa de bombas, lá no lago. Também compro os suprimentos: comida, itens para os chalés.

— Como o proprietário é? — pergunto, intrigada.

Imagino um velho latifundiário escocês com suíças, então fico um pouco surpresa com a resposta de Iain.

— Para um inglês, até que é legal.

Espero que ele continue, mas ou ele não tem nada a acrescentar, ou se mostra relutante em fazê-lo.

Não tenho mais nenhuma pergunta, então é um alívio quando o islandês toca no assunto da caça de veados, e toda a mesa se volta para isso. É como se a ideia de uma caçada, uma matança, exercesse uma atração magnética sobre a atenção de todos.

— Não caçamos veados só por caçar — diz o guarda. — Fazemos isso para evitar que a população cresça demais. Caso contrário, sairia do controle. Então, é necessário.

— Pois acho que é necessário por outro motivo — retruca o homem, Ingvar. — Os humanos são caçadores, está no nosso DNA. Precisamos encontrar uma válvula de escape para essa necessidade. A *sede de sangue*.

Ele diz as últimas palavras como se tivessem um sabor delicioso, e há uma pausa, durante a qual ninguém parece saber ao certo o que dizer, um aumento da estranha tensão que assombra aquele jantar.

Vejo Miranda erguer as sobrancelhas. Talvez possamos todos rir disso mais tarde, vai ser uma história engraçada. Toda viagem tem esses momentos, não é?

— Bem, não sei nada sobre veados — diz Bo, espetando um pedaço de carne —, mas está delicioso. É incrível pensar que veio daqui.

Não tenho tanta certeza. Não está exatamente horrível, mas poderia ter ficado muito melhor se eu tivesse preparado. A carne de veado está com um gosto muito forte de zimbro, mal dá para sentir seu sabor, e tem pouquíssimo molho. Os legumes e as verduras estão murchos: a couve-toscana é uma papa que passou do ponto.

Vou compensar amanhã à noite. Tenho meu maravilhoso banquete planejado: *blinis* de salmão defumado para acompanhar as primeiras garrafas de champanhe, depois bife Wellington com *foie gras*, seguido de um suflê de chocolate perfeito. Os suflês, como todos sabem, não são fáceis de preparar. É preciso ser um pouco obsessivo. A separação dos ovos, o ponto perfeito das claras em neve — o *timing* no fim, certificando-se de que seja servido antes que murche o lindo topo inflado. A maioria das pessoas não tem paciência para isso. Mas esse é exatamente o tipo de coisa que eu gosto de cozinhar.

É um alívio, para ser sincera, quando a sobremesa (uma pavlova de framboesa que ficou muito mole) é finalmente retirada.

Quando todos começam a se preparar para deixar a mesa, Julien faz um gesto pedindo que voltemos a nos sentar. Ele bebeu além da conta e oscila um pouco de pé.

— Amor — diz Miranda, em seu tom mais suave —, o que você está fazendo?

Eu me pergunto se ela está se lembrando do último Ano-Novo, no requintado restaurante Fera, no hotel Claridge's, quando ele se levantou da cadeira sem olhar e derrubou no chão uma bandeja inteira de comida que um garçom carregava.

— Eu gostaria de dizer algumas palavras — começa ele. — Quero agradecer a Emma — ele ergue a taça para mim —, por ter escolhido um lugar tão incrível...

— Ah... — digo. — Não fiz nada...

— E gostaria de dizer como é especial ter todos aqui, juntos. É bom saber que algumas coisas nunca mudam, que alguns amigos estarão sempre a seu lado. Não foi um ano fácil...

— Amor — repete Miranda, com uma risada. — Acho que todo mundo já entendeu. Mas concordo totalmente. Um brinde aos velhos amigos. — Ela ergue a taça. Então se lembra e se vira para mim. — E também aos novos, claro. Tim-tim!

Todos fazem o mesmo, inclusive Ingvar, embora obviamente ela não estivesse se referindo a ele. Mas nem mesmo sua intromissão estraga o momento. O brinde resgatou o clima, de alguma forma — deu um ar de celebração ao jantar. E sinto, de novo, aquele calorzinho especial de orgulho.

Doug

Cerca de uma hora depois do jantar, há uma batida à sua porta. Os cães, Griffin e Volley, enlouquecem com a excitação inesperada: ninguém *nunca* vai até o chalé dele. Ele checa a hora: meia-noite.
— O que...
É a mulher bonita, a loura alta que se sentou ao lado dele à mesa. Que encostou na mão dele — aquilo que foi, na verdade, o primeiro toque que recebeu de alguém em muito tempo. Ela sorri, com a mão levantada, como se estivesse prestes a bater de novo. Ele sente o cheiro de problema exalando da visitante.
Griffin passa correndo por ele e pula em cima da mulher, enquanto Doug ruge: "Quieta!" A visitante ergue os braços e, ao fazer isso, o suéter se levanta, expondo uma parte da pele firme da barriga, o botão apertado do umbigo. O focinho da cadela deixa um rastro molhado na pele dela.
Ela parece envergonhada por sua reação de medo e se inclina para acariciar a cabeça de Griffin, em uma demonstração de coragem.
— Menina bonita — diz, sem soar totalmente confiante.
Ela sorri para ele com todos os seus dentes brancos. *Olhe para mim*, o sorriso diz, *veja como estou relaxada*.

— Oi. Espero que não se importe de eu ter aparecido do nada.

— O que aconteceu?

O sorriso dela vacila. Tarde demais, ele se lembra de que está diante de uma hóspede, que sua função é servi-la, mesmo que seja ridiculamente tarde para ir até lá e pedir alguma coisa. Ele tenta conter os danos com a próxima pergunta.

— Em que posso ajudar?

— Eu queria saber se você poderia nos ajudar a acender a lareira — responde ela. — Na sede.

Ele a encara. Não consegue acreditar que nove pessoas não sejam capazes de reunir as habilidades necessárias para acender uma lareira.

— Estamos tentando — explica ela —, mas não está dando muito certo. — Ela apoia o braço no batente da porta, curvando o quadril. O suéter sobe novamente. — Somos de Londres, sabe? Tenho certeza de que você se sairia *muito* melhor do que a gente.

— Tudo bem — responde ele, secamente, e depois lembra que ela é uma cliente. Uma *hóspede*. — Claro.

Ele se dá conta de que ela é o tipo de mulher que está acostumada a conseguir o que quer. Percebe que ela está tentando espiar o interior do chalé. Ele não está acostumado com isso, o que o leva a bloquear a visão dela com o corpo, passar pelo batente e fechar a porta tão rápido que por pouco não acerta o focinho ávido de Griffin.

Ela curva o dedo para ele, convidando-o a segui-la. Apenas em direção à sede, para acender a droga da lareira, mas ainda assim. Ele sabe o que ela está oferecendo. Não o ato em si, talvez, mas um sussurro, uma insinuação, um vislumbre.

Quanto tempo faz? Muito tempo. Mais de um ano, talvez bem mais.

Enquanto caminha atrás dela, ele sente seu perfume outra vez, o aroma defumado de igreja. Tem cheiro de confusão, na opinião dele.

Ele a segue até a sede. Quando se ajoelha diante da lareira, o grandalhão — Mark? — se aproxima e diz, como quem fala de homem para homem:

— Perda de tempo, companheiro. Ela insistiu em chamar você. Mas eu já tinha praticamente acendido. A lenha está um pouco úmida, só isso.

Ele olha para o arranjo aleatório dos pedaços de lenha na lareira, os cerca de vinte fósforos queimados espalhados, e não diz nada.

— Quer ajuda? — pergunta o homem.

— Não, obrigado.

— Como quiser, *companheiro*.

Em questão de segundos, o rosto do homem fica vermelho de vergonha ou, Doug suspeita, raiva. *Esse aí tem pavio curto*, pensa ele. É preciso ter pavio curto para reconhecer essa característica em outra pessoa.

PRESENTE

2 de janeiro de 2019

Heather

Em geral, a água do lago reflete a paisagem com tanta perfeição que as montanhas, as árvores e a sede parecem estar diante de um espelho. Às vezes, nesse reflexo, elas ficam mais nítidas, mais belas do que na realidade. Mas hoje a superfície está nublada, opaca, marcada pelo gelo. *Por favor*, penso, enquanto sigo Doug pela curva do caminho junto à água, *que não seja no lago. Não deixe que ele tenha encontrado o corpo lá.*

O lago é meu santuário, minha igreja.

A primeira vez que penetrei naquelas profundezas congelantes, eu não pretendia voltar. Foi em meus primeiros dias aqui, quando descobri que não tinha conseguido escapar de tudo. Mas algo aconteceu quando minhas roupas começaram a ficar pesadas e o frio me envolveu em suas garras hediondas. Uma urgência primitiva, além do meu controle, de bater os pés, lutar. Lá estava a vida, de repente: dentro de mim, poderosa, invencível. A sensação era — é — viciante. É um dos poucos momentos em que não sinto que estou me afogando.

Tenho uma rotina estabelecida agora. Eu me levanto e ponho meu traje de banho, um maiô comportado, como os que usávamos nas aulas de natação na escola. Não estou tentando impressionar ninguém, e é a maior cobertura que consigo para me manter aquecida sem recorrer a um traje de mergulho completo. Entro no lago todos os dias de manhã. Faço isso sobretudo quando a temperatura está abaixo de zero, como agora, e tenho que quebrar o gelo que recobre a superfície da água — quando ela está tão gelada que nos aperta como um torno e espreme todos os pensamentos de nossa mente, e nosso coração bate tão forte que parece que vai explodir. Mais do que nunca, é nesse instante que sou eu mesma, sem o peso de tudo sobre mim. O único momento em que de fato me sinto viva ultimamente.

Depois me seco e volto para o meu chalé. A essa altura, todas as terminações nervosas do meu corpo estão tomadas por um formigamento prazeroso. Acho que poderia dizer que, depois do sexo, é a melhor sensação.

Vi Doug nadando no lago apenas uma vez. Tenho, do meu chalé, uma vista panorâmica da água. Na beira do lago, ele se despiu até ficar só de cueca, revelando ombros fortes, a pele muito branca como leite. Quando começou a nadar — nem um segundo de hesitação diante do frio —, parecia que seu corpo era uma máquina especialmente projetada para atravessar a água na maior velocidade possível. Ao sair, seu rosto estava sombrio.

Enquanto o observava, fui tomada por uma forte sensação de vergonha, como se tivesse invadido um momento íntimo dele, mesmo tendo olhado de relance pela janela. E vergonha também porque tinha parecido uma deslealdade. Porque olhei e continuei olhando, e não fiquei imune à visão do corpo do meu colega de trabalho. Porque aquela imagem permaneceu em minha mente enquanto eu tomava banho, mais tarde, e me proporcionou o primeiro orgasmo que tive em mais de um ano.

Agora Doug se vira, para verificar se continuo atrás dele, e sinto um calor subir imediatamente para minhas bochechas. Espero que o frio cortante seja suficiente para justificar isso.

Estamos prestes a adentrar o emaranhado de árvores que cerca o lago deste lado. Uma orla de pinheiros escuros. Alguns não são nativos; vieram da Noruega, plantados depois da guerra. São muito mais densos do que os pinheiros-escoceses locais, e, quando se está no meio deles, todos os sons do mundo exterior parecem ser abafados. Não que haja muitos sons aqui, além do pio ocasional dos pássaros.

Nos dias bons, tento me convencer de que amo essas árvores: as agulhas reluzentes, as pinhas que coleciono e guardo em tigelas pela casa, o perfume acolhedor de Natal exalado pela resina quando ando entre elas. Nos dias ruins, acho que parecem fúnebres, como sentinelas sinistras cobertas por um manto negro.

Estamos fora de vista da sede agora. Completamente sozinhos. De repente, lembro que, embora já esteja trabalhando ao lado desse homem há um ano, não sei quase nada sobre ele. Este é com certeza o maior tempo que já passei em sua companhia — e possivelmente é o máximo que já falamos um com o outro.

Não tenho certeza se ele fala com *alguém*. Logo no início, fiquei esperando que ele me perguntasse se podia usar a internet: mandar um e-mail, talvez, ou ver como estão os amigos e familiares pelas redes sociais. Mas nunca pediu. Até eu entro em contato com amigos e parentes de vez em quando.

— Sua mãe está preocupada com você — meu pai dizia no começo. — Presa em um lugar como esse sozinha, depois de tudo que você passou. Isso não está certo.

Então tento voltar para casa a cada poucos meses, para tranquilizá-la, embora a experiência de readentrar no mundo exterior não seja algo particularmente agradável para mim.

Doug, no entanto, parece *nunca* sair da propriedade, a menos que seja obrigado: quando tem que levar os hóspedes à cidade para visitar as lojas, por exemplo. Cometi o erro de mencioná-lo à minha mãe, a vida solitária que ele leva. E é claro que, no melhor estilo maternal, ela ficou preocupada.

— Ele pode ser qualquer um — disse ela. — Qual é o passado dele? De onde ele vem?

Contei a ela a única coisa que eu sabia de fato, que ele tinha sido fuzileiro naval. Isso não a tranquilizou nem um pouco.

— Você precisa pesquisar sobre ele no Google — sugeriu ela.

— Google, mãe.

— Não importa. Só me prometa que vai fazer isso. Você precisa saber quem é esse homem... Não consigo dormir de tanta preocupação com você, Heather. Fugindo e nos deixando para trás justamente quando mais precisa da sua família. Não nos deixando ajudar como gostaríamos. Nenhuma palavra por dias, semanas. Preciso saber que você está segura, pelo menos. Com quem está trabalhando. Não é justo, Heaths. — E então ela pareceu se conter. — Claro... Eu sei que deve parecer horrível me ouvir dizendo isso. O que houve com você... foi a coisa mais injusta que poderia ter acontecido...

— Tudo bem, mãe — respondi, porque não queria ouvir mais nada. — Pode deixar que vou fazer isso, vou pesquisar sobre ele no Google.

Mas não pesquisei, não naquela época. Na verdade, essa ideia me parecia uma traição.

É claro que quando minha mãe me perguntou o que eu tinha descoberto — dava para ver que era uma daquelas coisas das quais ela não desistiria, como um cachorro que não larga o osso —, fiz o possível para tranquilizá-la.

— Está tudo bem. Já pesquisei. Não há nada. Pode parar de se preocupar comigo agora.

Houve um momento de silêncio.

— Nunca paro de me preocupar com você, querida.

Desliguei o telefone.

A verdade é que ela tem razão, porque não sei nada sobre Doug. Só o que o patrão deu a entender durante a entrevista, que o histórico dele o tornava muito adequado para o trabalho — particularmente para afugentar caçadores clandestinos. Quando foi oferecida a ele a oportunidade de escolher um chalé, ele elegeu o mais afastado de tudo — no pé da encosta do Munro, sem o abrigo das árvores, sem a vista do lago. É sem dúvida o pior de todos, o que sugere que ele o escolheu apenas pela localização. Entendo a necessidade de ficar sozinho. Mas a necessidade de um isolamento ainda maior neste lugar já selvagem e remoto faz com que eu me pergunte do que exatamente ele está tentando se distanciar.

— Para onde estamos indo, Doug?

— Falta só mais um pouco agora — diz ele, e sinto uma onda de apreensão, um forte impulso de me virar e correr na direção contrária, de volta para a sede. Mas, em vez disso, sigo Doug conforme adentramos cada vez mais na floresta, e o único som é o chiado de nossas botas na neve.

Bem à nossa frente, vejo a primeira das cachoeiras, a pequena ponte de madeira, a casa de bombas um pouco mais acima. Normalmente levaríamos apenas dez minutos para chegar até aqui. Mas nestas condições demoramos quase meia hora.

Vejo as grandes impressões deixadas pelas botas de Doug na neve sobre a ponte, onde ele aparentemente parou da primeira vez. Percebo que não há outras pegadas, mas faz todo o sentido. Está nevando há horas. Quaisquer outros rastros — incluindo os da vítima — teriam sido apagados há muito tempo.

— Lá — diz ele, apontando.

Piso cautelosamente na ponte. No começo não vejo nada. É uma longa queda até o fundo, e sinto de forma palpável a presença de Doug, de pé atrás de mim. Eu me flagro pensando que bastaria um empurrãozinho para me atirar dali. Seguro com força o corrimão de corrente, embora ele pareça muito frágil em minhas mãos.

Há um momento de incompreensão enquanto olho para o vazio. Tudo o que consigo ver é muita neve e gelo acumulados sobre o barranco.

— Doug, não estou vendo nada. Não tem nada lá embaixo.

Ele franze a testa e aponta novamente. Sigo seu dedo.

De repente, despontando por entre as rochas e as espessas camadas de neve, aquilo aparece abaixo, como uma imagem surgindo lentamente em um olho mágico.

— Ah, Deus. — É mais o ar escapando, como um soco no estômago, do que uma fala.

Já vi cadáveres na vida, no meu antigo emprego. Sem dúvida já vi mais cadáveres do que qualquer pessoa normal. Mas o horror da experiência nunca nos abandona. É sempre um choque — um choque profundo e existencial — confrontar-se com o objeto inanimado que já foi uma pessoa. Uma pessoa, que até bem pouco tempo sentia, via e pensava, reduzida a um monte de carne fria. Sinto a antiga onda de náusea que me era familiar. Na faculdade de medicina, eles nos diziam que aquilo passava depois de um tempo. "Você se acostuma." Mas não sei bem se realmente me acostumei. E fui pega desprevenida, apesar de saber o que vim ver. Fui encurralada, aqui neste lugar, pela morte. Achei que pudesse fugir dela.

Parece quase parte da paisagem: talvez seja por isso que passou despercebido. Mas agora que o vejo, não consigo acreditar que não reparei antes. O cadáver tem uma espécie de poder sombrio que atrai o olhar. A metade inferior está ligeiramente coberta pela neve, embora o abrigo da ponte tenha preservado a metade superior do corpo. A pele tem um tom azul-acinzentado, desprovida de todo o sangue e toda a cor humana. O cabelo também, esparramado atrás da cabeça, poderia ser apenas mais um punhado de ervas daninhas mortas, como aquelas que despontam obstinadamente na neve em alguns lugares.

Parece haver uma boa parte da pele exposta, na verdade. Não é o cadáver de uma pessoa que saiu vestida para enfrentar este clima. O frio a teria matado em uma hora — ou menos — se outra coisa não a tivesse vitimado antes. Ou *outra pessoa*.

Vejo agora, prestando mais atenção, o halo de sangue em torno da cabeça: cor de ferrugem, cobrindo as rochas abaixo como uma espécie peculiar de líquen. Há muito sangue. Uma queda sobre as rochas. Pode ter sido isso que provocou a morte.

Mas percebo que é mais complicado. Há um inconfundível colar escuro em torno do pescoço. A pele ali, mesmo a essa distância, parece particularmente azulada, como em contusões. Sei muito pouco de medicina forense; meu conhecimento é ligeiramente maior do que o de uma pessoa que não tenha formação médica. Minha antiga vocação era salvar vidas, não examinar as evidências da morte. Mas não era preciso ser um especialista na área para ver que algo tinha comprimido a pele ali, formando a lesão.

O rosto... Não, não quero pensar no rosto.

Eu me volto mais uma vez para Doug. Seu olhar está vazio; é como se não houvesse ninguém por trás de seus olhos. Dou um passo para trás, involuntariamente. Em seguida me contenho.

— Eu vi — digo. — Entendi o que você quis dizer. Tem razão.

Temos que esperar a polícia chegar, para fazer sua avaliação, é claro. Mas agora sei por que Doug queria que eu viesse e desse uma olhada. Isso não parece um acidente.

TRÊS DIAS ANTES
30 de dezembro de 2018

Emma

Estamos de volta à sala de estar da sede, todos meio bêbados. Cansados do dia também, mas ninguém quer ir para a cama, porque é uma novidade estarmos juntos assim. Samira e Giles se juntaram a nós — ao que parece Priya finalmente adormeceu, apesar de Samira continuar segurando a babá eletrônica no ouvido, como se estivesse com medo de que pare de funcionar. Há muitas risadas e alegria, a bebida nos deixando mais relaxados.

— Então, o que nós perdemos? — pergunta Giles.

— Nada de mais — responde Nick. — Embora eu claramente devesse ter trazido um *kilt*. Obrigatório aqui, ao que parece.

— Acho que é um belo traje — diz Miranda, olhando rapidamente na direção do guarda-caça, que está ajoelhado diante da lareira tentando acender o fogo. — Ah — diz ela, cheia de mistério —, e conhecemos os outros hóspedes...

— Como eles são? — pergunta Samira.

Bo imita o sotaque carregado do homem, Ingvar.

— A *ssssede* de sangue — diz ele, gesticulando —, vocês não sentir isso *desperrrtando* em vocês em um *lugarrrr* como este, a vontade de *matarrrr*?

Miranda engasga de tanto rir.

— Isso, isso, é exatamente assim!

Ele é um ótimo imitador — era de se esperar, já que é ator. Mas também está com a fala um pouco arrastada, mais bêbado do que todo mundo. Bo teve problemas com drogas no passado, mas o álcool pelo visto não está proibido. Durante o jantar, ele virava uma taça de vinho atrás da outra.

— Meu Deus — diz Samira —, ele é meio esquisito. Mas imagino que... vocês sabem, inofensivo...?

— Ele gostou de você, Katie! — diz Miranda.

— *Gostou*, Katie? — pergunta Giles, sorrindo.

Katie enrubesce. Ela está encolhida em um dos sofás ao lado de Nick, com os pés debaixo do corpo, como se tentasse ocupar o menor espaço possível.

— Não acho — diz ela.

— Ah, gostou, sim — comenta Mark. — Acho que ele queria arrastar você para o meio do mato e se divertir.

Mais uma vez, me preocupo com a presença do guarda-caça. Mas ele dificilmente vai dizer aos outros hóspedes o que ouviu, não é? Observo enquanto ele faz uma pequena tenda de lenha e gravetos: há algo em sua eficiência que traz uma espécie de satisfação. Giles e Mark ficaram irritados com o fato de Miranda ter achado necessário chamá-lo, mas as primeiras tentativas deles deram errado em questão de minutos. Ele tampouco parece particularmente satisfeito por ter sido chamado — já está tarde. Eu me pergunto se alguém além de Miranda teria sido capaz de convocá-lo a esta hora.

Falando em Miranda, ela está agora no armário de bebidas preparando *boulevardiers*, sua especialidade: um negroni com uísque em vez de gim. Ela os serviu em seu casamento.

— Quer um? — pergunta ao guarda-caça.

— Não — responde ele, olhando para o chão. — Tenho que voltar.

— Você é quem sabe.

Ele se levanta, limpa a fuligem das mãos na jaqueta e vai na direção da porta.

— Boa noite! — grita Miranda quando a porta se fecha.

— Já vai tarde — diz Mark. — Ele não é uma pessoa muito agradável, não acham?

— Nem todo mundo tem a sua inteligência e o seu charme, Marky-Mark — responde Miranda enquanto traz os drinques, e em seguida se senta no sofá, chutando os sapatos de salto em um movimento harmônico.

Suas unhas do pé estão pintadas de um vermelho-escuro perfeito. Amo essa cor, é muito chique. Vou ter que me lembrar de perguntar a ela o nome do esmalte.

— Quero um cigarro — anuncia ela. — Sempre fico com vontade de fumar quando tomo um destes.

Ela pega o maço. São cigarros Vogue light. Sei porque fumo os mesmos; nunca fumei nenhum outro desde que desenvolvi o hábito, aos dezenove anos.

— Acho que não pode fumar aqui — observa Nick.

— Claro que pode. Que se dane. Pagamos caro pelo privilégio, não? Além do mais — ela aponta para o fogo gigante na lareira, de onde saem nuvens de fumaça com aroma de turfa —, esse troço fede tanto que nem dá para sentir o cheiro.

Mas alguém pode olhar aqui para dentro e ver você, penso. Heather, ou o guarda-caça, Doug. Ao olhar para as vidraças agora, é possível ver apenas o nosso reflexo, a sala, o fogo. E então, mais adiante, os contornos tênues da paisagem noturna: o negro mais escuro das árvores e o brilho do lago. Mas não dá para enxergar praticamente mais nada lá fora.

Estava escrito com todas as letras no formulário, eu me lembro: não é permitido fumar nos ambientes internos. Se alguém a vir, perderemos o depósito de segurança contra danos. Mas não vou dizer nada, pelo menos não agora. A última coisa que quero é ser desmancha-prazeres. Só quero que todos se divirtam.

— Pelo amor de Deus — diz Miranda —, onde está meu isqueiro? Achei que tivesse deixado bem aqui na mesinha de centro. É especial: foi do meu avô. Tem nosso brasão gravado.

Miranda sempre encontra pequenas maneiras de lembrar às pessoas que vem de uma família importante. Mas não acho que faça por mal. É só o jeito dela.

Mark procura no bolso e pega o isqueiro dele. Miranda se inclina na direção da chama, tanto que todos vemos a renda cor de framboesa de seu sutiã.

— Será que aquele seu *stalker* pegou? — pergunta Nick, para provocá-la, inclinando-se para trás e bebendo um gole de uísque; ele recusou o drinque.

— Ah, meu Deus — diz Miranda, arregalando os olhos. — Eu juro: toda vez que perco alguma coisa, meio que me vejo culpando ele primeiro. É muito conveniente.

— Que *stalker*? — pergunto.

— Ah, sempre esqueço que você é nova, Emma — diz ela.

Não, ela não esquece. Está sempre me lembrando como sou nova no grupo. Mas acho que não me importo.

— Miranda tem um *stalker* — explica Samira. — Começou em Oxford, mas continuou em Londres por muitos anos, não é, Manda?

— Sabe — diz Miranda, despreocupada —, às vezes quase acredito que nunca existiu um *stalker*. Que na verdade foi alguém pregando uma peça em mim.

— Que belo tipo de peça para se pregar — comenta Julien. — E não me lembro de você ficar tão blasé assim na época. Foi muito sinistro. Você deve se lembrar de como ficou apavorada.

Miranda franze a testa. Suspeito de que ela não goste da sugestão de que isso a preocupava. Fazer o papel de vítima não é seu estilo.

— Enfim, ele roubava minhas coisas — diz ela. — Coisas aleatórias, coisas pequenas... mas quase sempre com algum valor sentimental. Para ser sincera, demorei um tempo para me dar conta. Sou tão desorganizada que estou sempre perdendo coisas que nunca mais encontro.

— Ele também devolvia — acrescenta Katie, falando por cima da revista que está lendo. Ela passou a última hora tão quieta, enquanto todo mundo fazia tanto barulho, que eu quase esqueci que estava lá. — Depois de um tempo, ele devolvia.

— Ah, sim — diz Miranda. Por um momento, penso ter visto a sombra de algo em sua expressão, um medo ou uma inquietação, mas se a lembrança a incomoda, ela esconde isso rapidamente. — Em Oxford, ele deixava no meu armário as coisas que pegava, com um bilhetinho datilografado. E depois, quando fomos para Londres, eu recebia as coisas pelo correio, também com um bilhete. Coisas simples: um brinco, um suéter, um sapato. Era como se ele só quisesse ficar com aqueles objetos por um tempo.

— Foi horrível — diz Samira. — Principalmente quando moramos naquela casinha deprimente no segundo ano, perto da linha do trem, lembra? Sempre achei que você devia ficar com muito medo. *Eu* ficava só de pensar que ele estava à espreita.

— Na verdade, antes de qualquer coisa, talvez eu achasse muito engraçado — diz Miranda.

— Não sei se você achava engraçado na época, não — diz Katie. — Eu me lembro de você, na faculdade, indo para o meu quarto no meio da noite, enrolada no edredom, dizendo que estava com a sensação de que havia alguém no quarto, observando. Você vinha para meu quarto e dormia no chão.

Miranda franze a testa de novo. Acho que esse é o problema com amigos de longa data: eles têm memória longa. É como se Katie se recusasse a seguir as regras — o comentário dela acaba com a diversão.

— Sabe — diz Julien. — Sempre achei que era alguém que você conhecia. Só podia ser alguém que estava sempre lá, perto de você... Perto a ponto de conseguir pegar todas aquelas coisas.

Vejo Katie olhar para Mark e em seguida desviar rapidamente outra vez. Tenho certeza de que sei o que ela está pensando. Aposto que a teoria dela é a de que ele era o *stalker*. Ele sempre foi apaixonado por Miranda. Sim, eu sei. Não, isso não me incomoda. É inofensivo, eu sei. No fundo, Mark é uma alma bastante simples. Ele tem um gênio forte, é verdade, mas não tem a natureza calculista que se faz necessária para alimentar esse tipo de comportamento.

Vejo a pena no olhar de Katie para mim às vezes. Isso me irrita, não preciso da compaixão dela. Gostaria de poder lhe dizer isso sem parecer que me importo demais.

Miranda

As pessoas sempre gostaram de ouvir as histórias sobre o meu *stalker*. Sei como floreá-las para provocar aquele arrepio na espinha típico das histórias de terror. E é uma coisa bem *bizarra*, não? Um *stalker* de verdade. Parece que todo mundo acha que isso só acontece com celebridades: atrizes, cantoras, apresentadoras. Às vezes, quando estou contando sobre esse caso, pego meu interlocutor me fitando: olhos semicerrados, cabeça de lado, como se estivesse me avaliando. Será que eu realmente mereço ser perseguida? Sou realmente *tão* interessante assim?

Costumo mencionar meu *stalker* durante a conversa em um jantar, por exemplo. Às vezes parece que ele é uma espécie de animal de estimação exótico e fascinante, ou uma criança particularmente prodigiosa. Serve para iniciar conversas. Também pode interrompê-las — a ideia de que alguém o observa, sabe tudo sobre você. E então sigo com destreza meu discurso sobre como, se pararmos para pensar, somos *todos stalkers* nestes tempos em que vivemos. Todo mundo sabe muito sobre a vida do outro. Mesmo pessoas que não vemos há anos. Velhos amigos de infância, antigos colegas de escola. Falo sobre como todos nós nos submetemos a esse assédio. Como pensamos que estamos no controle, compartilhando o que achamos que escolhemos compartilhar, mas na realidade estamos expondo muito mais do que nos damos conta.

— Então, na verdade — digo, nesse ponto da minha performance —, meu *stalker* só estava um pouco à frente de seu tempo! Uma espécie de pioneiro. Só que ele era analógico. Apesar de provavelmente também ter estudado em Oxford — uma pequena pausa para deixar que isso fique claro, brilhe e impressione por um momento —, até onde eu sei ele deve estar por trás de algum aplicativo de rede social. Compartilhando seus conhecimentos com o mundo!

Em seguida: uma risada irônica. Em seguida: uma discussão já iniciada sobre privacidade, as coisas às quais devemos nos submeter, onde devemos traçar o limite... e como a privacidade é o verdadeiro campo de batalha do século XXI. Em seguida: uma troca de várias experiências esquisitas que as pessoas tiveram com mensagens privadas de estranhos no Instagram, trolagem no Twitter, uma solicitação de amizade bizarra de um desconhecido no Facebook. Nada disso, no entanto, chega perto de ser tão estranho e *especial* quanto a minha própria experiência.

Eu me recosto na cadeira, tomada por uma sensação agradável de plenitude. Como se tivesse acabado de realizar um número para o qual treinei muito, com ainda mais brilho do que antes. Minha pequena apresentação de ginástica social. A essa altura, Julien provavelmente estará revirando os olhos. Ele já ouviu essa história toda o quê... Umas cinquenta, cem, mil vezes? E nunca foi capaz de ver o lado interessante ou divertido da narrativa. Ele era um dos que achavam, muitos anos atrás, que eu devia ter contatado a polícia. Ficava irritado quando eu abordava o assunto, porque achava que eu não devia fazer pouco caso de "uma porra tão assustadora", como ele dizia. Agora acho que ele fica só um pouco entediado.

Mas a verdade que não conto a ninguém é que eu tinha — tenho — medo do meu *stalker*. Há coisas que ele sabe a meu respeito, coisas secretas e vergonhosas, que não revelei a ninguém. Nem mesmo a Katie, na época em que éramos inseparáveis, ou a Julien.

O *stalker* sabia, por exemplo, que, na época em que eu estudava em Oxford, de vez em quando gostava de cometer pequenos furtos em lojas, só por diversão. Apenas em momentos de muito estresse: no período de provas ou antes da entrega de um trabalho importante. Minha terapeuta (a única para quem contei sobre esse hábito) acha que tinha a ver com controle, mais ou menos como minha dieta e meus exercícios: coisas sobre as quais eu tinha poder e nas quais era boa. Ela, no entanto, acredita que isso tenha ficado no passado — não sabe que às vezes ainda furto um batom, um par de luvas de caxemira, uma revista. Há a excitação de não ser pega também; minha terapeuta não entendeu essa parte.

Uma vez, roubei um par de brincos em uma loja de departamentos de Oxford. Argolas de ouro com um pequeno papagaio colorido empoleirado em cada uma. Alguns dias após tê-los furtado, os brincos desapareceram do meu quarto. Foram devolvidos algumas semanas depois, no meu escaninho, com um bilhete: *"Miranda Adams: Eu esperava mais de você. Atenciosamente, um amigo preocupado. Bjs."* Os beijos foram a pior parte.

Ele devia estar *bem* ao meu lado na loja quando roubei os brincos. Eu me lembrei que estava lotada e que, além das mulheres, também havia homens, acompanhando namoradas ou visitando a seção masculina. Nenhum rosto em particular se destacou, entretanto. Eu não me lembrava de ninguém olhando para mim — além do normal — ou agindo de maneira estranha.

Enquanto os brincos estavam sumidos, lembro de ter visto uma garota de óculos na Biblioteca Bodleiana usando aquele mesmo par — e quase fui atrás dela no balcão. Até que me dei conta de que qualquer um poderia tê-los comprado. Eram de uma loja de departamentos, pelo amor de Deus. Poderia haver vinte, cinquenta garotas na cidade com eles. Meu *stalker* tinha me deixado paranoica a esse ponto, me levando a praticamente perseguir uma completa estranha.

Depois, houve o trabalho da faculdade que comprei de um veterano, com a intenção de plagiá-lo. Ambos estavam na mesa do meu quarto — o original e minha cópia mal disfarçada. Saí para tomar um drinque no pub e quando voltei tinham sumido. Tive que improvisar alguma coisa, bêbada, nas horas que restavam antes do fim do prazo, e passei raspando, meu pior desempenho até então — outros viriam depois. Uma semana mais tarde, recebi os trabalhos de volta. O bilhete: *"Acho melhor você não seguir por esse caminho, Miranda."* E, no entanto, na semana seguinte, quando alguns alunos foram pegos cometendo seus próprios plágios, fiquei quase estranhamente grata.

E houve a vez, bem no começo do meu relacionamento com Julien, em que eu o traí. Uma trepada bêbada com um cara do meu grupo de estudos. Por azar, minha menstruação não veio naquele mês. Fiz um teste de gravidez — felizmente negativo —, que recebi de volta uma semana depois com um bilhete: *"Como você é safada, Manda. O que Julien diria?"*

"Manda", que é como apenas meus amigos mais próximos me chamam.

Não contei a ninguém sobre esse bilhete em particular. Nem mesmo a Katie ou Samira. Ele revelava aspectos de mim mesma que eu preferiria que ninguém soubesse. E tinha medo de que, se fizesse alguma coisa que desagradasse meu *stalker*, ele usasse todos os meus segredos para me destruir.

Mesmo assim, procurei a polícia — embora, mais uma vez, não tenha contado a ninguém. Levei comigo alguns dos bilhetes: os que tive coragem de mostrar. Não fui levada muito a sério.

— Houve alguma ameaça nos bilhetes, senhorita? — perguntou o policial com quem falei.

— Bem, não.

— E não notou ninguém se comportando de maneira ameaçadora?

— ... Não.

— Nenhum sinal de arrombamento?

— Não.

— Tenho a impressão — ele pegou novamente um dos bilhetes e o leu — de que um dos seus colegas está lhe pregando uma peça, minha querida.

Babaca condescendente.

E foi isso. Eu me arrependi de ter ido — e não só porque a polícia não ajudou em nada. Ao fazer isso, eu havia me transformado na vítima que me recusava a ser.

Essa situação, porém, continuou em Londres por vários anos. Ele descobriu onde eu estava morando. Uma coisa é entrar no quarto de um alojamento estudantil em um corredor relativamente acessível. Outra bem diferente é invadir um imóvel em Londres com três fechaduras de alta segurança na porta. Então nos mudamos e *continuou* acontecendo. Os itens que desapareciam eram sempre do mesmo tipo. À primeira vista, sem valor, mas todos com algum significado mais profundo. A menor das bonecas da linda *matrioska* que ganhei da minha amada madrinha, antes de ela morrer de câncer. O lenço batique que comprei em uma cidadezinha grega nas minhas primeiras férias com Julien — no verão do nosso segundo ano. A pulseira da amizade que Katie me deu um ano depois que nos conhecemos.

Pensei que sempre teria o meu *stalker* por perto. Tinha começado a encará--lo como parte da minha vida, parte de mim mesma até. Mas então, do nada, ele parou. Já faz alguns anos. Pelo menos, acho que ele parou. Não recebi mais pacotes nem bilhetes, mas às vezes, quando esqueço onde coloquei alguma coisa, sinto aquele velho arrepio de medo. Teve o chocalho de prata que comprei na Tiffany recentemente, por um capricho, enquanto andava pela Bond Street. Tenho certeza de que ainda vai aparecer em algum lugar. Afinal, não sou uma pessoa muito organizada. Digo a mim mesma que não passa de paranoia, só que jamais me livrei por completo da sensação de estar sendo observada.

Nunca contei a ninguém — nem mesmo a Julien, Katie ou Samira, por exemplo — o pavor que sinto às vezes. Momentos como quando estou no meio de uma multidão e de repente tenho certeza de que alguém está parado bem atrás de mim, respirando perto da minha nuca... Mas quando me viro vejo que não há ninguém. Ou a certeza súbita de que alguém está me olhando com uma intensidade que não é normal. Você sabe... aquela sensação de formigamento que se tem quando sabe que está sendo observado? Isso acontecia em festivais de música e quando eu estava fazendo compras, em supermercados e boates. Na plataforma do metrô, eu às vezes me vejo andando para longe do vão, convencida de que há alguém bem atrás de mim, prestes a me empurrar.

Não, não revelo a ninguém esses medos. Não conto a Katie nem a Julien, muito menos aos meus convidados, divertindo-se durante um jantar.

Tenho pesadelos também. É pior quando Julien está fora, viajando a trabalho. Tenho que verificar mais de uma vez todas as fechaduras das portas e, mesmo assim, acordo em meio à escuridão com a certeza de que há alguém no quarto comigo. É como as peças que a mente prega na gente depois que assistimos a um filme de terror. De repente, vemos sombras sinistras em todos os cantos. Só que o que acontece comigo é cem vezes pior, porque algumas dessas sombras podem ser reais.

Katie

Miranda finalmente esgotou seu pequeno repertório. Nesse exato momento, o vento decide dar um longo uivo dramático pela chaminé. O fogo parece se espalhar, uma chuva de faíscas se depositando na grade da lareira. É o *timing* perfeito de um filme de terror. Todos riem.

— Isso lembra aquela casa em que a gente ficou no País de Gales — diz Giles.

— A dos apagões? — pergunta Nick. — Com o aquecimento que parava de funcionar do nada?

— Era mal-assombrada — comenta Miranda. — Foi o que o dono contou, lembram? Era jacobiana.

Miranda que tinha escolhido.

— Era uma casa velha, sem dúvida — diz Mark. — Mas não sei se fantasmas são desculpa para um encanamento duvidoso e problemas elétricos.

— Mas houve várias aparições. A mulher disse que a equipe de um daqueles programas que caça assombrações tinha ido até lá — comenta Emma, demonstrando sua lealdade.

— Pois é — diz Miranda, satisfeita. — Teve aquela história sobre uma garota que foi jogada da janela pelos meios-irmãos, porque eles descobriram que ela ia herdar a propriedade. E as pessoas a ouviam gritando à noite.

— Eu definitivamente ouvi gritos à noite — diz Giles, sorrindo para ela.

Houve muitas brincadeiras e gargalhadas sobre a pouca espessura das paredes e certos "barulhos" que mantinham todos acordados à noite. Miranda e Julien tinham sido apontados como os principais culpados.

— Ah, pare com isso — diz Miranda, batendo em Giles com uma almofada.

Ela está rindo, mas para conforme a conversa avança, e vejo uma nova expressão — melancólica? — atravessar seu rosto. Desvio o olhar.

A menção de Giles ao País de Gales inicia uma conversa sobre anos anteriores. É um dos nossos passatempos favoritos detalhar nosso passado em comum. Essas são as experiências que sempre nos uniram, que nos dão um senso tribal de pertencimento. Desde que nos conhecemos, sempre passamos juntos a véspera de Ano-Novo. Estreitamos os laços que foram se afrouxando com o passar dos anos, conforme nossos empregos e vidas nos levaram a direções diferentes. Eu me pergunto se os outros experimentam a mesma sensação que eu nessas ocasiões: que por mais que eu ache que tenha mudado, por mais diferente que me sinta no trabalho ou com meus poucos amigos que não são da universidade, em momentos como esses eu de alguma forma volto a ser exatamente quem eu era há mais de uma década.

— Não acredito que bebi tanto no ano passado... enquanto estava grávida de Priya — diz Samira, horrorizada.

— Você não sabia na época — diz Emma.

— Não, mas mesmo assim... Todas aquelas doses. Não consigo nem imaginar beber assim agora. Parece tão... excessivo. Tenho me sentido uma velhinha ultimamente.

É claro que ela não parece uma velhinha. Com seu cabelo preto e brilhoso e a pele aveludada e sem rugas, Samira é praticamente a mesma garota que conhecemos em Oxford. Por outro lado, Giles, que um dia ostentou uma cabeleira frondosa, está bastante diferente. Mas, ao mesmo tempo, Samira talvez tenha mudado de uma forma mais contundente do que Giles. Ela costumava ser pavio curto, ligeiramente intimidante, com aquele intelecto afiado e um estilo impecável. Participava de tudo em Oxford. Do centro de debates, de diversos esportes, do teatro, da orquestra da faculdade — além de ser uma notória festeira. De alguma forma, ela parecia capaz de encaixar dez vezes a quantidade normal de atividades em seus quatro anos e ainda se formar entre os primeiros da turma.

Agora parece mais suave, mais gentil. Talvez seja a maternidade. Ou as coisas indo tão bem em sua carreira — pelo visto, a empresa de consultoria em que trabalha está desesperada para que ela volte da licença-maternidade antes da hora; não é difícil imaginar o lugar virando um caos na ausência dela. Talvez Samira esteja só amadurecendo. Uma sensação de que não precisa provar mais nada, de que sabe exatamente quem é. Tenho inveja disso.

Julien está falando sobre um lugar que visitamos em Oxfordshire alguns anos atrás — o primeiro réveillon de Emma conosco, acho.

— Rá! — Mark toma um gole de sua bebida. — Foi aquela vez que tive que mostrar àqueles caras toscos quem é que mandava. Vocês lembram? Um deles até tentou me bater.

Não é bem assim que me lembro desse episódio.

Eis o que lembro: o grupo era do tamanho errado. Quinze pessoas — não grande o suficiente para uma festa, nem pequeno o suficiente para algo íntimo. O plano era ir às corridas na tarde da véspera de Ano-Novo. Eu estava esperando algo um pouco mais glamoroso, cenas emprestadas de *My Fair Lady* e *Uma Linda Mulher*. Não foi exatamente assim. Havia garotas com saias tão curtas que dava para ver suas calcinhas fio dental e rapazes com ternos baratos e brilhantes, cortes de cabelo feios e bronzeados artificiais, desfilando de um lado para outro e ficando mais e mais barulhentos conforme a noite avançava. A comida estava menos para champanhe e caviar, e mais para filé, torta de carne e drinques com vodca. E, no entanto, até que foi divertido. Na verdade, aquelas garotas de minissaia e aqueles rapazes de terno brilhante não passavam de crianças, se pavoneando e escondendo sua insegurança por trás de uma névoa de bebida, assim como tínhamos feito antes deles.

Mas então Mark decidiu fazer um comentário ofensivo sobre o lugar estar cheio de irlandeses.

Tudo bem que estávamos com as nossas bebidas em uma parte mais vazia do hipódromo — a maioria dos espectadores estava lá embaixo, mais perto da pista, torcendo por seus cavalos. Mas ainda havia algumas pessoas ao redor. E Mark não fez esforço algum para criticar com discrição. É o jeito dele. Às vezes acho que, se Emma não fosse tão irrepreensível, não estivesse sempre tão pronta para ajudá-lo, as pessoas o tolerariam muito menos.

Dois dos adolescentes embriagados ouviram o que ele disse. De repente, estavam se preparando para confrontá-lo. Mas dava para ver que eles não queriam briga de verdade. Era apenas o que achavam que deveriam fazer, para defender sua honra, como em um documentário sobre natureza, quando os machos menores do bando não podem se dar ao luxo de demonstrar medo, sob o risco de serem comidos. Bastante compreensível, na verdade.

O que vinha na frente era um sujeito baixo e magro, com uma leve sombra de barba adolescente no queixo e um terno de risca de giz particularmente espalhafatoso.

— Repete isso, cara. — Sua voz tinha uma disposição adolescente inconfundível; ele tinha no máximo dezenove anos.

Esperei que Mark pedisse desculpa e desanuviasse a situação — botasse panos quentes de alguma maneira —, porque essa teria sido a única coisa sensata e adulta a se fazer. E éramos os adultos, afinal de contas. Mark era inclusive dois palmos mais alto que seu agressor de terno risca de giz.

Mas Mark deu um soco nele. Chegou dois passos para a frente e acertou um murro bem no meio da cara dele, com sua mão enorme. Um soco tão forte que a cabeça do garoto foi projetada para trás e ele caiu como uma estátua tombada. Ouvimos um barulho, um estalido, um simulacro da arma dando o tiro de partida na pista de corrida — de um jeito que eu achava que só acontecia nos filmes.

Todos nós ficamos parados, atordoados, incluindo o grupinho formado pelos companheiros do garoto. Era de se esperar que os amigos tentassem revidar para vingá-lo, mas não, tamanha foi a violência, repentina demais, brutal demais. Dava para ver que estavam aterrorizados.

Os garotos se debruçaram no amigo e, quando ele voltou a si, perguntaram se estava tudo bem. Ele gemeu como um animal acuado. Havia um fio de sangue vermelho-vivo saindo do nariz, e outro — mais preocupante, de alguma forma — saindo da boca. Eu jamais tinha visto alguém sangrar pela boca, a não ser nos filmes. Descobrimos que ele tinha mordido a ponta da língua quando a cabeça bateu no chão. Li isso em uma matéria no site do jornal local, algumas semanas depois. Vi também que a polícia estava procurando o agressor. Mas houve algumas menções ao fato de o garoto ser um encrenqueiro — então talvez não se tratasse de uma caçada muito séria.

O mais estranho, pensei, foi que Emma não pareceu particularmente chocada. Eu me lembro de imaginar que ela já devia ter visto esse lado de Mark antes. Ela soube na mesma hora o que fazer — como se estivesse esperando que algo do tipo acontecesse. A quintessência do pragmatismo.

— Temos que ir embora agora — disse ela. — Antes que alguém fique sabendo.

— Mas e se ele não estiver bem? — perguntei.

— Eles não passam de um bando de delinquentes bêbados — respondeu Emma. — E foram eles que começaram. — Ela se virou para nos encarar. — Não foram? Não foram eles que começaram? Ele só estava se defendendo.

Ela soava tão sincera e convincente — tão convicta — que todos nós começamos a acreditar também, acho. E ninguém voltou a mencionar o ocorrido, pelo menos não durante os três dias do feriado. Na véspera de Ano-Novo, enquanto Mark dançava em cima da mesa usando uma peruca ridícula e com um sorrisão bobo no rosto, ficou ainda mais fácil acreditar que nada daquilo tinha acontecido. É quase impossível imaginá-lo fazendo isso agora, observando-o enquanto ele puxa Emma para o seu colo, bagunçando o cabelo dela com ternura e sorrindo — a imagem do namorado carinhoso. Quase, mas não completamente. Porque a verdade é que nunca consegui esquecer o que vi e, às vezes, quando olho para Mark, me vem novamente essa lembrança, com um pequeno estremecimento de horror.

Doug

Duas da manhã. Ao levantar a cortina, ele vê as luzes acesas na sede, que parece mais iluminada agora, desafiando as trevas que a cercam. Ele está rolando na cama há horas, como um animal cujo território foi invadido e que não pode descansar até que a ameaça tenha ido embora. Dá para ouvir os hóspedes dali, as batidas da música, o ocasional *staccato* de suas risadas. Ele consegue ouvir até mesmo a vibração mais baixa de suas vozes. Ou será que está imaginando? É difícil ter certeza. Para alguém que já ouviu na escola que tinha "uma lamentável falta de imaginação", seu cérebro parece estar conjurando uma quantidade razoável de coisas do nada ultimamente.

Ele escolheu aquele chalé em específico porque era o que ficava mais afastado de todas as outras construções. Quase todas as janelas eram voltadas para o flanco desolador e acinzentado do Munro; o lago só podia ser entrevisto pela janela do banheiro, que estava quase toda coberta pela hera. Até conseguia se imaginar completamente sozinho ali, na maior parte do tempo. Seria melhor se estivesse mesmo sozinho. Para o próprio bem e para o bem dos outros.

★ ★ ★

Ele se lembra vagamente de um homem que era sociável, que gostava da companhia de outras pessoas — que tinha (fale baixo) *amigos*. Que podia ser o centro das atenções em um bar, que tinha a fama de ser engraçado, um verdadeiro contador de histórias. Aquele homem tinha uma vida antes: uma casa, uma namorada — que o havia esperado durante três longos períodos servindo no Afeganistão. Que ficara ao lado dele mesmo quando ele voltou destroçado da última viagem. Mas então aconteceu — ou melhor, ele fez acontecer. E depois disso ela o deixou.

— Não conheço mais você — disse ela, enquanto enfiava as coisas de qualquer jeito em sacos de lixo, parecendo alguém fugindo de um desastre natural. Ela contou que a irmã a esperava no carro, como se ele pudesse tentar fazer algo horrível para impedi-la de ir embora. — O homem que eu amava — e havia lágrimas em seus olhos, como se estivesse de luto por alguém que morrera — não faria uma coisa dessas.

Mais do que isso, ela estava morrendo de medo dele. Ele percebeu isso quando se aproximou para tentar consolá-la, porque detestava vê-la chorar. Ela recuou, segurando o saco diante de si como um escudo. Então foi embora; mudou o número do telefone. A família dele também se afastou. A ideia de que esse homem em suas lembranças era, na verdade, ele mesmo parece absurda demais para ser real. É melhor imaginá-lo como um parente distante.

Percebia como os hóspedes olhavam para ele, como se fosse uma curiosidade, uma aberração de circo. Quando — raramente — vê de relance sua aparência em um espelho, meio que entende por quê. Ele parece um homem selvagem, alguém que vive à margem da sociedade. Aquela é provavelmente a única profissão na qual a aparência que ele tem — o cabelo embaraçado e as roupas velhas e surradas — pode ser considerada uma espécie de pré-requisito. Às vezes, ele se pergunta se deveria abandonar essa pretensão de viver como uma pessoa quase normal e adotar uma vida totalmente selvagem. Conseguiria dar conta, pensa. Com certeza tem a resistência necessária: os primeiros meses de treinamento com os fuzileiros navais eliminaram rápido qualquer brandura, e os anos desde então serviram apenas para endurecê-lo ainda mais, como aço temperado. Sua única fraqueza, a única coisa que ele parece incapaz de controlar, é sua mente.

Ele tem um repertório bem particular de habilidades e conhecimentos sobre como sobreviver na natureza selvagem por tempo indeterminado. Poderia levar uma arma e uma vara para abater ou pescar a própria comida. Todo o restante poderia roubar, se precisasse. Não tem escrúpulos em tomar para si um pouco de volta. Ele deu tudo, não deu? E a maioria das pessoas não se dá conta de como tem mais do que precisa. São preguiçosas e gananciosas, não enxergam como sua vida é fácil. Talvez não seja culpa delas. Talvez simplesmente não tenham tido a oportunidade de perceber como é frágil sua compreensão da felicidade. Mas às vezes ele acha que odeia todas elas.

Exceto Heather. Ele não a odeia. Mas ela é diferente, não anda por aí envolta em uma nuvem despreocupada de alienação. Ele não a conhece bem, é verdade, mas tem a sensação de que ela já viu o lado sombrio das coisas.

Ele sai da cama. Não adianta fingir que vai conseguir dormir. Quando abre a porta que dá para a sala, acaba despertando os cachorros, que, a princípio, olham para ele de sua cama tomados por uma confusão sonolenta e, em seguida, por uma empolgação cada vez maior, saltando em cima dele, abanando o rabo furiosamente. Talvez os leve para passear, ele pensa. Gosta do silêncio mais profundo daquele lugar à noite. Conhece os caminhos mais próximos da sede tão bem de noite quanto de dia.

— Ainda não, garotas — diz ele, pegando a garrafa de uísque e servindo uma dose generosa em um copo.

Talvez isso alivie a tensão.

PRESENTE
2 de janeiro de 2019

Heather

Ligo para a polícia, para falar sobre o corpo.

O atendente (que não deve ter mais de dezenove anos) parece exalar uma animação macabra.

— Não me parece acidental — digo.

— E como a senhora chegou a essa conclusão? — Há um leve mas claro tom de brincadeira em sua voz, e fico meio tentada a dizer a ele quem eu era e o que eu fazia.

— Cheguei a essa conclusão porque há hematomas ao redor do pescoço — explico, com toda a paciência do mundo. — Não sou... especialista, mas isso me parece um indício de algo, de algum uso de força. — *Como estrangulamento*, penso, mas não digo. Não quero dar a ele mais uma chance de achar que estou me precipitando.

Há um longo silêncio do outro lado da linha, que imagino que seja o som dele se dando conta de que aquilo está bem acima de suas competências. Então ele volta. Seu tom perdeu toda a leviandade anterior.

— Se puder esperar um momento, senhora, vou chamar outra pessoa para atendê-la.

Aguardo, até que uma mulher surge na linha.

— Olá, Heather. Aqui é a inspetora-chefe Alison Querry. — De certa forma, ela me parece segura demais para alguém que é funcionária de um pequeno posto policial local. Seu sotaque também não é da área: um leve *r* gutural de Edimburgo. — Fui destacada para este posto para ajudar na investigação de outro caso. — *Ah, isso explica tudo.* — Pelo que fui informada, temos uma situação de pessoa desaparecida que agora, infelizmente, acabou se revelando um caso de morte.

— Sim.

— Poderia me descrever o estado do cadáver?

Dou a mesma descrição que dei para o subalterno dela, com um pouco mais de detalhes. Menciono o estranho ângulo do corpo, a mancha de sangue nas rochas.

— Certo. Tudo bem. Pelo que sei, o acesso é impossível no momento, devido às condições do tempo e à localização remota da propriedade. Mas vamos nos esforçar para chegar até vocês; provavelmente via helicóptero — diz ela.

Por favor, quero implorar a ela, a essa Alison Querry de tom calmo e comedido, *venha para cá o mais rápido que puder. Não consigo fazer isso sozinha.*

— Quando você acha que será isso? — pergunto.

— Ainda não temos certeza. Enquanto continuar nevando assim, estamos de mãos atadas. Mas será logo, eu garanto. Enquanto isso, gostaria que você mantivesse todos os hóspedes dentro de casa. Diga-lhes o que for preciso, é claro, mas, por favor, deixe de fora todos os detalhes que me deu. Não queremos alarmar ninguém desnecessariamente. Quantas pessoas há aí no momento?

Tenho dificuldade para contar em meio à onda de cansaço — estou há mais de vinte e quatro horas sem dormir. E passei todo esse tempo oscilando entre exaustão e picos de adrenalina. Agora meus pensamentos parecem se arrastar.

— Há... onze hóspedes — digo, finalmente —, nove de um grupo de Londres e um casal de islandeses. Além de Doug, o guarda-caça. E eu.

— Só vocês dois, para administrar esse lugar enorme? Deve ser um pouco cansativo, não?

Ela diz isso de forma compreensiva, mas parece que há algo por trás da pergunta — algo afiado e inquisitivo. Ou talvez seja apenas minha mente privada de sono me pregando peças.

— Bem — respondo —, nós damos um jeito. E há outro funcionário, Iain, mas ele foi embora na véspera de Ano-Novo, depois de terminar os serviços do dia. Ele não mora aqui... Somos apenas Doug e eu.

— Está bem. Então, até onde você sabe, as únicas pessoas na propriedade naquela noite eram você, seu colega guarda-caça e os onze hóspedes? Treze, então.

Quase escuto um: *número do azar*.

— Bem, acredito que isso simplifique as coisas.

Simplifique como?, eu me pergunto. Percebo que simplifica porque, se realmente foi um assassinato, o culpado provavelmente está entre nós. Doze suspeitos. Dos quais presumivelmente, sem dúvida alguma, devo fazer parte. Essa conclusão não deveria me surpreender. Mas me surpreende, por causa do jeito tranquilo da inspetora Querry, da sensação que ela passou — a simulação, percebo agora — de estar me deixando no comando em sua ausência.

— Então, resumindo: mantenha todos onde estão. Nesse meio-tempo, seria de grande ajuda se você tentasse se lembrar de qualquer coisa que possa ter observado nas últimas quarenta e oito horas. Qualquer coisa que tenha lhe parecido estranha. Talvez você tenha visto algo, ouvido algo, ou até mesmo notado alguém nos arredores da propriedade que não reconheceu? Qualquer detalhe pode ser importante.

— Tudo bem. Vou pensar.

— Algo que venha à sua mente agora?

— Não.

— Por favor. Pense um momento. Você pode se surpreender.

— Não consigo pensar em nada.

Mas, ao dizer isso, me lembro de algo. Talvez seja por causa do lugar em que estou enquanto nos falamos: diante da janela do escritório, olhando além do lago para o pico escuro do Munro e a antiga sede, aninhada ali como uma criatura maligna. Uma imagem surge em minha mente, quase a mesma cena que vejo diante de mim, mas na escuridão, vista da minha janela em algum momento da madrugada do Ano-Novo. Fecho os olhos, tento deixar a imagem mais nítida. Algo tinha me acordado: não consegui identificar o que era de início. Então ouvi o choro do bebê dos hóspedes. Talvez tivesse sido isso. Cambaleei até o banheiro para jogar um pouco de água no rosto. Quando olhei pela pequena janela, vi a forma imponente do Munro recortada contra o céu noturno, ocultando a luz das estrelas. E então algo estranho. Uma luz, movendo-se, como um vaga-lume solitário, uma estrela desgarrada. Estava se movendo, pensei, na direção da antiga sede. Cruzando lentamente a encosta escura.

Mas não posso dizer isso a ela, porque nem tenho certeza de que tenha sido real. É tudo nebuloso e incerto demais. Não consigo nem saber ao certo *quando* exatamente vi aquilo, apenas que foi em algum momento nas primeiras horas da manhã. Conforme tento aguçar a lembrança em minha mente, esquadrinhá-la em busca de qualquer outra coisa que eu possa ter esquecido, ela me escapa, até que tenho quase certeza de que não foi nada além da minha imaginação.

— E mais uma coisa. Apenas informalmente, para que eu tenha uma ideia melhor das coisas até agora. Seria muito útil. Você se lembra do que estava fazendo na noite em que a vítima desapareceu?

— Eu estava... Bem, eu estava na cama. — *Não foi bem assim, Heather. Isso não é exatamente uma mentira... tampouco é toda a verdade. Como acabou de lembrar, você estava andando trôpega a sabe Deus que horas da noite.*

Véspera de Ano-Novo. A noite mais solitária do ano, até quando se está cercado de pessoas. Mesmo antes de a minha vida desmoronar, eu me lembro disso. Há sempre aquela preocupação de que talvez você não esteja se divertindo tanto quanto poderia. Tanto quanto deveria. E este ano, o som de toda a diversão dos londrinos — mesmo que eu tivesse dito a mim mesma que não invejava nenhum deles — não estava ajudando. Então acabei bebendo muito mais do que o habitual: esquecendo que se embriagar para amenizar a solidão só faz você se sentir ainda mais solitário.

Quando cambaleei até o banheiro, qualquer que fosse a hora — cinco, seis? —, eu não estava em condições de ter certeza do que vi, ou mesmo se de fato vi algo. Mas não posso dizer nada disso a ela. Porque então teria que admitir quão bêbada eu estava. *E depois?*, uma vozinha pergunta. *Você teria que admitir que não é a pessoa capaz e decidida que finge ser? Você perderia a confiança dela?* Lembro a mim mesma mais uma vez que, apesar de todas as perguntas sobre algo que eu poderia ter notado e apesar de ela ter fingido me colocar em uma posição de responsabilidade até sua chegada, eu sou um dos treze que estavam aqui naquela noite. Também sou suspeita.

— Você ficou em silêncio de repente, Heather — diz a inspetora Alison Querry. — Ainda está aí?

— Sim, sim — respondo. Minha voz soa frágil, cheia de incertezas. — Ainda estou aqui.

— Ótimo. Bem, vamos manter contato. Qualquer dúvida, estou aqui. E qualquer coisa que lhe venha à cabeça, não hesite em me ligar.

— Claro.

— Vou até vocês o mais breve possível. Enquanto isso, você parece bastante capaz de manter as coisas sob controle.

— Obrigada.

Rá. Eu me lembro de minha irmã, Fi: "Às vezes não tem problema não bancar a forte, Heaths. Guardar tudo para você pode fazer mais mal do que bem, no fim das contas."

— Entrarei em contato muito em breve com uma previsão de quando poderemos colocar o helicóptero no ar. Só precisamos que essa nevasca diminua um pouco para termos condições seguras de voo.

O que faremos até lá?, eu me pergunto. Simplesmente esperamos no meio de toda essa neve, com o espectro da morte do outro lado da porta?

E então pergunto, mesmo sabendo que provavelmente não receberei uma resposta.

— E qual é o caso para o qual você foi destacada?

Uma breve pausa. Quando volta a falar, seu tom é menos amistoso, mais oficial.

— Eu lhe darei essa informação se e quando for necessário.

Mas ela não precisa me dizer. Tenho quase certeza de que sei o que é. O cadáver, seu estado. Li sobre isso nos jornais. Teria sido impossível não ler. Ele está tomando de assalto a imaginação do país inteiro. Tem até mesmo um título. O Estripador das Terras Altas.

TRÊS DIAS ANTES
30 de dezembro de 2018

Katie

São quase duas e meia da manhã. Estou me perguntando se já é tarde o suficiente para sair de fininho rumo ao chalé sem ser chamada de desmancha-prazeres, mas Miranda se joga ao meu lado no sofá.

— Sabe, sinto que quase não tive oportunidade de conversar com você hoje — diz ela. Em seguida abaixa a voz e continua: — Acabei de escapar de Samira. Gosto muito dela, é sério, mas ultimamente ela só sabe falar daquela bebê. Chega a ser um pouco... Bem, é um pouco insensível, para ser sincera.

— Como assim?

Ela franze a testa.

— Nem me lembro se cheguei a falar sobre isso com você quando a gente se viu pela última vez... Faz séculos. Mas... — ela fala ainda mais baixo, um sussurro — estamos tentando, você sabe...

— Estão tentando...

— Engravidar. Quer dizer, estamos começando e tal. Todo mundo fala que demora. — Ela revira os olhos. — Menos Samira, pelo visto. Ela disse que ficou magicamente grávida no *segundo* em que parou de tomar pílula.

— Acho que com cada pessoa é de um jeito.

— Sim. Quer dizer, talvez haja males que vêm para o bem, para ser sincera. É o fim de tudo, não é? A vida como a conhecemos. Olhe só para aqueles dois. Mas é como... Não sei, é um rito de passagem repentino. Todas as pessoas que conheço no Facebook parecem ter filhos ou estar esperando... É como se houvesse uma súbita *epidemia* de fertilidade. Entende o que quero dizer?

Faço que sim.

— Já faz um tempo que parei de entrar no Facebook. É um lugar tóxico.

— Sim, tóxico! — exclama ela, com avidez. — É exatamente isso. Nossa, é tão revigorante falar com você, K. Você está alheia a tudo isso, solteira, fazendo suas coisas... Sem pensar em filhos.

— Pois é — digo, engolindo em seco algo que parece estar preso na garganta. — Esta sou eu.

— Desculpe — diz ela, subitamente sensível. — Minha intenção era fazer um elogio.

— Tudo bem. — Ainda sinto o nó na garganta. — Eu entendo.

— Olha, tenho uma coisa que vai nos animar. — Ela pisca para mim e tira algo do bolso da calça jeans. Em seguida grita para os outros: — Alguém quer sobremesa?

— Você que fez? — pergunta Nick, fingindo surpresa. — Não me lembro de você gostar muito de cozinhar, Miranda. — Foi um eufemismo, e tenho certeza de que essa é a intenção dele.

Miranda é uma *péssima* cozinheira. Lembro-me especificamente de um risoto horrível, que ficou grudado no fundo da panela, completamente queimado.

— Mas já comemos — diz Giles, rapidamente. — Aquele troço de merengue e framboesa no jantar.

Miranda sorri com malícia. Agora ela é a Miranda da época da universidade, a indiscutível rainha das festas. Tem aquele brilho nos olhos: algo entre empolgação e loucura. Isso faz com que uma onda de adrenalina percorra meu corpo, como muitos anos atrás. Quando Miranda fica assim, ela é divertida, mas também perigosa.

— Isto aqui é um *pouquinho* diferente — diz ela, segurando um saquinho de plástico com um punhado de pequenos comprimidos. — Vamos chamá-las de nossas "pastilhas digestivas". Para limpar o paladar. E em nome dos velhos tempos... Para celebrar o fato de estarmos todos juntos.

Percebo imediatamente que não posso aceitar — não consigo lidar com a perda de controle. A única vez que fiz isso, as coisas deram totalmente errado.

Ibiza. Tínhamos vinte e poucos anos. Um grupo grande. Na verdade, eu não tinha sido convidada, a pessoa responsável pela organização nunca foi muito próxima de mim em Oxford (leia-se: não me considerava legal o suficiente para me convidar para uma de suas famosas festas). Na semana anterior ao feriado, porém, a avó de Miranda morreu e ela me vendeu seu lugar, com desconto. Julien ia, assim como Samira e Mark, e muitos outros com quem tínhamos perdido contato havia tempos. Não sei se conseguiria me lembrar da maioria dos nomes, mesmo que estivesse disposta a tentar.

Eu gostava dos almoços longos e descontraídos à beira da piscina. As tardes bebendo rosé, pegando um bronzeado, lendo um livro. O que não me agradava muito era a parte da noite, em que surgiam os comprimidos e todos olhavam para mim — quando eu recusava — como se eu fosse uma mãe que estava ali só para estragar a diversão de todo mundo. E então eles se transformavam em versões mais desagradáveis de si mesmos: histéricos, desinibidos, com as pupilas dilatadas, como animais. Se ao menos pudessem se ver, eu pensava. Ao mesmo tempo, me sentia tensa, chata: uma péssima substituta para Miranda. Samira, sempre enturmada, me puxou para um canto e disse:

— Você só precisa relaxar um pouco.

No fim da semana, eles mal se levantavam da cama durante o dia. A casa estava um nojo. Aonde quer que você fosse, havia roupas sujas, latas de cerveja, preservativos usados, até mesmo poças de vômito limpas de qualquer jeito. Eu estava a um passo de reservar um voo para casa. Era para ser uma viagem de férias, pelo amor de Deus. Uma folga do emprego no qual eu trabalhava oitenta horas por semana. Eu sabia que ia voltar me sentindo cansada, suja e irritada. Mas aguentei. Encontrei um pedacinho do terraço que ficava mais escondido da casa principal. Arrastei uma espreguiçadeira para lá e passei os últimos dias lendo. Pelo menos eu poderia me bronzear e terminar meu livro: um arremedo do que uma pessoa deveria fazer nas férias. Pelo menos eu ia *aparentar* — para todos os meus colegas, para minha família — ter me divertido.

Na última noite, por um milagre, todos reuniram forças para fazer um churrasco como os que tínhamos feito no começo da semana, antes que todo mundo estivesse destruído. Bebi cava como se não houvesse amanhã. À luz das velas, olhando para o rosto de todos e para o brilho turquesa-escuro do mar, eu me perguntei como podia ter achado que não ia me divertir. Era isso que significava ser jovem, não?

Então, quando os comprimidos inevitavelmente surgiram, aceitei um. A euforia tomou conta de mim pouco depois, eu me sentia invencível. Livre da prisão de ser eu mesma: a amiga menos divertida e menos legal de Miranda.

Grande parte do que aconteceu depois pareceu se dar em um lugar meio fora da realidade, onde tudo era permitido. Eu me lembro da piscina, de pular completamente vestida na água; alguém por fim me puxando para fora, dizendo que eu ia pegar um resfriado, mesmo que eu insistisse que queria "ficar na água *para sempre*". Eu me lembro de amar tudo aquilo, todos eles. Como não tinha percebido quanto os amava?

Mais tarde, me recordo de um homem e do sexo na casa da piscina às escuras, muito depois de todos os outros parecerem ter ido para cama. A escuridão era quase total, o que tornava todas as sensações ainda mais intensas. Eu estava conduzindo, estava no comando. Quando gozei, por um momento tive a sensação de que todo o meu corpo tinha se estilhaçado em milhares de estrelas. Eu era ao mesmo tempo mais eu mesma do que nunca e alguém completamente diferente.

Na manhã seguinte, eu não conseguia acreditar. Aquele ser sexual e ousado não poderia ter sido eu, certo? Se Miranda estivesse lá, eu poderia ter perguntado a ela: quais partes de tudo o que eu achava que lembrava eram reais? Ela tinha me visto ir com o homem para a casa da piscina? Isso realmente tinha acontecido? Ou teria sido, na verdade, apenas uma alucinação particularmente vívida? Não tive coragem de perguntar a Samira, por medo de que ela risse da minha cara e me mandasse crescer.

Devia ter acontecido, concluí: eu sentia uma dor reveladora entre as pernas que confirmava o ocorrido. Estava convencida de que podia sentir o cheiro dele em mim. Mas ninguém fez qualquer comentário no dia seguinte. Fiquei atenta a qualquer sinal de brincadeira ou provocação entre os rapazes, mas nada aconteceu.

Felizmente, há vários de nós que não estão bebendo esta noite. Bo, é claro, Samira e Nick, em solidariedade a Bo. Percebi como Nick pareceu incomodado com esse acréscimo à noite pelo olhar que dirigiu a Miranda quando ela lhe estendeu o saquinho, praticamente esfregando-o na cara de Bo. Ela parecia completamente alheia, mas sempre foi boa em dar a impressão de que não estava se importando com as coisas, como se nada pudesse atingi-la. Como sua amiga mais antiga, sei que isso não é necessariamente verdade. Às vezes, é preciso muito esforço para parecer tão despreocupado assim.

Agora ela está perto da vitrola no canto da sala de estar da sede, dando uma olhada em uma prateleira cheia de discos antigos. Por fim, com um gritinho de comemoração, ela encontra o que queria — HITS: STUDIO 54 — e coloca para tocar. Quando a música começa, com alguma cantora de voz rouca, Miranda vai para o meio da sala e começa a dançar. Ela fica completamente à vontade, dançando enquanto o restante de nós observa, sem se mexer. Está em total sintonia com o próprio corpo. Sempre desejei essa falta de inibição. Porque, no fundo, não é isso que a dança é? Não é preciso ser tão talentoso: não a menos que seja algo que se faça para ganhar a vida. É mais uma capacidade de se desvencilhar da própria vergonha. Nunca consegui fazer isso. Não é algo que se aprenda. Ou você tem, ou você não tem.

Lembro quando éramos adolescentes e tínhamos que usar a lábia para entrar nas boates. A verdade era que Miranda não precisava disso, pois sempre a deixavam entrar assim que a viam: ela tinha quinze anos, mas aparentava vinte e cinco e já era linda. Quando me lembro dos olhares que os homens lançavam a ela, dos comentários que faziam, sinto um embrulho no estômago. Eu entrava atrás dela, rezando para ninguém notar a minha presença. Eu me lembro de dançar ao lado dela, animada pela vodca roubada dos estoques ilimitados da minha mãe. Copiava os movimentos de Miranda tão fielmente quanto sua própria sombra; porque é isso que sempre fui: a sombra dela. A escuridão em torno de sua tocha flamejante. Sentindo quase como se tivesse me livrado da minha própria falta de jeito.

Miranda é o tipo de amiga que faz você se sentir mais ousada. Que é capaz de fazer você achar que tem um metro e oitenta de altura e é quase tão radiante quanto ela, como se lhe emprestasse um pouco de sua luz. Ou capaz de fazer você se sentir um lixo. Aí depende dos caprichos dela. Às vezes, quando saíamos à noite, ela elogiava minha aparência — eu estava sempre vestindo algum item emprestado de seu já extenso guarda-roupa, folgado no busto e no quadril, um pouco como uma criança brincando com as roupas da mãe. Outras vezes ela dizia algo como "Meu Deus, Katie, já reparou como você fica séria quando está dançando?" e depois fazia uma imitação, olhos semicerrados, boca carrancuda, quadril duro. "Você parece estar com um caso *grave* de constipação.

Tenho certeza de que não era assim que Sean Paul pretendia que as pessoas dançassem essa música." Eu via toda a minha recém-descoberta autoconfiança se esvair e ficava pior do que antes. Tomava um gole enorme de qualquer que fosse a bebida com vodca que estivesse à mão, até sentir o estalo, a mudança. E então entendia por que minha mãe parecia usar o álcool como remédio.

Como sempre, é quase impossível não observar Miranda dançando. Ela é tão elegante, tão fluida, que passa a impressão de ter feito algum tipo de treinamento profissional. O único que não a observa, na verdade, é Julien. Ele está olhando pela vidraça, para a escuridão, a testa franzida, aparentemente perdido em pensamentos.

Miranda gesticula para irmos dançar. Ela pega a mão de Mark e o puxa até ele ficar de pé. No começo, ele parece desajeitado e desconfortável no meio do tapete. Mas quando ela encaixa o corpo no dele, os dois começam a se mover juntos, e ele adquire um ritmo sinuoso, até mesmo sensual, que nunca encontraria sozinho. Parece algo contagioso, a batida da música exercendo uma atração sobre todos. Samira se levanta — ela sempre foi uma dançarina incrível. Tem aquele desprendimento, aquela sensação de estar à vontade consigo mesma. Giles pega a mão de Emma, a coloca de pé e dança com ela pela sala. Giles não tem o menor ritmo, mas claramente não liga — parece um colegial desengonçado e bêbado. Eles esbarram em uma das cabeças de cervo na parede, entortando-a. Emma tenta endireitá-la, com um sorriso aflito, mas Giles a agarra pela cintura e a vira de cabeça para baixo.

— Giles! — grita Samira, mas ela está rindo, e se afasta deles de olhos fechados, imersa na música.

Emma também está rindo — embora talvez seja a única do grupo que ainda tem alguma inibição, puxando a blusa para baixo quando Giles a coloca no chão. Agora Nick também está de pé, estendendo a mão para Bo. Os dois se movimentam muito bem juntos, talvez dancem ainda melhor do que Miranda.

Como sempre, no entanto, é para Miranda que os olhares são atraídos: o sol em torno do qual todos os outros orbitam. Mark está radiante, acompanhando os movimentos do corpo dela na dança. Nunca sua paixão por ela foi tão evidente. Se é que se pode chamar de paixão. Às vezes eu me pergunto se não seria algo mais.

Quando Miranda e Julien começaram a sair, lembro-me de ter pensado que era meio estranho que o amigo dele parecesse estar agindo como uma espécie de pombo-correio, levando mensagens de um para outro. Mark aparecia na nossa faculdade, pedindo para falar com ela. Tinha um recado em nome do amigo. Julien, como um rei enviando um emissário, queria convidá-la para assistir à partida de rúgbi de seu time naquele fim de semana. Ou para ir com ele a alguma festa. Eu achava patético. Não parecia ser de fato uma amizade, era mais como uma espécie de devoção a um herói ou uma servidão. Quem Julien achava que era? E por que Mark se sujeitava àquilo? É verdade que, como Miranda, Julien tem o tipo de aparência — e de carisma — que costuma atrair seguidores. Mas Mark não era feio, tampouco desajeitado ou tímido. Ele não precisava se rebaixar a esse ponto. E era bizarro. Todos nós já tínhamos celulares naquela época, Julien podia simplesmente ter enviado uma mensagem.

Mas então, quando comecei a notar como Mark olhava para ela, passei a suspeitar de que aquelas visitas não eram instigadas por Julien, no fim das contas. Mark tinha se oferecido. Ele começou a aparecer não apenas do lado de fora, no pátio embaixo do nosso bloco, mas em nosso corredor. Alguém o deixara entrar, ele respondia quando eu perguntava como ele tinha conseguido o código para abrir a porta.

Uma vez, dei de cara com ele sentado do lado de fora do quarto de Miranda.

— Ela saiu — falei. — Está em uma reunião com o orientador até as quatro.

Ou seja, ainda levaria uma hora e meia para voltar.

— Tudo bem — disse ele. — Não tenho mais nada para fazer.

E então me dei conta de que ele queria ficar lá, esperando por ela.

Houve outra ocasião que ficou marcada na minha memória. Julien e Miranda já estavam juntos naquela época, o novo casal-sensação. Fomos a um churrasco na casa de Julien em um dia bem quente, logo depois das provas — já havíamos nos mudado para uma residência particular nessa época —, na enorme casa caindo aos pedaços que ele dividia com outros oito jogadores do time de rúgbi, incluindo Mark. Eu era a acompanhante invisível. É verdade que dois amigos de Julien tentaram, sem muito entusiasmo, flertar comigo, mas minhas respostas foram frias e distantes. Não queria ficar conhecida como a amiga menos bonita e mais fácil de Miranda.

Julien estava na churrasqueira, no centro das atenções, sem camisa, deixando à mostra suas costas musculosas que terminavam em uma cintura surpreendentemente fina. Apesar de estarmos ainda no começo do verão, ele tinha conseguido de algum jeito um bronzeado dourado e uniforme. Eu não podia deixar de me comparar: a erupção avermelhada que se espalhava pelo meu peito e pelos meus braços, o resto do meu corpo branco como leite. Miranda também olhava para ele, de uma maneira não muito diferente de como olhava para seu novo e reluzente pônei, Bert, quando tinha dezesseis anos. Então ela se virou para mim e me flagrou observando.

Desviei o olhar para Mark. Ele estava com um Ray-Ban que não caía muito bem em seu rosto largo. De relance, parecia estar sonhando acordado, olhando para o nada. Mas continuei a olhar e percebi que seus óculos de sol não eram tão opacos quanto eu pensava. E deu para perceber que não tirava os olhos de Miranda. Não desviou o olhar em nenhum momento. Toda vez que eu olhava, ele estava hipnotizado por ela. E quando ela tirou a blusa e ficou apenas com a parte de cima do biquíni, vi seu olhar ganhar intensidade. Eu o vi mudar de posição na cadeira.

Mais tarde, contei isso a Miranda.

— Sério, Manda, foi estranho. Ele não estava só olhando, estava vidrado. Parecia que queria devorar você viva.

Ela riu.

— Ah, Katie, que paranoia. Ele é inofensivo. Você fazia a mesma coisa com Julien.

Foi quase o suficiente para me fazer duvidar do que eu tinha visto. Até mesmo me perguntar: será que eu estava com ciúme? Eu tinha quase certeza de que não. Mas *me senti* humilhada, fiquei com raiva dela por não me levar a sério.

— E vocês dois! — Sou trazida de volta ao presente.

Miranda está olhando para Julien e para mim, os dois do lado de fora da bolha, os únicos que não estão dançando cheios de descontração pela sala.

— Julien — diz ela —, dance com a Katie, pelo amor de Deus. Ela não vai dançar sozinha. — Seu tom de voz é ligeiramente severo.

Não há nada que eu esteja com menos vontade de fazer, mas Julien se levanta e pega as minhas mãos. De repente me lembro de vê-los dançando em seu casamento. Cinco, seis anos atrás? Miranda o obrigou a fazer aulas de dança, para que eles pudessem se apresentar diante de nós. O casamento todo foi bem típico de Miranda. Ela disse que queria fazer algo bem pequeno, diferente. Queria fugir e se casar em segredo!

No fim das contas, a festa foi na casa dos pais dela em Sussex. Duzentos convidados. Aquelas cadeiras douradas de espaldar alto que a gente só vê em casamentos, as mesas redondas, o "céu estrelado" de luzinhas acima da pista de dança. E, por fim, a cereja no bolo em camadas coberto de flores de açúcar: a dança do casal.

Julien, que até aquele momento encarnava muito bem o papel do noivo bonito e elegante, voltou a ser ele mesmo. Errou os passos, tropeçou na cauda do vestido de Miranda (quase tão longa quanto a de Kate Middleton) e, de modo geral, parecia querer estar em qualquer outro lugar que não fosse ali. Ele está com a mesma expressão agora.

Miranda

Observo Katie dançar — ou tentar, mas sem se esforçar muito. Ela parece estar procurando deliberadamente *não* se divertir. Pensando bem, está esquisita desde que chegamos aqui. Tudo bem, ela sempre foi meio tímida, mas nunca uma pessoa tão monossilábica e rabugenta assim. Tenho a súbita e estranha sensação de que estou olhando para uma desconhecida.

Eu sempre soube o que estava se passando na vida de Katie. Ela, por sua vez, tinha conhecimento de tudo que eu escolhia compartilhar a respeito da minha. Mas ultimamente não tenho a menor ideia do que anda acontecendo com ela. Nos últimos meses, ela deu todo tipo de desculpa para não me encontrar. Eu disse a mim mesma que eram justificativas legítimas: ela está sempre muito, muito, *muito* ocupada com a porcaria do trabalho. Ocupada em ser uma adulta de verdade, ao contrário de mim. Ou em ter que ir a Sussex para visitar a mãe, que está doente (leia-se: todo aquele álcool finalmente está cobrando seu preço). Até me ofereci para ir com ela ver Sally; conheço a mulher há vinte anos, meu Deus. Mesmo que ela nunca tenha gostado de mim — ela me chamava de srta. Esnobe bem na minha cara, com seu bafo de vinho —, parecia a coisa certa a se fazer. Mas Katie descartou essa sugestão tão rapidamente que foi como se a ideia a deixasse horrorizada.

A questão é que precisei dela há pouco tempo. Eu sei que sempre passei a impressão de ser autossuficiente, de não querer que ninguém se intrometa na minha vida. Mas, nos últimos tempos, tudo acabou ficando um pouco pesado demais. Katie é a única pessoa com quem posso conversar sobre os problemas que temos vivido. Não posso contar a ela tudo sobre as questões de Julien, porque é muito importante que ninguém mais saiba disso, mas mesmo assim.

Já contei a ela sobre os problemas de fertilidade. Ou melhor, contei *uma parte*. A verdade é que não começamos a tentar há pouco tempo. Já faz mais de um ano — um ano e meio, para ser exata. Dois anos é o suficiente para o sistema de saúde oferecer fertilização *in vitro*, não é?

Eu também podia ter revelado a ela sobre a falta de sexo — o que não exatamente facilita uma gravidez. A distância que parece ter crescido entre mim e Julien já faz um ano... Talvez até mais.

Para ser completamente sincera comigo mesma, eu sei que a razão pela qual não conto nada é porque gosto da ideia de ser a pessoa com a vida perfeita; a amiga que tem tudo. Sempre pronta para intervir e dar conselhos quando necessário, de sua posição superior. Seria preciso mais do que algumas discussões e alguns meses de sexo escasso para me fazer abrir mão disso.

Talvez essa distância entre mim e Katie seja inevitável, faça parte de amadurecer, virar adulta e ter uma vida própria. Responsabilidades e família atravessando o caminho da amizade. Só vai piorar, com certeza, e acho que não posso julgá-la. Eu sei que os amigos se distanciam, deixam de apreciar a companhia uns dos outros. Entro no Facebook às vezes e olho para aquelas fotos de uma década atrás, de nosso tempo em Oxford, e há fotos minhas com pessoas — rostos que se repetem em muitas das imagens — que mal reconheço... Que dirá lembrar seus nomes. É meio desconcertante. Revejo as imagens: festa após festa, em casas, bares e salas de alojamentos estudantis, meus braços em volta de pessoas que poderiam muito bem ser completos estranhos. As fotos do primeiro ano são as mais obscuras. Dizem que a gente passa o primeiro ano inteiro na universidade tentando se livrar de todos os "amigos" que fez na primeira semana de aula, e foi exatamente o que aconteceu no meu caso: cometi o erro de puxar papo com uma garota intensa demais durante as entrevistas; de conversar bêbada com um cara na festa de boas-vindas, que depois passou a "esbarrar" em mim pela faculdade só para me convidar para um café.

Depois da faculdade, passamos os próximos anos selecionando os amigos restantes, percebendo que não temos tempo nem energia para atravessar Londres, ou até mesmo o país, para ver pessoas que não têm mais quase nada em comum conosco.

Mas nunca pensei que isso aconteceria entre mim e Katie. Nós nos conhecemos desde criança. É diferente. Esses amigos são para sempre, não? Já que permaneceram amigos por tanto tempo...

Ainda assim, se não a conhecesse bem, eu diria que é como se Katie tivesse me superado. E no fundo da minha mente há uma vozinha insistente. Uma voz desagradável, a pior versão de mim mesma, dizendo: "Eu a transformei em quem você é, Katie. Você não seria nada sem mim."

Mas enfim. Não vou deixar Katie estragar meu humor. Tomo um grande gole da minha bebida e espero para sentir o comprimido começar a fazer efeito.

Uma hora depois, há um relaxamento geral. Giles começa a vasculhar a pilha de jogos de tabuleiro ao lado da lareira e dá um grito de triunfo quando encontra a caixa do Twister.

— Ah, fala sério! — grita Julien, mas com um sorriso.

Faz tempo que não o vejo sorrir de verdade. Provavelmente é apenas o efeito do comprimido, mas faz com que uma bolha de algo parecido com felicidade se expanda dentro de mim. Talvez seja hora de tirá-lo do castigo, afinal. Já faz um ano. E é cansativo: ele agindo com culpa o tempo todo, eu decepcionada com ele.

São necessárias algumas tentativas e muitas gargalhadas até conseguirmos estender o tapete de plástico. Todos estão subitamente muito chapados.

— Eu dou as coordenadas — diz Katie de imediato.

Ela não tomou o comprimido; Samira também não, mas pelo menos ela tem um bom motivo: a babá eletrônica que mantém presa ao peito como uma policial com um rádio. Nesse momento, o rosto de Katie — a cara de adulta exasperada diante de tolices infantis — quase perfura a bolha de alegria dentro de mim. Fico com vontade de falar algo, confrontá-la, mas não encontro as palavras. Antes que consiga fazer alguma coisa, Mark agarra meu braço e me empurra para a frente: mão esquerda no vermelho. Em seguida é a vez de Julien: pé direito no verde. Depois Emma, Giles, Mark, Bo e, então, Nick. Nem mesmo Nick se acha bom demais para jogar Twister, pelo amor de Deus. Logo, Julien está praticamente montado em mim e, em meio à confusão em minha mente, penso em como essa posição é curiosamente íntima. É provável que seja o máximo de intimidade que temos em muito tempo, isso é fato. *Vamos fazer sexo esta noite*, penso, *naquela grande cama com dossel*. Não sexo para engravidar. Sexo apenas por prazer.

Emma cai e sai do jogo. Ela cambaleia até se levantar, rindo.

Mais algumas rodadas. Nick se desequilibra, coloca um pé fora do tapete e está fora, depois Giles cai ao tentar passar a perna esquerda sobre a direita. Sobramos apenas Bo, Mark, Julien e eu no jogo.

Sinto um toque na lateral do meu torso, logo abaixo do meu seio direito, movendo-se para cima. Está do lado que ninguém consegue ver. Sorrio e olho em volta, à procura de Julien, mas quando sigo a mão encontro o braço de Mark. Estamos virados para o lado oposto ao de Emma, e, como Julien está em cima de mim, tenho quase certeza de que ninguém mais consegue ver. Por um instante, Mark e eu olhamos um para o outro. Seus olhos estão vidrados como os de um sonâmbulo. Minha mente de repente parece o mais lúcida desde que tomei o comprimido, desde antes mesmo de começar a beber. *Errado*, é a única coisa que consigo pensar. *Isto está errado.*

É como se ele tivesse esquecido as regras. Nós flertamos, é verdade, ele gosta de mim e eu gosto muito disso; ele faz coisas para mim, e sua recompensa é poder me olhar. Mas não pode me tocar. Isso é diferente.

Tento me afastar dele. Ao fazer isso, eu o desequilibro — ele balança e tomba no tapete.

— Mark está fora! — grita Emma alegremente.

Eu me sinto um pouco enjoada, toda aquela comida, a bebida e depois o comprimido. Saio da minha posição em meio a vaias; me chamam de "desmancha-prazeres!" e mandam que eu volte ao tapete, mas vou cambaleando até o banheiro. Quero molhar o rosto — este é o mantra em minha mente: jogue uma água fria no rosto.

Levo um tempo me olhando no espelho. Sob a luz forte, apesar de todos os meus esforços, pareço ter mais de trinta e três anos. Não são as rugas — fiz o possível para evitá-las —, é algo intangível, a tensão e o cansaço em minha expressão. Sinto uma estranha desconexão entre a pessoa que olha para mim e meu eu interior. Essa não sou eu, sou? Essa mulher no espelho? Onde eu estava com a cabeça quando tomei aquelas coisas? Será que me esqueci de como, depois da alegria e do bem-estar, elas fazem rapidamente com que eu me sinta péssima? Mas quem estou querendo enganar? Tenho me sentido assim com cada vez mais frequência de uns tempos para cá, tomando comprimido ou não.

No passado era o suficiente. Apenas ser eu. Ter a minha aparência e a droga de um diploma de Oxbridge, e poder falar com desenvoltura sobre assuntos da atualidade, o estado da economia e a nova tendência de vestidos justos ou *slip dresses*.

Mas um belo dia acordei e percebi que eu deveria ter algo mais: ser algo além disso. Ter, para ser mais específica, "uma carreira". "O que você faz?": essa é a primeira pergunta que surge quando pessoas se reúnem para beber alguma coisa, vão a um casamento ou a um jantar. Parecia muito pretensioso se alguém perguntava isso quando tínhamos vinte e poucos anos e estávamos apenas brincando de vida adulta. Mas, de repente, ser Miranda Adams não era mais o suficiente. As pessoas esperavam que eu fosse "Miranda Adams: *insira aqui um cargo importante*". Editora, por exemplo, ou advogada, investidora ou designer de aplicativos. Por um tempo, eu dizia casualmente que estava escrevendo um romance. Mas isso só levava às inevitáveis perguntas: "Já tem um agente? Uma editora? Assinou algum contrato de publicação?" Em seguida: "Ah", e silêncio. Então, você não é realmente uma escritora, é?

Parei de me dar o trabalho.

Às vezes, só para chocar, digo: "Ah, sou dona de casa, sabe. Gosto de manter as coisas organizadas para Julien, de cuidar dele, de garantir que esteja confortável." E finjo para mim mesma que estou me divertindo muito com o silêncio estarrecido que se segue.

É por isso que você flerta com Mark. Para provar que ainda é desejada. Para mostrar que não é... não fale isto alto... uma inútil.

Bobagem. Quer dizer, flerto com praticamente todo mundo: como Katie mencionou quando entramos na faculdade. Mas eu sei que com Mark é diferente, que eu não deveria dar falsas esperanças a ele.

Ouço passos no corredor. Talvez seja Julien, vindo ver se estou bem. Ou Katie, como nos velhos tempos. Mas quando a porta se abre, devagar, é a última pessoa que quero ver.

Ele é tão alto, sempre me esqueço. Ele bloqueia a porta com o corpo.

— Que porra é essa, Mark? — sibilo. — O que foi aquilo? Você me apalpando lá na sala?

Aguardo que ele comece a implorar que eu não conte nada a Emma, que diga que estava alterado demais para perceber o que estava fazendo.

Em vez disso, ele diz:

— Ele não merece você, Manda.

— O quê? — Olho para ele, furiosa. — E você merece, é isso? — Sou tomada por uma raiva justificada e o empurro do caminho. — Me deixe passar.

Ele chega para o lado. Mas ao fazer isso estende a mão, rápido como um raio, e segura meu braço. Tento me desvencilhar, mas seus dedos me apertam ainda mais, com tanta força que minha pele parece queimar. Sou invadida por uma onda de adrenalina e puro medo. Ele não tentaria nada, tentaria? Não aqui, com os outros na sala ao lado, certo?

— Tire suas malditas mãos de mim, Mark — digo, minha voz baixa e ameaçadora.

Ele nunca agiu assim antes — pelo menos não comigo. Tento fazer com que solte meu braço, mas a mão dele parece um torno. Penso em todas as aulas inúteis de luta que fiz na academia: sou fraca demais em comparação a ele.

Ele se aproxima do meu ouvido.

— Todo esse tempo, fiquei do lado dele. Desde Oxford. Cuidando dele, acobertando ele, se necessário. E ele está do meu lado se eu precisar? Ele me ajuda quando peço? Para eu ter algo meu, só para variar? Não. Estou de saco cheio. Não vou mais mentir por ele.

Ele parece completamente sóbrio, as palavras são claras. É como se o comprimido não tivesse surtido o mínimo efeito sobre ele. Já eu me sinto desorientada e confusa. Exceto pela dor no meu braço, uma âncora me mantendo presa aqui.

— Do que você está falando? — pergunto.

Sinto que minha mente está com um atraso.

— Eu sei da vida dele. Eu sei sobre o segredinho sujo que ele guarda. Quer que eu conte o que ele anda aprontando?

Estou tremendo, com um misto de medo e raiva. É importante, neste momento, fingir que não sei de nada — que não *quero* saber de nada.

— Seja o que for — digo —, não quero ouvir. Não quero saber de nada.

Ele parece momentaneamente surpreso. Seu aperto se afrouxa, e puxo meu braço.

— Eu... — Ele se atrapalha. — Você não quer mesmo saber?

Ele acha mesmo que meu marido não me contaria seu segredinho vergonhoso? Mesmo assim, é definitivamente melhor me fingir de idiota. Apenas para o caso de chegar um momento em que eu precise me distanciar de tudo e insistir em minha inocência.

— Não. Não quero saber.

— Tudo bem — responde ele, parecendo verdadeiramente atônito, livre de toda aquela arrogância. E recua. — Se é realmente isso que você quer.

Cambaleio, com as pernas trêmulas, e volto para a sala de jantar, certa de que alguém vai notar a expressão em meu rosto e me perguntar o que houve — não tenho certeza se quero a atenção deles agora.

De início, ninguém nota minha presença. Há outra partida de Twister em curso, e estão todos gargalhando enquanto Giles tenta montar em cima de Bo. A atmosfera é exatamente a mesma de antes — todos alegres, curtindo a onda provocada pela bebida e pelos comprimidos. Mas de repente estou do lado de fora, olhando ali para dentro, e tudo aquilo parece ridículo, falso até, como se todo mundo estivesse se esforçando demais para mostrar como está se divertindo.

Emma se vira e me vê de pé na porta.

— Está tudo bem, Manda? — pergunta ela.

— Achamos que você tivesse ficado presa lá dentro — diz Giles, com um sorriso idiota. — Então Mark foi lá ver se você estava bem.

— Ah, meu Deus. Manda, lembra aquela vez que alguém deu uma festa em casa e você ficou presa no banheiro? — pergunta Emma.

— Não — respondo.

Mas no mesmo instante me dou conta de que na verdade me lembro, vagamente. A humilhação quando foi preciso usar um pé de cabra para me tirar. Meu Deus... Que vergonha. Eu poderia jurar que isso tinha acontecido há pelo menos uma década. Mas, se Emma se lembra, deve ter sido muito mais recente.

— Quando foi isso?

— Hum, deve ter sido em algum momento em Londres. Na época em que todo mundo dava festa em casa... Quando a gente se divertia, lembra? Foi outro dia, mas ao mesmo tempo parece que faz séculos — diz Emma.

Faço que sim com cabeça, mas algo nessa menção me provoca uma sensação estranha e desconfortável. Só não consigo identificar por quê.

— Você está se sentindo bem *mesmo*? — pergunta Emma novamente.

Seu tom é tão maternal, tão preocupado... Tão condescendente, porra.

— Sim, por que não estaria? — respondo.

Devo ter soado tão ríspida quanto eu pretendia: ela parece magoada.

Fico de fora da brincadeira por mais ou menos uma hora. Eu me saí melhor do que Katie — ela deve ter voltado para seu chalé enquanto eu estava no banheiro. E, no entanto, é com ela que quero conversar sobre o que acabou de acontecer — mais do que com meu próprio marido. Eu poderia ir atrás dela... talvez ela ainda esteja acordada. Mas, se eu sair, Mark pode achar que me afetou, e não quero que ele pense isso. Os efeitos do comprimido se dissiparam completamente, e observo com inveja os outros, alegres, sorrindo.

Por fim, quando concluo que já fiquei tempo suficiente, eu me viro para Julien.

— Estou cansada — digo.

Ele balança a cabeça, mas acho que mal registrou que falei alguma coisa. Os comprimidos sempre têm um forte efeito sobre ele. Falei aquilo meio que como um convite para que me acompanhasse de volta até o chalé, mas não vou me envergonhar na frente dos outros deixando isso claro agora.

Quando saio, a lua cheia está cintilando, e o lago é iluminado pela luz prateada. É uma noite clara, exceto por uma faixa de nuvens no horizonte, onde o brilho das estrelas desaparece como se uma mortalha tivesse sido puxada sobre elas.

Penso em Mark e no que acabou de acontecer. A parte de cima do meu braço ainda dói no ponto onde ele me agarrou. Tenho certeza de que amanhã haverá um hematoma: a lembrança dos dedos dele.

Pego o iPhone do bolso e acendo a lanterna. O aparelho lança um feixe fraco de luz à minha frente; um pequeno conforto, um farol no escuro. Tenho que virar e olhar para trás várias vezes para me assegurar de que ninguém está vindo atrás de mim. É uma besteira, provavelmente, mas estou nervosa, e o silêncio aqui fora parece me vigiar de alguma forma. Eu me lembro de voltar para casa em Londres, caminhando bêbada no escuro, na época das boates, com as chaves entre os dedos. Só por precaução. Mas aqui estou eu, no meio do nada, sem ninguém a não ser meus melhores amigos. O silêncio e a amplidão deste lugar parecem subitamente hostis. É um pensamento ridículo, não é? De manhã, tudo vai estar diferente, digo a mim mesma.

Ou poderíamos ir embora de manhã. Eu contaria tudo a Julien e iríamos embora. Ele não ia gostar — tenho certeza de que estava ansioso por esta viagem. Nós dois, na verdade — talvez eu ainda mais. Acho que ele concordaria, se eu explicasse tudo. Poderíamos voltar para casa e tomar champanhe e talvez pedir algo e assistir aos fogos de Westminster sobre os telhados. E me dou conta de que, ao visualizar essa cena, não estou imaginando nossa casa atual:

a casa adulta, com detalhes de estuque. Na verdade, estou pensando em nosso primeiro apartamento em Londres: antes de eu não conseguir fazer nada de interessante com a minha vida e me tornar uma fracassada. Antes de Julien ficar tão obcecado por ganhar dinheiro.

Talvez seja divertido.

Mas também significaria desistir. Mark é quem deveria estar com vergonha e ir embora. Não eu. Esse pensamento me enche de raiva. Então me lembro daquele momento, enquanto me olhava no espelho, vendo mais do que eu gostaria, além dos efeitos do comprimido. Mesmo antes disso, mesmo antes de Mark passar a mão em mim na partida de Twister, eu já sentia que não estava me divertindo tanto quanto deveria. Havia Samira, enchendo meu ouvido com conversas sobre horários de sono e bombas de tirar leite, me mostrando as manchas em sua camiseta velha e folgada. Isso, da garota cujo apelido em Oxford era Princesa Samira, porque ela estava sempre perfeitamente penteada e vestida com o máximo de glamour, mesmo com apenas dezenove anos. Eu adorava o alvoroço que causávamos quando íamos a um pub ou a um bar juntas, ou até mesmo à sala do alojamento: nós duas mais ou menos da mesma altura, uma morena, a outra loira, vestindo as melhores roupas. Farinha do mesmo saco.

E então há Katie — tão distante desde que chegamos aqui, provavelmente com a cabeça em algo muito mais importante, em alguma questão de trabalho. Agindo como se fosse melhor do que todos nós: a advogada de sucesso. Tive a repentina sensação de ter sido deixada para trás. Foi por isso que coloquei todo mundo para dançar. Foi por isso que ofereci os comprimidos naquele momento. Na verdade, eu os estava guardando para amanhã, a véspera de Ano-Novo. Mas senti a necessidade de estar no controle outra vez, ditando a ordem das coisas.

Ao dobrar uma curva do caminho, avisto três retângulos iluminados ao longe, brilhando no escuro. É o chalé do guarda-caça, claro. Quando fui até lá mais cedo, não me dei conta de como fica afastado de todas as outras construções, quase no sopé da montanha. Conforme observo, uma figura escura aparece na janela central, envolta em um halo de luz. Deve ser Doug, ainda acordado. Mas, a essa distância, ele é indistinto, espectral. Dou um passo para trás, o que é ridículo: mesmo que ele consiga enxergar o minúsculo ponto de luz do meu celular, não será capaz de me ver. Mas tenho a sensação de que ele está olhando diretamente para mim. E não é como antes, quando fui bater à sua porta. Agora, depois do que acabou de acontecer, eu me sinto vulnerável, deslocada, a paisagem tão vasta, estranha e silenciosa ao meu redor. Sinto falta do barulho, das luzes e da agitação da cidade.

Corro o restante do caminho. Dentro do chalé, me sinto segura. Mas só por um momento, porque ao tentar trancar a porta percebo que não há tranca.

Eu me preparo para dormir e, quando olho pelas janelas, vejo que as luzes se acenderam nos outros chalés. Todos devem ter decidido ir para a cama logo depois de mim. Então, onde está Julien? Imagino que no caminho de volta para o chalé — mas vindo sem nenhuma pressa.

Meia hora se passa, depois uma hora. Meu braço dói onde Mark apertou. Visto um suéter e enormes pantufas que Julien odeia porque me fazem parecer "uma dona de casa suburbana dos anos 1960", mas mesmo assim nunca me desfiz delas porque são muito confortáveis. Eu me dou conta de que estou batendo os dentes, embora não esteja realmente com frio.

Acordo às quatro da manhã. Não sei onde estou. A primeira coisa que vejo são os números piscando no pequeno alarme ao lado da cama. No começo, acho que estou em casa, mas então constato que está silencioso demais: na cidade, haveria a música de fundo das sirenes e dos motores de carro, mesmo tarde da noite. Não sei ao certo o que me despertou. Na verdade, não me lembro de ter pegado no sono. Vejo que ainda estou vestindo o suéter e as pantufas, deitada em cima da colcha. A luz está acesa no corredor. Fui eu que a deixei acesa? Não lembro.

Então vejo uma figura parada no escuro perto da porta. Eu me arrasto para trás, tentando me afastar dela. Então a figura dá um passo à frente, e vejo que é Julien. Suas bochechas estão vermelhas por causa do frio. Seus olhos, estranhamente vazios.

Eu me sento.

— Julien? — Minha voz sai baixa e esganiçada, irreconhecível. Vejo que ele se sobressalta ao ouvi-la. — Onde você estava?

— Desculpe. Fui dar uma caminhada.

— No meio da noite?

— Bem, sim... Para clarear a mente. Aqueles comprimidos malditos... E então veio o efeito rebote, comecei a ficar neurótico. Dei a volta no lago andando. — Ele passa a mão no cabelo. — Ah, e vi aquele esquisitão, o guarda-caça.

— Viu?

Eu me lembro agora de como fiquei nervosa com a silhueta dele na janela iluminada em meu caminho de volta.

— Ele estava andando furtivamente ao redor do lago, saindo de uma parte bem densa da floresta. Tinha uns cachorros com ele. Que diabo ele poderia estar fazendo? Para ser sincero, acho que é meio maluco. Você deveria ficar longe.

Fico ao mesmo tempo tocada e irritada com essa demonstração machista de proteção. Pelo menos isso mostra que ele se importa, acho, mas em seguida tenho o estalo: será que ultimamente fiquei tão insegura em relação ao afeto dele que me tornei uma pessoa carente?

— Não é com ele que você tem que se preocupar — digo.

— Como assim?

— Mark. Ele me abordou no banheiro. Apertou meu braço. Aqui. — Puxo a manga do suéter para mostrar. — Ele disse que sabia sobre o seu *segredinho sujo*. Sim, foi exatamente isso que ele disse.

Vejo que ele vacila diante das minhas palavras.

— Ele estava se referindo ao que estou pensando? — pergunto. — Você contou a ele? Já conversamos sobre isso, Julien, você não pode falar para ninguém. Acabaria com tudo. E não me diga que estou sendo paranoica. No momento em que decidiu me usar, você *me* tornou parte disso, goste ou não.

Há uma longa pausa.

— Olhe, Manda — diz Julien, passando a mão no cabelo e suspirando —, nós todos tínhamos bebido muito... E depois os comprimidos...

Sinto uma onda de raiva.

— Você está dizendo que estou inventando? Que não acredita em mim?

— Não, não. O que estou dizendo é que talvez essa não tenha sido a intenção dele, machucar você. Ele é um cara grande, às vezes simplesmente pesa a mão. Quer dizer, há quanto tempo a gente o conhece?

— Calma aí! Parece até que você está defendendo ele.

— Não estou, juro que não. Mas, pense bem, vale mesmo a pena estragar tudo para nós por causa da estupidez dele? Ele é um dos meus amigos mais antigos. Você não acha que devemos dar a ele o benefício da dúvida?

De repente, percebo o que Julien está fazendo. Ele não está protegendo Mark. Está protegendo a si mesmo. Porque, se Mark realmente souber o segredo — o nosso segredo —, e Julien o confrontar, Mark pode usar o que sabe contra ele.

Eu deveria estar indignada. Mas me sinto apenas muito cansada. Ele tira as roupas e pega o pijama. É um pijama muito elegante, presente da minha mãe, que gosta de estar a par de todas as novas tendências: um presente de Natal da Mr Porter. No entanto, houve uma época — não muito tempo atrás — em que ele não usava nada para dormir, nem mesmo cueca. Gostávamos de ficar pele com pele.

— Não — digo quando ele começa a vestir as calças.

Ele fica parado um minuto, nu, parecendo particularmente confuso.

— Está frio — diz ele.

— Sim. Mas você pode se vestir... depois.

De repente, quero sentir o conforto de seus braços ao meu redor, seu peso em cima de mim, sua boca na minha: quero esquecer a sensação crescente e desagradável que me invadiu esta noite.

Para reforçar, tiro o suéter. Estou nua sob ele. Eu me deito de costas e abro as pernas, para que ele não tenha dúvida sobre o que tenho em mente.

— Vem cá — digo, acenando para ele.

Ele, no entanto, faz uma espécie de careta, os cantos da boca se curvando para baixo.

— Estou muito cansado, Manda.

Sinto minha pele se arrepiar com o frio de sua rejeição.

Nos primeiros anos depois que nos conhecemos e ficamos juntos, era sempre eu quem o rejeitava. O contrário deve ter acontecido apenas duas vezes em oito anos: quando ele estava gripado, ou quando tinha uma entrevista no dia seguinte. Mas ultimamente eu tenho contado. Nas últimas dez vezes, talvez mais, foi ele quem me rejeitou.

Tenho duas gavetas de roupas íntimas em casa. Uma é para o dia a dia: minhas calcinhas e sutiãs destinados exclusivamente a proporcionar conforto. Julien se encolhia de horror ao ver meus sutiãs bege saindo da máquina de lavar. E então a outra gaveta: peças das marcas Agent Provocateur e Kiki de Montparnasse, Myla e Coco de Mer. Centenas, talvez até milhares de libras em seda e renda. O tipo de lingerie que não é para ser usado sob a roupa, mas apenas para enfeitar o corpo por alguns minutos antes de ser arrancado. Cheguei à constatação, enquanto arrumava as malas para esta viagem, de que não me lembrava da última vez que tinha usado qualquer uma dessas peças. Fiquei meio tentada a jogá-las fora: elas pareciam estar zombando de mim. Em vez disso, juntei todas e as coloquei na mala. Armadura, para uma ofensiva desesperada — um último recurso?

Acho que faz certo sentido que Julien tenha perdido o interesse no sexo. Está com muita coisa na cabeça — embora a maioria das coisas seja culpa dele mesmo —, isso sem contar com a minha insistência em engravidar. Mas aqui, neste lugar lindo, à base de champanhe e comprimidos, pensei que seria diferente. Sinto um pequeno tremor de medo quando ele se deita ao meu lado e se vira para a parede.

Eu me aproximo, para pegar emprestado um pouco do seu calor. Estendo a mão para tocar a parte de trás de sua cabeça. Minha palma fica úmida.

— Seu cabelo — digo.

— O que é que tem? — A voz dele não parece sonolenta.

Eu me pergunto se ele estava fingindo, deitado ali acordado, como eu.

— Está úmido na nuca.

— Ah, é que começou a chover no caminho para cá.

Deitada, penso no céu claro e na minha caminhada até o chalé, e que as nuvens deviam ter chegado bem rápido para ter começado a chover. De qualquer maneira, está frio demais, isso é óbvio. Teria que ser neve. De repente, tenho certeza de que ele está mentindo. Embora eu não faça ideia sobre o que nem por quê. Digo a mim mesma que não faz sentido se preocupar. Afinal, já conheço seu pior segredo.

Há cerca de um ano Julien disse, muito casualmente, uma noite:

— Tenho um amigo que adoraria que você criasse um site para ele. Ele deixou o mercado financeiro e está tentando montar um negócio. O que você acha?

Será que eu soube, já naquele momento, que havia algo estranho naquela história? Só hoje percebo que o tom da pergunta foi um pouco casual demais. Que ele tamborilava na bancada da cozinha: um claro contraste com seu tom de voz. Que ele mal olhou para mim enquanto falava. Havia também o fato de que, até então, ele nunca tinha parecido dar muito valor às minhas habilidades como webdesigner, ou à minha modesta ideia de ter meu próprio negócio: abrir uma empresa, procurar clientes. Ele chamava isso de o meu "projeto", como se eu estivesse costurando uma colcha de retalhos.

Seria apenas o meu segundo trabalho até aquele momento — o primeiro tinha sido para o chá de bebê de uma amiga. Mas decidi ignorar minhas desconfianças. Presumi que sua dissimulação fosse porque aquilo era claramente um projeto motivado por pena, ainda que ele não tivesse dito nada. Ele ganhava dinheiro suficiente para nós dois, mais do que precisávamos, mas acho que ele tinha noção de que meu orgulho ficava ferido pela minha própria falta de sucesso. Então, para dizer a verdade, não pensei muito a respeito. Não naquela época. E seria uma vitrine útil, pensei. Seria bom simplesmente ter outro cliente feliz no meu currículo: para compartilhar no meu site e nas minhas redes sociais. É preciso ter um conjunto de trabalhos para atrair outros. É um pouco aquela coisa do ovo e da galinha, mas é assim que as coisas são.

— Mando um orçamento para ele? — perguntei. — Porque espero que ele saiba que não vou trabalhar de graça.

Eu não queria que aquele cara pensasse que só porque era esposa do amigo dele eu ofereceria meu trabalho de brinde. Poderia fazer um preço camarada, com certeza, mas eu era uma profissional. Meu tempo era valioso. Fazia muito tempo que eu não me sentia realmente útil para alguém profissionalmente, se é que algum dia isso de fato tinha acontecido, e queria saborear essa sensação. Essa era a minha maior preocupação na época. Não me humilhar trabalhando de graça.

— Não se preocupe com dinheiro — disse Julien. — Ele já me garantiu que vai pagar muito bem. — E sorriu. — Uma parte em dinheiro, a outra por transferência bancária, para você não precisar declarar tudo no imposto de renda se não quiser.

Bem, aquilo não era exatamente uma preocupação. A empresa ainda não tinha gerado dinheiro algum — era pouco provável que tivesse lucro no fim do ano fiscal. Certamente Julien sabia disso.

Nem nesse momento suspeitei. Deveria? Ele era meu marido, pelo amor de Deus.

Foi só quando um pagamento de cinquenta mil libras entrou na minha conta bancária, e Julien voltou para casa, "depois de ver uma partida de rúgbi no pub", com a mesma quantia em notas de cinquenta, que fiquei desconfiada.

— Julien, que merda é essa?

Ele abriu um sorriso desconcertado e estendeu as mãos.

— Isso é o que ele quer pagar a você — respondeu. — Ele ficou muito satisfeito com o trabalho. Tem rios de dinheiro, então isso aqui é só um trocado para ele.

Eu até poderia ter acreditado, se não tivesse olhado em seus olhos.

— Julien — disse, ríspida, para deixar claro que não adiantava mentir —, esse dinheiro está na minha conta. Então, seja lá o que for, agora eu estou envolvida. E eu sou sua esposa. Então acho que você precisa me contar tudo, imediatamente.

— Vai ser bom para nós, no fim das contas — disse ele, se vangloriando. — Eu... Eu acho que podemos dizer que eu enxerguei uma oportunidade.

— Que tipo de oportunidade? Fora do trabalho?

— Bem... — Ele segurou com força o espaldar da cadeira diante de si. — Digamos que seja algo relacionado ao trabalho, eu acho. Vagamente... — Ele pareceu se recompor. — Olha, simplesmente estava lá, bem na minha frente. Eu estava de posse de determinadas informações, e seria muito idiota não usá-las.

Foi então que enfim percebi.

— Meu Deus, Julien. Ah, meu Deus. Você está falando de tráfico de influência? É isso que está me dizendo? É daí que vem esse dinheiro?

Não foi nem por alguma coisa que ele tivesse dito: eu soube a verdade pela maneira como seu rosto ficou imediatamente sem cor.

— Eu não usaria um termo tão pesado — alegou ele. — Não, não é nada disso. Só dei um toque em algumas pessoas. Amigos. Nada tão importante assim. Esse tipo de coisa acontece o tempo todo.

Eu não conseguia acreditar no que ele estava me dizendo.

— Julien, acho que o que você quer dizer é que as pessoas são presas o tempo todo.

Uma semana antes, eu estava lendo sobre Ray Yorke, sócio de um grande banco de investimentos que cumpria pena por ter passado informações privilegiadas a seu parceiro de golfe. Enquanto eles percorriam o campo, ele fornecia uma ou outra informação — supostamente sem saber que o amigo estava negociando com base nelas e ganhando milhões. Ele alegou que não sabia, nem mesmo quando começou a aceitar os presentes que o amigo lhe dava: um relógio Rolex, joias para sua esposa, pacotes de dinheiro. Quando foi pego, a vida dele acabou. Perdeu o emprego, foi para a prisão, a esposa pediu o divórcio, e ele nunca mais trabalharia no mercado financeiro. A CNN veiculou uma entrevista com ele, bem diante do prédio do tribunal, praticamente chorando: oferecendo-se como uma lição. E, claro, durante o processo, ele teve que devolver tudo — e mais um pouco.

Não tive nenhuma pena do sujeito. Quem poderia ser tão idiota? Parecia tão óbvio para mim. É claro que, no fim das contas, você acabaria sendo pego se fizesse algo desse tipo.

Ao que parece, meu marido poderia, sim, ser tão idiota.

— O que há de errado com você, Julien? — perguntei. — Você parece um apostador, sempre querendo jogar mais uma rodada.

— Me desculpe, Manda, não sei o que... — E então, de repente, seu rosto mudou, endureceu. Ele parou com a encenação do cara afetuoso e inocente, encerrando o *mea culpa* lamentoso e servil. — Bem, imagino que seja fácil para você falar, Miranda. Mas você parece estar se esquecendo de como gosta desta vida. As férias em Tulum, nas Maldivas, em St. Anton não são de graça, sabia? Você passa metade do seu tempo sentada lendo algum tipo de folheto de férias que custam mais do que algumas pessoas ganham em um ano inteiro. E as caixas de lojas de luxo que sempre chegam, e as quinhentas libras que você paga todo mês para a porra do seu nutricionista. Sim, eu ganho muito. Mas nós praticamente não temos economias. E agora você não para de falar em ter filhos... Sabe quanto custa uma escola particular hoje em dia? Porque é claro que os filhos de Miranda Adams não poderiam frequentar um lugar tão modesto quanto uma escola *pública*, como eu frequentei. E a faculdade, agora que os valores aumentaram? E com apenas um de nós trabalhando... — Ele me encarou. — Meu trabalho não é tão estável quanto você pensa, Miranda. A crise financeira não foi há tento tempo assim. A gente teria se ferrado.

Eu não conseguia acreditar.

— Você não pode colocar a culpa em mim, Julien. Foi você quem fez merda.

Talvez eu devesse ter previsto. Porque a vida dele sempre foi assim. Ele não cresceu em uma casa próspera, como eu, com uma unidade familiar sólida. É filho de mãe solteira, que gastou tudo que tinha para colocá-lo na universidade. Embora seu comportamento na faculdade não revelasse isso. Ele tem uma profunda vergonha de vir de uma família não exatamente pobre, mas de baixa renda. Tem medo de causar uma má impressão — que é o que ser pobre significa na cabeça dele. É como se ele sempre tivesse sentido o déficit. Se não fosse isso, teria sido outra coisa. Um caso extraconjugal, por exemplo, ou um vício em jogo. Talvez eu devesse até mesmo ficar aliviada por não ser nada além disso, nada pior: embora seja difícil imaginar o que poderia ser pior agora.

Doug

Está escuro, tarde da noite. É sua hora favorita. Ele tem — enfim — o lugar inteiro apenas para si. Ou pelo menos achou que tinha, até encontrar aquele hóspede idiota, que o importunara a respeito do Wi-Fi, aquele com um belo rostinho, perfeito para levar um soco. Julien. Quando o feixe da lanterna passou por ele, o homem seguia pelo caminho que levava da sede até o chalé onde estava hospedado com a esposa. Mas já fazia mais ou menos uma hora que cessara toda aquela barulheira horrível na sede — e que as luzes tinham se apagado.

O homem parou subitamente, pego de surpresa quando a lanterna o iluminou. Parecia um dos animais paralisados diante dos faróis do Land Rover. Sua expressão tinha mudado, como se ele estivesse ponderando se deveria ou não explicar o que estava fazendo ali fora tão tarde. No entanto, fez apenas uma careta e assentiu e continuou andando sem olhar para trás. Ele parecia exprimir a quintessência da culpa. Tinha os ombros curvados, o andar rígido e afetado de alguém que tinha feito algo errado. Doug poderia apostar que ele não esperava dar de cara com ninguém em seu caminho. E que, fosse o que estivesse fazendo, ele havia sido pego no flagra.

Aquilo pelo menos compensava a interrupção de sua paz. Pensando nisso agora, Doug sorri.

Os cachorros estavam com ele. Griffin e Volley: Griffin, uma linda *flat--coated retriever* com um focinho macio como veludo, e Volley, um pastor--australiano, também bonito, mas ao mesmo tempo com uma aparência esquisita, um olho azul com aspecto leitoso e uma pelagem rajada como tinta respingada na água. Eles pareciam gostar de Doug, pelo visto não sentiam a escuridão dentro do dono da mesma forma que as pessoas.

Os dois cães estão nervosos, agitados. É a promessa de neve no ar, ele tem certeza — o cheiro se intensificando, metálico e estranho. Não havia nada na previsão do tempo, mas em um lugar como aquele se aprende a confiar no que se vê e se fareja mais do que em qualquer ciência.

Amanhã terá que avisar os malditos hóspedes sobre isso. Pode ser que neve muito. Se precisarem de algum mantimento nos próximos dias, terão que avisá-lo até hoje à noite. Se for uma nevasca de verdade, a estrada vai ficar intransitável, mesmo no Land Rover — mesmo com os pneus de neve. Ninguém vai conseguir voltar para cá. Nem sair daqui.

Ele pega um galho no chão e o atira longe. O graveto desaparece, além do alcance da lanterna na cabeça de Doug. Os cachorros, com a visão mais apurada, saem correndo atrás do brinquedo novo. Os animais avançam quase a mesma velocidade, embora Griffin esteja ficando velha e diminua o ritmo primeiro. Volley, por sua vez, segue em disparada e leva o prêmio, abanando o rabo vigorosamente, um inconfundível ar de triunfo ao erguer a cabeça.

Em momentos como este, Doug respira com mais tranquilidade.

Então Volley deixa o galho cair e começa a ganir.

— O que foi, garoto? Ei, o que foi?

Griffin também farejou. Eles começam a seguir o cheiro, o focinho próximo do solo. Um coelho, talvez, ou uma raposa. Talvez até um cervo, embora não costumem vir para este lado do lago com muita frequência. Então Doug ouve algo um pouco distante: o barulho de um animal grande passando pelo mato ao lado da trilha.

— Quem está aí? — grita ele.

Nenhuma resposta, mas o ruído inconfundível de coisas estalando e sendo despedaçadas continua, a um ritmo mais acelerado. Algo — ou alguém — está fugindo.

Os cães disparam na frente, seguindo o som. Doug os chama. Eles se viram e trotam de volta até ele, relutantes mas obedientes. Se for um dos outros hóspedes, os cachorros podem assustá-lo.

O guarda-caça direciona o feixe de sua lanterna para o chão e ilumina uma pegada que parece de um homem. Apenas uma; aparentemente aquela é a única parte da trilha onde a terra está macia a ponto de registrar uma impressão. Uma pegada grande. Ele pisa na pegada: mais ou menos do mesmo tamanho do próprio pé. Poderia ser de um dos hóspedes, é claro, embora ele ficasse muito surpreso que um deles tivesse se afastado tanto da sede em suas explorações noturnas. Ele os ouvira junto ao lago antes do jantar, mas duvidava de que teriam se aventurado muito mais longe no escuro. E aquela bota tinha um bom solado. Todos os hóspedes de Londres chegaram usando calçados que as pessoas da cidade grande consideram ideais para colocar ao ar livre: botas Dubarry e Timberland.

Talvez então os islandeses, com suas botas mais apropriadas. Mas a questão permanecia: por que qualquer um dos hóspedes teria fugido quando ele chamou?

Ele costuma sair a essa hora para checar se há algo errado. Algumas de suas incursões noturnas, no entanto, não têm um propósito tão específico.

Uma vez ele acordou e se viu deitado na urze úmida a uma curta distância da margem do outro lado do lago, perto do acampamento abandonado dos escoteiros. Era madrugada, mas por sorte o luar foi suficiente para que ele identificasse onde estava. Não se lembrava de como tinha chegado lá, mas suas pernas doíam como se tivesse corrido. As mãos ardiam. Mais tarde, à luz do chalé, descobriu que estavam cobertas de cortes e escoriações, alguns muito profundos.

Ele não conseguia se lembrar de nada do que tinha acontecido antes daquele momento. Certa vez, quando ainda era criança, foi submetido a uma anestesista geral. Foi como se uma cortina negra descesse sobre sua consciência, uma luz fosse apagada, o tempo se perdesse em um piscar de olhos. Aqueles apagões eram assim. Grandes porções de tempo engolidas, deixando vazios no lugar. Ele podia ter estado em qualquer parte, ter feito qualquer coisa.

Isso já havia acontecido na cidade também. Mas tinha sido pior: naquela ocasião ele fora parar do outro lado do município e tinha voltado a si perambulando por ruas desconhecidas, deitado em um parquinho ou cambaleando ao lado da ferrovia.

Há uma palavra para isso, uma palavra que também serve para designar uma peça musical: fuga. Uma bela palavra para algo tão assustador. Essas fugas dissociativas eram provocadas pelo trauma, explicou a psiquiatra. Eram um sintoma, não uma condição. A primeira coisa que precisava fazer era falar sobre o que tinha acontecido com ele. Aquilo estava claro, certo? Porque aquele problema, embora até então não tivesse causado nenhum grande dano além de algumas noites confusas, poderia se tornar um perigo. Para ele mesmo. Para as pessoas ao seu redor. Afinal, já havia o incidente em questão: a razão pela qual ele estava fazendo as sessões.

— Sim — dissera ele, olhando bem nos olhos da psiquiatra. — Mas aquilo não aconteceu em um estado de fuga dissociativa. Eu sabia exatamente o que estava fazendo.

A psiquiatra tossiu, parecendo desconfortável.

— Ainda assim, acho que já chegamos à conclusão de que tanto o incidente quanto esses episódios resultam, diretamente ou nem tanto, do mesmo trauma.

Havia um número de sessões obrigatório, mas a psiquiatra tinha escrito em seu relatório que provavelmente ele precisava de mais. Ele verificou outra vez: era apenas recomendado, não obrigatório. Estava livre para ignorar a orientação dela. Não conseguiu acreditar que tivesse se livrado com tanta facilidade, e suspeitava de que ela também não. Mas aquilo tinha permanecido com ele, a ideia de que poderia machucar alguém: não intencionalmente, como já tinha acontecido no outro caso, mas sem nem ao menos saber o que estava fazendo. Então, em vez de chegar ao âmago da questão — porque achava que jamais seria capaz de falar sobre aquele dia, mesmo que fosse para salvar sua vida —, ele foi para um lugar onde havia poucas pessoas que ele poderia ferir.

Ele espera por mais algum tempo no limiar das árvores, os ouvidos atentos a qualquer movimento. Mas não há nada, e os cães pelo visto perderam o interesse. Ele se vira e percorre novamente o caminho na direção de onde veio.

Quando retorna ao chalé, ele se deita na cama, completamente vestido. Enfim se permite considerar a possibilidade de dormir.

O quarto é espartano. Não há fotos nas paredes nem objetos nas prateleiras, que contêm apenas dois volumes finos: um livro de contos e uma coletânea de poemas. Ele não tem mais o hábito de ler, mas aqueles livros são pistas, amarras que o prendem à pessoa que ele era. Não há nada ali que revele algo sobre o homem que habita o aposento, a menos que o nada já seja uma pista.

O lugar tem o anonimato de uma cela de prisão. Isso, se alguém o conhecesse (e ninguém o conhece bem), não é coincidência.

Ele se vira de lado e fecha os olhos. É um arremedo de sono. Se tiver sorte, vai ter talvez uma hora — quem sabe duas — de descanso. Aprendeu a viver assim, a beber bastante café para combater a tontura e a tomar analgésicos para mascarar, na medida do possível, as enxaquecas. Houve um tempo em que ele dormia o sono profundo e imperturbável de um animal. Não consegue imaginar isso agora. Aquela vida pertencia a um homem diferente. Agora, toda vez que fecha os olhos, ele vê os rostos. Com olhos suplicantes, eles perguntam: *Por que nós? O que fizemos para merecer isso?* Suas mãos o apalpam, agarram seu cabelo, suas roupas. Ele pode senti-los — precisa se desvencilhar deles. Mesmo depois que abre os olhos, continua a sentir os rastros dos dedos em sua pele: uma teia de lembranças.

PRESENTE
2 de janeiro de 2019

Heather

Depois de contatar a polícia, telefono para o patrão, em Londres. Não consigo falar com ele de imediato, é claro: quem atende é uma secretária com voz de veludo.

— Como posso ajudar?

Conto tudo a ela. Há um silêncio perplexo na linha.

— Vou transferir para ele — diz ela, em uma voz mais normal, como se de repente tivesse concluído que ronronar com a voz rouca não é apropriado.

Ele atende rapidamente.

— Olá, Heather — diz ele, de uma forma tão usual que alguém de fora pensaria que conversamos pelo telefone todos os dias.

Na única vez que o encontrei, eu me lembro de achá-lo muito bonito (embora seja difícil dizer se era apenas o efeito dos cuidados com a aparência e todo aquele charme), com o sorriso de um político.

— Tenho más notícias. Encontramos um corpo.

— Ah... Ah, meu Deus.

Ele, no entanto, não parece particularmente chocado. Em vez disso, tenho certeza de que posso ouvi-lo pensando, como o político que ele parece ser, em como lidar com essa situação, como proteger a propriedade.

— E receio que não tenha sido um acidente.

— Entendo. Você ligou para a polícia, imagino.

— Sim, um pouco antes de ligar para o senhor.

— Eu poderia ir até aí — comenta ele —, mas não sei se isso ajudaria.

— De qualquer maneira, é provável que o senhor não conseguisse chegar.

Explico a situação em relação ao clima, o fato de estarmos basicamente presos aqui por causa da neve.

— Você disse que foi Doug que encontrou o corpo?

— Isso.

— Onde? — pergunta ele, com uma nova aspereza no tom.

Talvez esteja se perguntando se há alguma possibilidade de ser processado por causa disso.

— Na cachoeira perto do antigo moinho de água.

— Tudo bem. E você viu alguma coisa? Doug viu alguma coisa?

— Não, nada em particular.

— Iain também sabe o que aconteceu?

— É... Não, ainda não. Ele foi embora na véspera de Ano-Novo, depois de terminar todas as tarefas do dia.

— Bem, vai precisar ser avisado, é claro. É importante que você também o mantenha informado.

— Sim — digo. — Claro. Vou tentar ligar para ele agora.

— Tente. E me mantenha a par de qualquer novidade, por favor.

— Pode deixar.

Tentei usar um tom assertivo, mas o que saiu foi pouco mais que um sussurro. Ele parece muito pragmático, muito distante. Talvez seja possível ser assim onde ele está, bem longe, em Londres... intocado pela atmosfera de morte que permeia cada centímetro deste lugar.

Telefono para Iain em seguida. Só tenho o número do celular dele, nenhum número fixo. A ligação vai para a caixa de mensagens. O problema em só poder ser contatado por celular nesta parte do mundo é que a maioria das áreas não tem sinal. Vou deixar um recado. Tenho certeza de que ele ficaria aflito com a preocupação do patrão, mas, francamente, ele é a menor das minhas preocupações agora.

Estou prestes a deixar uma mensagem quando ouço uma batida na porta. É Doug.

— Eles estão aqui — anuncia ele. — Os hóspedes.

Enquanto eu estava no telefone, ele foi chamar todos os outros em seus chalés e os levou até a sede.

Doug está com uma aparência péssima — eu já tinha percebido isso mais cedo, mas não tinha *visto* de fato, distraída demais pelo desastre iminente. O entorno de seus olhos está arroxeado e escuro, como se ele não dormisse há uma semana. É quase como se a morte na propriedade o tivesse afetado pessoalmente. Sua mão, percebo, está enfaixada, uma gaze grossa cobrindo a maior parte da pele. Eu não tinha reparado quando estávamos lá fora, é claro, porque ele estava de luvas.

— O que aconteceu com a sua mão?

— Ah — diz ele, erguendo-a e observando como se nunca a tivesse visto. — Acho que machuquei.

— Quando? Está feio.

— Não sei — responde ele. E coça a nuca com a outra mão. — Deve ter sido há alguns dias.

Mas isso não é verdade; não tem como. Ele não estava com a mão enfaixada no jantar das Terras Altas... Tenho certeza, eu teria notado. E o ferimento deve ter sido sério, para ele estar usando uma atadura: já vi Doug com cortes e contusões terríveis, e ele não se deu o trabalho de colocar nem um band-aid.

— Aviso que você está indo falar com eles? — pergunta, e percebo que escondeu a mão enfaixada no bolso do casaco.

De alguma forma, coube a mim o papel de contar aos hóspedes: aparentemente decidimos isso sem nem ao menos discutir a questão. Tentando engolir meu pavor crescente, faço que sim com a cabeça e o sigo para fora do escritório.

Os hóspedes estão reunidos no fim do corredor, na sala de estar, aguardando a notícia. Apenas os hóspedes de Londres: o casal de islandeses está no alojamento. Doug e eu decidimos contar ao grupo de amigos primeiro: a morte, afinal, será uma revelação muito mais devastadora para eles.

Quando entro na sala, todos olham para mim. Já estive desse lado antes, no meu antigo trabalho. Todas aquelas famílias ansiosas por notícias, eu sendo obrigada a lhes dizer a última coisa que elas gostariam de ouvir. *O procedimento não foi bem-sucedido. Houve uma complicação inesperada. Fizemos todo o possível.*

Cravo as unhas na palma das mãos. Também já estive do outro lado. Sei exatamente como é. Seus rostos flutuam diante de mim, virados para cima, em expectativa, absolutamente atentos ao que estou prestes a dizer. Sinto um súbito incômodo na boca do estômago. O que vou contar mudará para sempre a vida deles.

— Nós a encontramos — digo.

As perguntas começam quase imediatamente, então levanto a mão, pedindo silêncio. O importante é dar a terrível notícia o mais rápido possível agora, extinguindo qualquer esperança que ainda possam ter. É ótimo cultivar a esperança quando ainda há uma chance de tudo ficar bem. Mas, nos casos irremediáveis, esperança mais atrapalha do que ajuda. Se bem que acho que nenhum deles tem mais esperança de fato. Eles já sabem. A confirmação, porém, é algo completamente diferente.

— Infelizmente, tenho péssimas notícias — digo.

De repente, a atmosfera ficou tão densa que seria possível cortá-la com uma faca. O terrível poder de estar naquela situação me atinge com força total. Tenho todas as cartas na mão e estou prestes a mostrá-las aos hóspedes; eles vão fazer delas o que quiserem.

— Lamento muito dizer, mas ela está morta.

De início há o choque: eles estão juntos nessa. Olham para mim como se estivessem esperando que eu terminasse a piada. E então cada um começa a processar a informação à sua maneira: histeria, incompreensão muda, raiva.

Eu sei que nenhuma dessas reações é mais ou menos válida. Eu via todas elas no hospital sempre que precisava informar a morte de alguém aos parentes mais próximos. E, como qualquer paramédico sabe, frequentemente os mais calados são a maior preocupação após um desastre; não aqueles que choram e gritam de dor. Mas aqueles que choram e gritam também estão sofrendo. As formas de expressar a dor podem ser tão diversas quanto as formas de vivenciá-la. Eu sei disso muito bem.

Mas mesmo assim o pensamento me ocorre: seria possível que uma dessas demonstrações de sofrimento seja apenas isso? Uma demonstração? Uma performance? Enquanto eles me fazem perguntas sobre o corpo, como eu o encontrei, qual era o seu aspecto, eu me pergunto: será que um deles já sabe de tudo? Será que alguém sabe mais do que está deixando transparecer?

De volta à paz do escritório, meu telefone toca. Eu o pego, esperando que seja o patrão novamente ou a polícia — talvez com alguma previsão atualizada de quando vão chegar aqui. Não é a polícia.

— Não posso falar agora, mãe.

— Algo ruim aconteceu. Eu sei.

Como ela pode saber só de ter ouvido cinco palavras minhas? Cerro o maxilar. Em seguida, relaxo novamente.

— Não posso falar agora. Estou bem, e isso é tudo que você precisa saber no momento. Conto o resto depois, pode ser?

— Você não ligou ontem, como combinamos. Então eu soube que tinha acontecido alguma coisa. — Sua voz é rouca, desgastada pela preocupação. — Ah, Heather, eu sabia que não devia ter deixado você ir morar nesse lugar.

Ela nunca compreendeu. Por que, tendo me visto de repente sozinha no mundo pela primeira vez em quinze anos, eu escolheria intensificar essa solidão me mudando para um lugar como aquele? Mas o que ela não conseguia entender — porque não era exatamente algo que eu conseguisse explicar; só um sentimento — era que eu me sentia muito mais sozinha quando estava cercada de pessoas. Todos os nossos amigos, por mais que estivessem tentando ajudar e prestar solidariedade, me faziam lembrar dele. E havia também a cidade onde vivemos juntos. Em cada esquina havia um café onde tínhamos tomado um *brunch*, uma livraria que tínhamos visitado, um supermercado onde havíamos comprado um curry pronto e uma garrafa de vinho. Nosso apartamento era o pior, claro. Mal consegui ficar lá até ser vendido. Eram lembranças de uma vida que compartilhamos, de como amadurecemos juntos: o lugar onde morávamos praticamente desde que saímos da universidade. Toda a minha vida adulta.

E estar perto de pessoas — pessoas que seguiam com a própria vida, movimentada e confusa, se estabelecendo, tendo filhos, se casando — só reforça o quanto a minha estagnou, indefinidamente. Talvez para sempre.

Então, sim, às vezes me sinto sozinha aqui. Mas pelo menos esta paisagem sempre pareceu propícia à solidão, e não sou confrontada todos os dias por tudo aquilo que perdi, pelos ecos da minha antiga vida, plena, feliz e cheia de amor. E, sim, às vezes, como na cidade, eu me sinto quase incapaz de sair da cama e tenho que me forçar a me vestir, tomar café da manhã e fazer a curta caminhada até o escritório. Mas é muito mais fácil enfrentar o dia sabendo que não terei que enfrentar outras pessoas e a felicidade delas.

Aqui, consigo gritar meu sofrimento e minha raiva — sim, muita raiva — para as montanhas e o lago, e sentir a vasta paisagem absorver um pouco da minha dor. Aqui, a solidão é o estado natural das coisas.

Quando aconteceu, parte de mim se perguntou se eu não estava apenas esperando por aquilo, como se sempre soubesse que aquele momento chegaria. Sempre tive a sensação, depois que Jamie e eu começamos a namorar, de que era bom demais, de que tínhamos sorte demais. De que uma felicidade como aquela não poderia durar: estávamos gastando além da nossa cota, e em algum momento alguém perceberia. O destino decidiu provar que eu estava certa. A expressão no rosto do chefe de Jamie, Keith, quando foi me contar... Eu soube antes mesmo de ele abrir a boca. Inalação de fumaça. Ninguém percebeu, em meio ao caos, que Jamie não tinha voltado, que tinha ficado preso na casa em chamas. Os outros bombeiros fizeram tudo o que podiam. Ficaram agachados junto aos paramédicos.

Keith tinha feito reanimação cardiorrespiratória em Jamie durante quarenta e cinco minutos antes de eles chegarem. Quando ele começou a chorar, tive que virar o rosto, porque era uma visão terrível e inesperada. Porque ver um homem como Keith chorar... E porque isso, mais do que qualquer outra coisa, tornava tudo real.

Jamie era bombeiro. Com sua inteligência, poderia ter sido muitas coisas: cientista, advogado, professor. Mas ele me disse que queria fazer a diferença de verdade — como eu. O que fazia dele um dos melhores era o fato de que ele sempre ia um pouco além. Como Keith declarou no enterro, quando todas as outras pessoas desistiam de uma causa perdida, Jamie tentava um pouco mais, se arriscava um pouco mais. Às vezes parecia quase invencível. Mas não era. Ele era apenas um homem. Um homem generoso, corajoso e abnegado — mas definitivamente mortal.

O que nem todo mundo conta é sobre a raiva que se sente da pessoa que você ama depois que ela morre. E era verdade, fiquei com muita raiva de Jamie. Antes, a vida tinha sentido. Tudo a nosso respeito tinha uma razão de ser. A maneira como nos conhecemos — ele decidiu de última hora ir a uma festa na casa do amigo de um amigo. O lindo apartamento iluminado que encontramos na Cidade Velha de Edimburgo, que o proprietário decidiu alugar por uma bagatela para qualquer um que também cuidasse do cachorro dele quando ele viajasse. Até mesmo como combinávamos um com o outro, ele e eu — duas peças de um quebra-cabeça muito simples que, quando unidas, tornavam a figura completa.

Depois que ele morreu, nada mais fez sentido. Um mundo no qual ele podia ser tirado de mim só podia ser um lugar cruel e caótico. E pensei — de maneira breve mas resoluta — em acabar com tudo. No fim das contas, não foi o desejo de sobreviver que me impediu de fazê-lo, mas a consciência do que aquilo causaria à minha família.

Vir para cá acabou sendo a melhor alternativa. Foi uma maneira de escapar da vida como eu a conhecia, de tudo que me ligava ao passado. Às vezes acho que é um pouco como morrer — algo mais palatável do que me encher de remédio ou pular da ponte, opções que eu havia cogitado nas semanas após a morte de Jamie. Então, por mais estranho que pareça, esta paisagem tem sido um santuário. Mas agora, com esse novo horror e a neve que não para de cair, nos mantendo presos aqui e impedindo a chegada de ajuda, ela se tornou, no espaço de vinte e quatro horas, uma prisão.

DOIS DIAS ANTES
Véspera de Ano-Novo de 2018

Emma

Ontem à noite, Mark e eu fizemos um sexo maravilhoso. Ele me jogou na cama. Havia uma intensidade em suas expressões, algo sombrio. Ele fica bem parecido quando está excitado e quando está com raiva.

Não sei o que deu nele. Talvez tenham sido todas as coisas que a gente tomou (o que, pensando bem, eu não deveria ter feito, porque acabo falando várias idiotices que não deveria). Mas sua intensidade também pode ter a ver com o que ele acabou de me contar sobre o que descobriu: um prazer estranho e quase erótico que às vezes sentimos quando alguém está se ferrando.

Eu sei que as pessoas se perguntam sobre mim e Mark. "Como vocês se conheceram?", indagam. Ou: "O que viu nele?" e "Quando você soube que ele era o cara certo?". Às vezes respondo que foram seus passos de dança ao som de Chesney Hawkes no meio da pista da boate Inferno que me conquistaram, e isso costuma provocar algumas risadas. Mas é apenas uma medida temporária para adiar as perguntas mais profundas e detalhadas que, sem dúvida, virão em seguida.

As pessoas querem saber do romance, da química, da centelha vital que nos uniu e nos mantém juntos. Em geral, acho que provavelmente acabam meio decepcionados em sua busca. Porque a verdade é que não há um grande romance entre nós. Não existiu uma grande paixão. Nunca houve nada assim — nem mesmo no início. Não me importo de admitir, pois não era o que eu estava procurando.

Há pessoas que esperam pelo amor, o AMOR em letras maiúsculas, e não se dão por satisfeitas até encontrá-lo. Há os que desistem, porque não o encontram. Oito ou oitenta — tudo ou nada. Por fim, há aqueles que se conformam, provavelmente a maioria. E acho que nós é que somos os sensatos. Porque amor nem sempre significa longevidade.

Estou feliz com o que temos. Acho que Mark também. As pessoas sempre comentam que não somos parecidos. "Os opostos se atraem", dizem com ar de entendidas. "Não é mesmo?" O importante é que o casal tenha interesses ou hobbies em comum, é assim que vejo as coisas. Algumas áreas — ou mesmo apenas uma área — pelas quais compartilhem o mesmo nível de interesse. O que é o nosso caso. Há uma coisa em particular. E não, não é isso, embora o sexo seja bom. Ótimo.

Então, não, não temos a incrível química de um casal como Miranda e Julien. Embora, pensando agora, pareça haver algo de errado com eles — será que fui a única a notar? E, sim, eu sei que Mark tem uma queda enorme por Miranda, caso esteja se perguntando. Não sou idiota. Na verdade, enxergo muito mais do que a maioria das pessoas imagina. Não me importo, de verdade. Quase posso *ouvir* a incredulidade. Mas juro que estou falando sério. Você vai simplesmente ter que acreditar na minha palavra, sinto muito.

Então, não, quando vi Mark naquela boate suarenta perto da Clapham High Street, eu não necessariamente pensei: *Eis o homem dos meus sonhos. Deve ser disso que a boa literatura e os filmes são feitos; amor verdadeiro, amor à primeira vista.* Não foi assim.

O que vi foi ao mesmo tempo mais e menos que isso: vi uma vida. Uma nova maneira de ser. Vi aquilo que sempre quis.

Mark e eu tivemos infâncias difíceis. Eu trocava de escola toda hora e nunca consegui fazer um amigo de verdade. Isso não é nada em comparação com a experiência de Mark. O pai batia nele. Não uns tapinhas imprudentes por desobediência, mas verdadeiras surras à moda antiga, brutais. Certa vez, ele me disse que a mãe passou corretivo no rosto dele para que pudesse ir à escola sem mostrar o hematoma em volta do olho. Ela não se interpunha no caminho do marido para proteger o filho. Não tinha como. Não com a mesma frequência — mas de tempos em tempos —, a mãe também era vítima de um dos seus ataques de fúria. Quando mais novo, Mark era franzino para a idade e era sempre agredido no campo de rúgbi, para o desprezo do pai. Então ele começou a crescer. Passou a beber shakes de proteína e a malhar. E as surras enfim pararam — como se o pai tivesse subitamente percebido que o filho poderia revidar e vencer.

Mark herdou um pouco do temperamento do pai. Ele é truculento. Nunca foi violento comigo, embora tenha havido algumas poucas vezes, no meio de uma discussão particularmente acalorada, em que senti que ele estava prestes a perder o controle. Uma porta batida com tanta força que a madeira rachou, um quadro sobre o qual discordamos estilhaçado na parede. Mas ele não é o idiota insensível que as pessoas talvez pensem. Ontem à noite ele pode ter feito uma brincadeira sobre o incidente no hipódromo, mas me lembro do remorso depois, do horror que ele sentiu diante do que havia feito... de segurar as lágrimas ao saber que o menino havia sido levado para o hospital. Tive que impedi-lo de ir até a polícia e se entregar.

Mark não quer de jeito nenhum se transformar no próprio pai. Mas também sei que, às vezes, ele tem medo de estar seguindo por esse caminho.

Miranda

Acordo cedo. Julien está encolhido, virado para o outro lado, sob as cobertas. As lembranças da noite passada voltam imediatamente, entrelaçadas e confusas, como um novelo de lã. Mark — no banheiro. A maneira como ele foi para cima de mim, sua mão ameaçadora segurando meu braço.

Eu me levanto e me visto. Vou sair para dar uma corrida, tentar expulsar dos meus pulmões a estranheza da noite. Hoje em dia gosto de correr. Passei a gostar, mas nem sempre foi assim. Eu não era fã aos quatorze anos, quando de repente minhas roupas ficaram alguns números maiores e minha querida mãe me deu de aniversário uma matrícula na academia.

Passo pelos outros chalés e pela sede o mais rápido possível. Não quero mesmo ver nenhum dos outros ainda. Meu rosto ainda não está pronto — e não estou me referindo à maquiagem. Estou falando da Miranda forte, divertida e sempre disposta. Quando chego ao abrigo escuro das árvores que margeiam o lago sem que ninguém tenha gritado "Aonde você está indo?", solto um suspiro de alívio.

Mark: como ele se *atreve*? Estou tentada a contar para Emma hoje. Mas sei como ela se esforçou para organizar tudo isto, como está orgulhosa de ter encontrado um lugar tão incrível — não sou *tão* insensível quanto as pessoas pensam. Então talvez seja melhor esperar até depois, tocar no assunto quando sairmos para tomar uns drinques em Londres. Ela já deve conhecer esse lado dele, não? Se ele agiu daquela forma comigo, como deve se comportar com ela? Emma parece perfeitamente capaz, no controle da própria vida, mas — como eu bem sei — a face que apresentamos ao mundo pode ser enganosa.

O tempo está bem mais frio hoje. Algumas das poças de água da chuva parecem ter congelado durante a noite. Há uma intensidade, uma crueza nesse frio que não me é familiar. Um dia frio em Londres é sempre atenuado pelos sopros das lojas superaquecidas, pelo ar pegajoso do metrô, pela multidão de outros corpos. Mas aqui o frio tem a chance nos prender em suas garras. É quase como se eu tivesse que ser mais rápida que ele.

Trouxe meu celular para ouvir música — isso sempre me ajuda a relaxar, abafa todos os outros ruídos em minha mente. Muito melhor do que o "silêncio da atenção plena" do qual meu terapeuta é entusiasta. Como prometido, está sem sinal. É curioso que vivamos em um mundo onde a falta de conectividade é anunciada como uma atração em si.

Alguns metros à frente, o caminho se bifurca em direção a outro píer. É um local muito bonito e melancólico. Vou correndo até lá. Há canoas empilhadas, imagino que desde o verão, e uma delas está virada para cima, cheia da água da chuva do inverno, agora congelada. Fico de pé ao lado dela e, quando olho para dentro, é como se meu reflexo estivesse preso sob a superfície de gelo — como se eu estivesse aprisionada lá dentro. Sinto um tremor, embora esteja bem agasalhada, e volto para a trilha.

Já corri quase duzentos metros do caminho esburacado por onde passamos de carro ontem à noite, a floresta de um lado, o lago do outro, quando chego a uma ponte que atravessa uma das cachoeiras que o alimentam. Junto da cachoeira há uma construção pequena e toda dilapidada. Eu me pergunto que diabo será aquilo. Tento me debruçar na borda da ponte — apenas três correntes entre mim e o vazio — e olho para a cachoeira, agora praticamente congelada, cheia de pingentes de gelo, e para as pedras negras cobertas de musgo.

Afora isso, não há nada de especial na maior parte do caminho. A certa altura, porém, me deparo com um pequeno trecho de terra queimada, um círculo, como se alguém tivesse acendido uma fogueira. Nas proximidades, há algumas latas de cerveja esturricadas e enferrujadas. Então me lembro do que Heather nos contou sobre os caçadores clandestinos.

★ ★ ★

Saio do desfiladeiro e vou para a margem que desce em direção à água, desviando dos galhos das árvores em volta do lago, tropeçando e escorregando em raízes antigas cobertas de musgo, gravetos prendendo no meu cabelo, no meu rosto e no meu casaco. Em determinado momento, quase perco o equilíbrio e começo a escorregar em direção a uma pequena enseada à minha direita, recuperando o equilíbrio apenas no último instante. Nesse momento, vejo algo brilhando sob a superfície. Surpreendentemente branco, muito mais claro do que as pedras amarronzadas que o cercam. Olho mais de perto e percebo o que é. Um osso. Um osso bem grande, parcialmente coberto por folhas apodrecidas. Quando olho ao redor, vejo outro, e mais outro, espalhados pela margem coberta de grama. Alguns são ainda maiores do que o que está dentro da água, quase tão longos quanto meu próprio fêmur. São ossos de animais, eu sei. Digo isso a mim mesma enquanto procuro o crânio que vai confirmar minha hipótese. Um animal morto por outro animal, ou um animal que morreu de velhice. Percebo que alguns ossos têm marcas de queimadura. Entretanto, não há nenhum crânio à vista. Mais uma vez eu me lembro da advertência sobre as invasões de caçadores clandestinos; talvez eles tenham levado as cabeças para serem empalhadas. Estremeço. Matar algo desse tamanho deve ter exigido uma boa dose de violência e vontade.

Preciso me afastar imediatamente deste lugar. A macabra descoberta revira meu estômago vazio. Então me esforço para subir o ligeiro declive até conseguir me concentrar apenas na queimação nos pulmões e nas pernas. Lembro a mim mesma como este lugar é bonito. Senti um calafrio por causa dos ossos, que atribuíram um tom sombrio às coisas. Mas não há nada de sinistro aqui. É apenas diferente, digo a mim mesma. Remoto, selvagem.

Agora estou quase no extremo do lago, na margem oposta à sede: ela cintila, estranha e magnífica, a distância. Há uma lacuna nas árvores que margeiam o lago aqui, deixando um trecho descampado coberto de pedras e arbustos que aparentam estar mortos. Há uma construção aqui também, baixa e de madeira como os chalés. Deve ser o alojamento onde os islandeses estão hospedados. Todas as janelas estão escuras, nenhum sinal de vida lá dentro. Talvez ainda estejam dormindo.

Continuo meu caminho, acelerando o ritmo na segunda metade da corrida, como sempre faço. Quando mergulho novamente entre as árvores, escuto um som alto e agudo, como um animal agonizando. Penso inevitavelmente nos ossos na outra margem. É difícil dizer com precisão de onde vem o som, mas olho vagamente na direção do ruído, no meio do bosque escuro. E os vejo — não acredito que não os vi de início. Meu deus. Quanta pele à mostra. A mulher está de quatro no chão coberto de musgo, e o homem está montado atrás, impulsionando os quadris com força, a mão enroscada nos cabelos dela. A cabeça da mulher está inclinada para trás, ou possivelmente puxada pela força da mão dele. Ambos fazem muito barulho, e os ruídos são bestiais, desinibidos. Há algo de horripilante e irresistível naquela visão. Meus pés estão enraizados, não consigo parar de olhar.

E então o homem vira a cabeça e olha diretamente para mim. Com dois dedos, ele meio que gesticula para que eu me aproxime.

— Venha — chama ele —, junte-se a nós.

Em seguida, solta uma risada, quase um cacarejo. Ele está zombando da minha cara. A mulher olha para cima, para ver com quem ele está falando. Ela também sorri: a expressão meio drogada de alguém no auge do desejo. A pele nua deles é muito branca à luz forte. Os joelhos dela estão quase pretos de terra.

E, apesar de sempre ter gostado de pensar em mim mesma como uma pessoa com a mente bem aberta e sexualmente livre, eu me vejo cambaleando para trás quando minhas pernas decidem voltar a funcionar e corro o mais rápido que aguento, com galhos se agarrando a meus tornozelos e chicoteando minhas bochechas. Sinto como se ainda ouvisse a risada dele ressoando, embora, para minha preocupação, não tenha certeza absoluta de que isso não está acontecendo apenas em minha mente.

De volta à sede, pego uma cápsula de café e vou prepará-lo na máquina. Meus dedos parecem não funcionar direito. Estão tremendo. Tenho certeza de que é só o frio, mas estaria mentindo se dissesse que não fiquei chocada com a cena na floresta. Foi sua natureza animal, sua *violência*, no meio de toda aquela vida selvagem. Ouço a porta se abrir atrás de mim. Não me viro. Já tenho certeza, pela falta de saudação, de que é Mark. Ah, pelo amor de Deus. Eu realmente não queria vê-lo agora.

Por fim, consigo enfiar a pequena cápsula dourada na máquina e empurro a alavanca. Pressiono o botão e espero que algo aconteça, mas ouço a cápsula cair no buraco na parte de trás.

— Merda!

Pareço ter perdido toda a coordenação motora.

De repente, Mark está ao meu lado.

— Aqui. Tem que ligar a máquina antes de colocar a cápsula — diz ele.

Ele me mostra, e um fio perfeito, marrom aveludado, começa a ser despejado dentro da xícara.

— Obrigada — digo, sem olhar para ele.

— Miranda. Manda... Queria pedir desculpa por ontem à noite. Não sei o que deu em mim. Eu bebi demais e depois tomei aqueles comprimidos... Falando nisso, o que era aquilo?

— Não justifica — digo.

— Não — se apressa em dizer ele. — Não justifica, eu sei. O meu comportamento foi imperdoável. Eu machuquei você?

Puxo a manga para cima e mostro a ele o hematoma, que adquiriu um tom de roxo bastante impactante.

Ele abaixa a cabeça.

— Sinto muito. Não consigo acreditar que fiz isso. Às vezes... Não sei, não consigo controlar a minha raiva. É como se algo me possuísse... Mais uma vez, é imperdoável. E não era nem de você que eu estava com raiva, claro que não. Era de Julien. Essa é a única coisa que não consigo, não posso retirar. Ele não merece você, Miranda. Nunca mereceu. Mas especialmente nos últimos tempos...

— Pare. — Levanto a mão. — O que quer que você ache que sabe sobre o "segredinho" dele, ou seja lá como queira chamar, quero que guarde para si. Se não quiser fazer isso por ele, que seja por mim. Entendeu?

— Acho que sim, mas... — Ele parece confuso. — Eu só... estou pensando em você, Miranda. Acho que tem o direito de saber no que ele está metido. Tem certeza?

— Tenho — digo, fazendo um gesto com a cabeça para dar mais ênfase. — Certeza absoluta.

Tomo um gole do café. Está quente demais e queima minha língua, mas não vou demonstrar na frente dele.

— Ah, e Mark?

— Sim?

— Se você tocar em mim de novo daquele jeito, como fez no Twister ou no banheiro, eu te mato. Entendeu bem?

Katie

Não dormi bem ontem à noite. Acho que não durmo direito há meses. Tenho impressão de que há anos, na verdade.

Quando chego para o café da manhã na sede, Emma está na cozinha, encarregando-se dos preparativos para o jantar de hoje à noite. Ela está de cabelo preso e sem maquiagem. Na verdade, acho que nunca a vi sem maquiagem. Às vezes é estranho ver alguém de cara limpa pela primeira vez. Principalmente uma pessoa bonita como Emma, que em geral está de rímel e delineador; sem maquiagem, ela fica quase inexpressiva.

Ela me conta que planejou um grande banquete para hoje à noite. A geladeira está cheia de salmão defumado e dos melhores cortes de filé, e ela está preparando a massa dos *blinis*. Pelo amor de Deus, ela faz os próprios *blinis*.

— Os que a gente compra em loja têm gosto de borracha — diz ela. — E é muito fácil de fazer.

Ela está feliz da vida, cantarolando para si mesma. Ela me faz cortar pequenos triângulos de salmão com muito mais cuidado do que eu faria normalmente. Na verdade, é bom ter algo no que se concentrar. Embora, por mais que me esforce, meus pensamentos não parem de vagar. Continuo cortando até que Emma grita:

— Meu Deus, Katie! Você está sangrando! Não percebeu? — E com um tom levemente irritado: — Você deixou o salmão todo sujo de sangue.

— Deixei? — Eu olho para a minha mão. — Ah.

Ela tem razão, abri um corte profundo no dedo indicador. Um talho vermelho-vivo. O peixe está coberto de sangue, subitamente macabro.

Emma olha para mim.

— Como você não percebeu uma coisa dessas? — Ela pega minha mão com certa brutalidade. — Ah, coitada. Deve ter doído. É bem profundo.

Ela tenta parecer solidária, mas não consegue esconder uma ponta de irritação.

De repente a dor vem, aguda, e meus olhos se enchem de lágrimas. Mas reparo que estou quase gostando da sensação. Parece a coisa certa, como se eu estivesse recebendo o que mereço.

Mais tarde, tomamos um *brunch* na sala de jantar da sede, todos nós em volta da grande mesa no centro, à exceção de Samira e Giles, que ainda não chegaram. Eles estão acordados, no entanto; quando passei pelo chalé deles, ouvi vozes e um gritinho de fúria infantil.

A atmosfera está pesada nesta manhã, a conversa em torno da mesa, forçada, todos indiferentes beliscando suas fritadas. Há a ressaca da noite, é claro, mas talvez tenha mais alguma coisa também. Algo ligeiramente tenso, como se todos tivessem esgotado sua cota de gentileza no encontro de ontem. Apenas Emma é toda vivacidade e agitação, verificando se todos estão bem servidos de bacon e café.

— Pelo amor de Deus, sente-se Emma! — diz Julien. — Estamos todos *bem*.

Tenho certeza de que ele tentou falar em um tom leve e brincalhão, mas não conseguiu.

Emma se senta, um rubor subindo pela lateral do pescoço.

— Katie — Miranda puxa a cadeira ao lado dela —, sente-se aqui comigo.

Eu me sento e pego uma torrada fria para passar manteiga. Miranda está usando muito perfume, e mastigo a torrada com a sensação de que a massa adquiriu a fragrância intensa que ela passou. Meu estômago se revira. Tomo um gole de café, mas o gosto também é estranho.

Quando enfim olho para Miranda, percebo que ela se virou em sua cadeira e está voltada para mim, com a cabeça de lado. Vejo, mais do que sinto, o pedaço da torrada tremer na minha mão. Aqueles olhos de raios X que ela tem...

— Você está com um cara novo, não é? — pergunta ela.

Ela sorri para mim, mas percebo que é mais uma careta do que um sorriso. Eu a conheço bem demais, sei quando tem alguma coisa errada. Se eu fosse uma boa amiga, perguntaria a ela o que houve — mas não consigo. Além disso, concluo que estamos em um foro muito público aqui, com todo mundo ao redor.

— Por que você acha isso? — pergunto.

— Dá para perceber. Você está diferente. O cabelo, as roupas.

Recuo um ou dois centímetros; seu hálito está um pouco rançoso, o que não é do feitio dela. Uma vez ela me disse que escova os dentes antes *e* depois do café da manhã, de acordo com alguma regra fascista que a mãe inventou. Ela deve ter esquecido.

— E você tem andado tão esquiva ultimamente — continua ela. — Mais que o normal. Você sempre fez isso quando tinha um cara novo em jogo. Desde que nos conhecemos.

De repente, todos parecem estar ouvindo. Sinto todos os olhos da sala em cima de mim. As sobrancelhas de Nick estão erguidas. Porque sei que ele está pensando que eu teria lhe contado se estivesse saindo com alguém, não teria?

Dou uma mordida na torrada, mas o pedaço fica preso na garganta e tenho muita dificuldade para engoli-lo. Minha garganta parece em carne viva, ferida.

— Não — digo com a voz rouca. — Não tenho tempo no momento, estou ocupada demais com o trabalho.

— Meu Deus. Nem só de pão vive o homem, Katie — diz ela. — Já ouviu essa frase? Você está completamente obcecada. Não dá para entender.

Nem poderia. Miranda tentou se dedicar a várias carreiras diferentes, sem nenhum sucesso de fato. Acabou se formando em Oxford com o desempenho mínimo exigido. Ela me disse que não se importava, mas sei que não era verdade. Ela tivera a arrogância de achar que poderia simplesmente se formar sem nenhum esforço, como sempre. A questão é que Miranda é inteligente, mas não tem necessariamente uma inteligência à altura de Oxford. A mãe dela contratou um professor particular para ajudá-la a conseguir a nota máxima nas quatro matérias específicas para entrar na universidade, e tenho certeza de que ela encantou a todos na entrevista. Mas mesmo assim. Depois de entrar, ela ficou em um nível completamente diferente. Conseguiu, de alguma forma, levar na conversa os dois primeiros anos da universidade e, em nosso terceiro ano, ignorou os sinais de que não estava no caminho certo, embora eu tenha tentado fazer com que ela os enxergasse. Juro que não fiquei feliz quando ela abriu o envelope e viu o resultado. Mas confesso que talvez tenha tido a ligeira — bem *ligeira* — sensação de que a justiça havia sido feita.

Aquele desempenho foi um insulto. Doeu. Feriu seu orgulho. Se você olhar para todos nós agora, vai ver que ela é a única que destoa. Todos temos bons empregos. Samira é consultora administrativa, eu sou advogada, Julien trabalha para um fundo de investimentos, Nick é arquiteto, Giles é médico, Bo trabalha na BBC, Mark, em uma agência de publicidade. E Emma trabalha em uma agência literária — sempre me lembro de quando Miranda ficou sabendo.

— Não entendo — disse ela. — Como você conseguiu esse emprego, para início de conversa? Achei que a agência *só* contratasse pessoas formadas nas melhores universidades, em geral Oxford ou Cambridge.

Emma não se incomodou.

— Não sei — disse ela, dando de ombros. — Devo ter me saído bem na entrevista.

A própria Miranda já tinha tentado entrar no mercado editorial. Depois tentou enveredar pela publicidade. Mark deu um empurrãozinho muito maior do que deveria, persuadindo um de seus colegas a entrevistá-la para um cargo de assistente. Ela conseguiu o emprego, mas saiu depois de apenas dois meses. Alegou que tinha ficado entediada com o trabalho. Em um casamento, porém, conheci uma garota que trabalhava na agência, e ela me explicou que as coisas tinham sido um pouco mais complicadas do que isso.

— Eles a demitiram — contou. — Ela era inacreditavelmente preguiçosa. Parecia achar que estava acima de determinadas coisas. Uma vez, quando estava envelopando correspondência, ela se recusou a lamber os envelopes para selá-los. Disse que ficava um gosto horrível na boca e que aquela tarefa não estava à altura do cargo dela. Disse que não tinha ido para Oxford para fazer aquilo. Dá para acreditar?

Sim, péssima amiga que sou, claro que dava.

Giles e Samira chegaram. Eles parecem bem mais exaustos do que todos os outros. Samira desaba em uma cadeira e coloca a cabeça entre as mãos com um gemido, enquanto Giles tenta colocar Priya no cadeirão. Ela choraminga, recusando-se a ficar presa. Quando o tom sobe para um choro estridente, vejo Nick enfiar os dedos nos ouvidos.

— Meu Deus. — Samira geme. — Priya nos acordou às cinco e depois de novo às seis.

— Não consigo nem imaginar — comenta Bo. — Mal consegui me vestir hoje de manhã, que dirá vestir uma pessoinha. Nick teve que me avisar que minha camiseta estava do avesso, não foi?

Nick abre um sorriso desolado.

— Bem, imagino que seja uma escolha de vida, não é? — comenta Miranda, tranquilamente, servindo-se de suco de laranja. — Ninguém é forçado a ter filhos, não é mesmo?

É um comentário mesquinho demais até mesmo para Miranda — que, milagrosamente, quase sempre consegue se safar com observações do tipo. Mas tem alguma coisa estranha com ela esta manhã. Sua vivacidade está toda quebradiça.

Faz muito tempo que não vejo Samira com raiva, mas neste momento lembro que é um espetáculo aterrorizante. Há um temperamento forte escondido por trás daquele exterior calmo e arrumadinho. Ela fica absolutamente rígida na cadeira. Todos nós a observamos em silêncio, esperando para ver o que ela vai fazer. Então ela parece ser percorrida por um calafrio e pega a cafeteira. A tremedeira em sua mão é quase imperceptível enquanto ela se serve. Não olha para Miranda nem uma vez. Em nome da harmonia do grupo, talvez, ela evidentemente decidiu ser superior.

Com um pouco de hesitação, a conversa em torno da mesa é retomada. Vamos caçar hoje, porque pelo visto essa é uma atividade imperdível quando se está hospedado em uma propriedade na Escócia.

— Imagino que vocês dois não vão caçar conosco, não é? — pergunta Mark, indicando Nick e Bo.

— Por quê? — rebate Nick.

— Bem... — O canto da boca de Mark se curva aos poucos. — Porque... você sabe.

— Não, não sei.

— Só achei que vocês não se interessassem por esse tipo de coisa.

— Espere um pouco, Mark — diz Nick. — Se entendi bem, parece que você concluiu que não vamos porque somos gays. É isso que está dizendo?

Dito em voz alta, soa tão ridículo que até Mark deve ser capaz de perceber.

— Não é uma deficiência, Mark. Só quero deixar isso claro.

Mark faz um ruído evasivo. Os nós dos dedos de Nick ficam brancos de tão forte que ele segura a xícara de café. Apesar de todos os músculos de Mark, não sei se apostaria nele em uma briga entre os dois.

— É verdade que, como a maioria das pessoas sensatas, a ideia de matar animais só por esporte não me agrada — continua Nick. Mark assume uma expressão de *arrá!* — Mas, pelo que soube, a população de veados pode ficar fora de controle se não for contida. Então, estou com a consciência tranquila. Além disso, tenho uma mira muito boa: a última vez que pratiquei tiro ao prato, acertei dezoito de vinte. Mas obrigado pela sua preocupação.

Depois disso, ninguém, nem mesmo Miranda, parece capaz de pensar em nada para dizer.

PRESENTE
2 de janeiro de 2019

Heather

Já fiz tantas e tantas xícaras de chá que comecei a me sentir uma extensão da chaleira. Ninguém parece estar realmente bebendo, mas, sempre que ofereço, todos acenam vagamente com a cabeça e em seguida ficam sentados, segurando as xícaras, enquanto o chá esfria aos poucos, sem ser tomado. Do lado de fora das vidraças, a neve não dá sinais de que vá parar de cair. É difícil imaginar um momento em que ela não estava lá, essa cortina de branco em movimento.

Em geral, depois que um corpo é encontrado, tenho certeza de que tudo é tomado pela comoção, por luzes piscando por todos os lados e homens vestindo trajes de proteção brancos. Mas aqui não é um lugar comum. E nesse caso a paisagem teve outras ideias. O clima nos obrigou a nos curvarmos a seus caprichos. É uma das primeiras vezes que me dou conta, desde que me mudei para cá, de como este lugar é estranho, de como não sei quase nada a respeito dele. Poderia muito bem ser outro planeta. Tenho certeza de que há segredos aqui que vão além dos depósitos clandestinos de uísque e do lúcio monstruoso no fundo do lago. Esses são apenas alguns detalhes que a paisagem escolhe revelar.

Ouço um choro alto na sala ao lado, uma cacofonia violando o silêncio, e tomo um susto tão grande que derrubo água da chaleira no chão. É apenas o bebê, claro. Eu me lembro do som do bebê chorando na véspera de Ano-Novo, quando acordei para ir ao banheiro e vi — ou pensei ter visto — aquela luz estranha no flanco do Munro. E agora me pergunto se é possível que o barulho tenha ocultado outros ruídos lá fora.

Penso em todos os sons deste lugar que passei a considerar normais, que escolho não questionar. Enquanto espero a chaleira ferver, rememoro uma das minhas primeiras noites aqui. Eu tinha me mudado para o chalé e tentava me concentrar em não pensar muito em nada. Era a semana do trágico aniversário. Eu tinha bebido uma quantidade considerável de vinho — uma dose medicinal, talvez uma garrafa e meia. Lembro-me de afundar na cama e puxar o edredom para me cobrir. Uma coisa que aprendi sobre o "silêncio" — pelo menos esse tipo de silêncio, o da vida selvagem — é que ele é surpreendentemente alto. A construção, antiga, rangia ao meu redor. Lá fora, à noite, eram os sons dos animais; duas corujas conversavam com pios longos e pesarosos. O vento soprava entre os topos dos grandes pinheiros-escoceses bem ao lado da minha janela. Soava como um lamento. Pode ser reconfortante, lembro-me de ter dito a mim mesma. Talvez eu me acostumasse. (Nunca me acostumei.)

Então um som rasgou tudo. Um grito agudo, desesperado: medonho, o som de uma pessoa afligida por uma dor insuportável. O ar ressoou com esse eco por vários segundos. Eu me sentei na cama; toda a sonolência do vinho tinha desaparecido. Meus ouvidos pareciam aguçados como os de um animal, todo o meu corpo arrepiado, esperando por outro grito. Nada.

Esperei por uma resposta: certamente alguém mais devia ter ouvido. Então me lembrei que éramos só eu e o guarda-caça, e ninguém mais em um raio de quilômetros... Além de, pelo visto, quem quer que tivesse gritado. Imaginei Doug calçando suas grandes botas e pegando um dos rifles do celeiro. Ele era a pessoa certa para ir, eu disse a mim mesma. Não eu, com um metro e cinquenta e pouco e embriagada. Mas a noite parecia ainda mais silenciosa do que antes.

Abri uma fresta da persiana e olhei lá fora. Não consegui ver luz alguma. Vi que horas eram. Duas da manhã. Os minutos tinham ficado nebulosos; eu não tinha percebido quanto tempo havia passado. O vinho faz isso, suponho. Começou a me ocorrer que Doug poderia estar dormindo. Que talvez eu fosse a única pessoa que estava acordada e tinha ouvido o grito.

Comecei a acreditar que havia imaginado aquilo. Talvez eu tivesse pegado no sono durante aqueles dois minutos, sem perceber. Não conseguia lembrar nem ao menos como era o som, embora ainda sentisse as reverberações nos ouvidos.

Então, como se para me relembrar, o grito soou de novo, e dessa vez mais terrível que o anterior. Era o som da mais pura agonia, havia algo quase animal nele. Saí da cama e calcei as pantufas. Tinha que verificar — não podia mais fingir. Alguém lá fora estava em apuros.

Desci a escada, coloquei o casaco e as botas, peguei o atiçador de ferro da lareira e a lanterna no peitoril da janela.

A noite lá fora estava escura e serena. Lembro-me de notar que o céu era de uma profundidade que eu nunca tinha visto, de como naquele momento ele parecia sinistro, como um grande vazio.

Observei as sombras, tentando discernir algum sinal de movimento.

— Olá? — chamei.

Minhas mãos tremiam tanto que a luz da minha lanterna se movia por toda parte, cobrindo trechos aleatórios do solo. O silêncio ao redor parecia uma respiração suspensa.

— Olá?

Talvez fosse inevitável eu sentir que estava sendo observada, emoldurada pela luz da porta. Reparei que, ao gritar, eu havia me exposto e seriam capazes de me ver e ouvir. Eu podia ter acabado de me colocar em perigo.

Dei uns passos. E, em algum lugar na direção do lago, vislumbrei um movimento. Não com o feixe da lanterna, mas com instinto animal que eu não sabia que tinha: uma mistura de visão e audição.

— Quem está aí?

O medo tinha reprimido a minha voz, que saiu como um guincho minúsculo e estrangulado. Direcionei o feixe da lanterna para onde achei que havia captado o movimento. Nada. Então outra luz apareceu, muito mais próxima.

— Heather?

Virei o braço e iluminei um rosto. À luz da lanterna, a figura era macabra, e quase dei um grito; quando percebi quem era, fiquei feliz por não ter gritado. Era Doug.

— Você está bem? — perguntou ele.

Não havia urgência em sua voz, apenas o tom profundo e pausado no qual ele sempre falava.

— Ouvi uma pessoa gritar. Você ouviu?

Ele franziu a testa.

— Um grito?

— Sim. Muito agudo. Quem quer que fosse, parecia aterrorizado. Então saí para ver... — Diante de sua evidente incredulidade, hesitei. — Você não ouviu?

— Era assim? — perguntou ele.

E então, para o meu espanto, ele imitou o som quase perfeitamente. Senti a mesma inundação congelante de medo descer pela parte de trás das minhas pernas.

— Sim. Era exatamente assim.

— Ah. Nesse caso, você ouviu uma raposa. Uma raposa fêmea, para ser mais preciso.

— Não entendo. Parecia uma mulher.

— É um som terrível... É fácil se enganar. Você com certeza não é a primeira. Teve uma história, bem recente, de um homem que morreu na linha do trem nos arredores de Edimburgo tentando ajudar o que ele pensava que fosse uma mulher em perigo. — Ele ergueu as sobrancelhas. — Não ouviu essa história quando morava na cidade?

— Não — respondi.

Eu estava começando a ficar com vergonha do tremor na minha voz e desejei conseguir mantê-la sob controle.

— É quando elas estão... — Ele fez uma careta. — "Aquilo" do macho é todo farpado. Então não é exatamente uma experiência agradável para a fêmea.

Não consegui evitar meu estremecimento.

— Exatamente. Nem um pouco agradável. Mas não é alguém sendo assassinado. — Ele hesitou. — Tem certeza de que está bem?

— Tenho. — Nem mesmo para os meus ouvidos a resposta soou convincente. Então tentei reforçar: — É sério, estou bem.

— Nesse caso, vou deixar você voltar para cama.

Lembro que os olhos dele me percorreram de cima a baixo nesse momento, tão rápido que poderia ter sido apenas fruto da minha imaginação. Mas, não. Eu estava de pijama, e de repente me senti mais exposta do que se estivesse parada ali completamente nua.

— Obrigada.

Ele tirou um chapéu imaginário.

— De nada.

Entrei, fechei a porta e pressionei a mão contra o peito. Meu cérebro não parecia ter avisado ao meu coração que o perigo havia passado. Ele estava batendo tão forte e rápido que parecia querer saltar da minha caixa torácica. Só quando finalmente voltei para a cama e me enfiei debaixo do edredom me ocorreu pensar sobre o que acabara de acontecer. Se não tinha sido o grito que acordara Doug, como havia *me* acordado, então que diabo ele estava fazendo vagando pela propriedade no meio da noite?

Penso em sua mão; em como ele tem sido tão vago sobre como se machucou. Penso na ocasião em que o patrão mencionou que ele seria bom em combater os caçadores clandestinos, a insinuação de que Doug poderia ser violento. Não é suficiente eu desejar que ele não tenha tido alguma coisa a ver com aquilo. *E isso é só porque você gosta dele*, diz uma vozinha. *Só porque você gozou pensando nele*. Com algum esforço, silencio esses pensamentos.

Eu me lembro das palavras da minha mãe mandando que eu pesquisasse o nome dele no Google. De repente isso me parece importante, necessário.

Com um passo rápido, vou até a porta do escritório e a tranco. Se Doug tentar entrar, finjo que tranquei a porta sem querer — "força do hábito". Ainda assim, não tenho muito tempo, a menos que queira levantar suspeitas. Abro as portas do armário onde guardo todas as fichas. As duas fichas pessoais: a minha e a de Doug. Iain é apenas um prestador de serviço, e acho que já tinha trabalhado para o patrão, então não precisou se candidatar para o posto dele como eu e Doug tivemos que fazer para o nosso.

Abro a pasta de Doug. Há um breve currículo, detalhando o período como fuzileiro naval: seis anos. Mais nada. O que exatamente estou procurando? Vou até o computador, digito o nome completo de Doug no site de busca e espero que a lenta conexão com a internet carregue os resultados. É somente quando meu peito começa a queimar que percebo que estou prendendo a respiração. *Não vou encontrar nada de mais*, penso. Não... E vou me sentir péssima por fazer isso, porque vou ter traído a confiança dele sem ele saber, mas pararei por aqui. Ele nunca vai saber. E vou poder enterrar quaisquer suspeitas — se é que são suspeitas de fato.

Finalmente, a página carrega.

Vejo logo que há muitos resultados. Para uma pessoa normal, alguém que não é uma celebridade ou ganhou notoriedade de alguma outra forma, seria de se esperar o quê? Uns três resultados, no máximo? Alguns perfis em redes sociais, incluindo o de pessoas com o mesmo nome, talvez a menção a uma conquista esportiva ou um papel em uma peça da faculdade. Mas o nome incomum de Doug ocupa toda a primeira página de resultados. E nenhum deles é muito bom. Na verdade, é tudo horrível.

Eu gostaria de não ter procurado. Gostaria de nunca ter visto nada disso.

DOIS DIAS ANTES
Véspera de Ano-Novo de 2018

Miranda

Seguimos Doug até o jardim atrás da sede, onde seu Land Rover está estacionado ao lado de uma caminhonete vermelha grande e velha — talvez seja nela que Heather se desloca. Começo a rir só de pensar nela, aquela criatura insignificante de pouco mais de um metro e meio, atrás do volante daquele veículo enorme.

Doug abre o celeiro para nós usando um teclado numérico de última geração que parece completamente bizarro em contraste com a madeira velha. Imagino que seja necessário, já que o lugar é cheio de armas. Enquanto ele puxa a pesada porta de madeira, aprecio seus músculos se movendo sob a camisa velha que ele está usando (apenas uma camisa, neste clima!). Acho que ele seria um excelente candidato a amante de Lady Chatterley, tão alto, de ombros largos e todo despenteado. Não posso deixar de pensar que é um contraste um pouco desfavorável com Julien, cujas várias pomadas e tinturas disputam espaço com as minhas coisas na prateleira do banheiro.

No celeiro, ele nos entrega nossos trajes: calças e casacos impermeáveis e até mesmo botas de caminhada para Katie, que não trouxe nada nem de longe razoável para o programa. Mark pede um dos chapéus, umas coisas ridículas no estilo Sherlock Holmes.

— Se faz questão, parceiro — diz Doug, com um tom que poderia muito bem ser confundido com sarcasmo.

Ao lado dos casacos e das calças, estão pendurados dez rifles. Só o formato das armas já tem uma essência letal, como se, de algum modo, elas pudessem matá-lo sem nem ao menos serem acionadas.

Em seguida, há uma longa explanação sobre segurança e sobre o lugar para onde vamos: para o alto da encosta íngreme, depois da antiga sede, porque aparentemente é lá que os cervos vêm se concentrando, apesar de estarmos indo atrás apenas das corças, as fêmeas, já que não é a época certa do ano para caçar machos.

— Então, deixe-me ver se entendi — digo, por fim. — Pode ser que a gente não consiga abater um veado hoje. E mesmo se abatermos, o veado não terá galhada, porque não estamos na estação correta. Mas pagamos centenas de libras pelo privilégio.

— Sim. — Doug assente. — É basicamente isso.

O tom é direto, mas percebo que ele não consegue fazer contato visual. Sinto um pequeno estremecimento de triunfo. Sempre reconheço *esse* sintoma em particular. Sou fiel a Julien — bem, com uma única exceção, logo no início —, mas estaria mentindo se dissesse que não gosto de testar meu poder de sedução. Minha própria caça, imagino. Muito mais divertido do que mato úmido e congelado e essas calças impermeáveis horrorosas.

Doug fecha a porta com um estalido metálico. Em seguida, nos faz deitar no chão para atirar em uma caixa com um alvo. Julien, Giles, Bo e Mark são péssimos, chega a ser ridículo. Com a exceção de Bo, sempre tão irreverente (embora, com certeza, nem sempre deve ter sido assim em seu passado de drogas), eles não acham aquilo nem um pouco engraçado. Mark — faço um esforço para observá-lo — contorce a boca ao atirar. Quando Julien faz sua sexta tentativa, vejo o músculo do seu maxilar se contrair como ele faz quando está irritado com alguma coisa, e, a cada estampido, seus olhos se estreitam. Percebo como isso faz toda a diferença para ele. Para todos eles, na verdade. Até o afável Giles parece ter passado por um transplante de personalidade. Talvez eles estejam se imaginando em algum filme de ação ou jogo de videogame. Tenho certeza de que é isto: homens voltando a ser garotinhos. Ainda assim, é meio estranho.

Katie também é *péssima*, mas não sei bem se ela ao menos se dá o trabalho de tentar — assim como parece ter parado de se dar o trabalho de fingir que está se divertindo. Samira — que, após insistirmos muito, deixou Priya com Heather por algumas horas — não chega a ser ótima, mas compensa com muita intensidade. Lembro como ela se tornou uma atleta de alto nível no remo. Se tivesse uma semana para praticar o tiro, provavelmente atingiria um padrão olímpico. É um vislumbre da antiga Samira, a garota que conheci, e fico feliz por isso. Essa, afinal, é a mulher que uma vez ateou fogo à mesa de jantar na nossa casa, imitando um bar em Ibiza, e levou uma advertência formal do reitor da faculdade por seu comportamento.

Não faço feio, mas também não me saio tão bem quanto imaginava: sempre levei jeito para os esportes. Doug me diz que estou sendo muito "vigorosa" com o gatilho.

— Você só precisa deslizar o dedo com suavidade — explica ele.

Ele está sério, mas... Sou só eu, ou isso soa um pouco obsceno?

Nick se sai muito bem, como disse que faria. Curiosamente, não é surpresa alguma. Ele sempre foi bom nos esportes e é muito exigente em relação às coisas, muito intenso às vezes. Mas, de todo mundo, é Emma quem se sobressai. Doug diz que ela tem um "dom natural", e ela sorri e balança a cabeça, modesta como sempre.

— As mulheres em geral são melhores — diz ele. — São mais precisas, mais mortais. Este esporte não tem nada a ver com testosterona ou força bruta.

Gostaria de não me incomodar tanto por não ser eu a ganhar esses elogios.

Começamos a subir a encosta. Estamos andando em direção à antiga sede, a construção que Heather apontou para nós ontem à tarde. Detesto caminhar. É chato demais, totalmente inútil. Prefiro mil vezes correr, algo que queima o dobro de calorias na metade do tempo. Mark, Julien e Nick disputam a posição na dianteira, como se estivessem determinados a atirar primeiro. Katie, enquanto isso, está poucos metros à minha frente, conversando com Bo. Eu me sinto esnobada por ela não ter escolhido caminhar comigo. Poderia ir me juntar a eles, mas não vou rastejar para que ela me dê atenção. Parece que a ofendi no café da manhã, quando perguntei se ela estava com algum cara novo. Tudo bem, eu podia ter sido um pouco mais sutil — ela é extremamente reservada em relação a esse tipo de coisa —, mas só estava tentando demonstrar interesse. E, francamente, depois de todo esse tempo sem nos vermos, ela não morreria se perguntasse sobre a minha vida. Ela não é assim: no passado, sempre foi uma ótima ouvinte. Uma vez, Julien brincou — de maneira não muito bondosa — que era uma sorte eu ter encontrado uma amiga que gostava tanto de ouvir quanto eu gostava de falar. Mas ele não estava totalmente errado. Sempre pensei nela como meu oposto, minha parte complementar.

A trilha desapareceu agora, então estamos apenas caminhando morro acima por entre a urze, o que é um trabalho árduo. De tempos em tempos, uma planta se enrosca no meu tornozelo, me puxando para trás, como se quisesse deixar claro quem é que manda. Porque essa paisagem está definitivamente no comando. É brutal. A temperatura caiu ainda mais, e o ar está gelado, fazendo as partes do corpo descobertas arderem. Até os meus dentes doem quando abro a boca para falar. Parece que o frio penetrou no casaco que peguei emprestado e no lindo — e, na minha imaginação, muito quente — suéter de caxemira que estou usando por baixo, pressionando minha pele.

O solo está encharcado em alguns trechos também; deve haver cursos de água subterrâneos. De vez em quando, piso em um trecho molenga, e a água gelada sobe pelas botas, ensopando minhas meias. Elas vão ficar imprestáveis. Também são de caxemira — um presente que Julien me deu no outono. Houve um período em que toda semana ele voltava para casa com algum presente — culpa por ter me envolvido naquela situação, com certeza, embora ele alegasse que só queria me mimar.

Nick, Mark e Julien andam o mais rápido que podem. Eles estão quase se acotovelando na tentativa de assumir a dianteira, de ser o primeiro a subir a colina. Isso não deve ser muito seguro enquanto se está levando rifles carregados, não é? A certa altura, Mark se vira e parece empurrar Julien. É um empurrão leve, mas inconfundível. Ele faz uma piadinha a respeito; vejo Julien forçar uma risada, mas percebo que não está achando graça nenhuma.

É um alívio quando fazemos uma pausa na antiga sede: uma ruína velha e melancólica, enegrecida pelo fogo. Doug pega uma uisqueira e nos oferece. Quando me entrega, deixo meus dedos tocarem os dele por um momento um pouco mais demorado. Seus olhos são de um castanho tão escuro que mal dá para distinguir as pupilas. Quero que Julien veja, que perceba o desejo daquele homem por mim.

Não sou uma grande fã de uísque, mas de alguma forma a bebida me parece perfeita aqui, neste lugar selvagem. E o calor que ela proporciona também ajuda, dá a impressão de atenuar o humor estranho no qual pareço estar desde ontem à noite. Tomo outro gole, e, quando passo a uisqueira de volta para Doug, vejo que minha boca deixou uma sedutora mancha de batom no gargalo.

Parece que alguém esteve ali antes de nós, a julgar pelas guimbas de cigarro espalhadas. Doug pega uma das bitucas e a examina atentamente, como se pudesse haver uma mensagem secreta escrita na lateral. Reparo que ele a guarda no bolso. Que bizarro. Por que alguém pegaria uma guimba velha de outra pessoa? Então olho para o seu casaco surrado, as botas gastas, e sinto uma pontada inesperada de pena. Percebo que talvez ele vá guardá-la para fumar mais tarde.

Katie

A antiga sede é um lugar horrível. É provavelmente a única coisa feia nesta paisagem, uma estrutura queimada, com apenas um estábulo enegrecido ainda de pé. De alguma forma, faz mais frio aqui do que em qualquer outro lugar, talvez porque estejamos tão expostos às intempéries. Por que alguém construiria alguma coisa aqui? Em um lugar tão desprotegido e tão afastado de qualquer ajuda? Penso no incêndio. Deve ter dado para ver a quilômetros de distância — como as grandes piras que foram acesas na virada do milênio por todo o país.

Há um silêncio aqui que é diferente do que permeia o restante da propriedade. É como se o lugar prendesse a respiração. Dá a sensação — por mais clichê que possa parecer — de que não estamos sozinhos. Como se algo, ou alguém, estivesse nos observando. As rochas são como ossos antigos: um esqueleto de alguém que morreu e cujo corpo foi deixado a céu aberto, privado da dignidade de um enterro. Quando nos aproximamos, tenho a certeza de que o ar tem cheiro de queimado. Isso é impossível, não? Ou será que haveria alguma maneira de a fumaça penetrar profundamente na pedra, ficando aprisionada ali? Não seria difícil acreditar que o incêndio tivesse ocorrido há apenas alguns anos, e não um século atrás.

O estábulo — a parte que sobreviveu porque as chamas não conseguiram chegar até lá — é quase obsceno em sua integridade. Percebo que também há uma tranca eletrônica na porta — como a do celeiro —, provavelmente para impedir que os hóspedes perambulem lá dentro, caso não seja seguro. O céu está de um violeta muito claro. Isso não significa neve? O que faríamos se começasse a nevar para valer enquanto estamos presos aqui? Estamos completamente expostos, no flanco da montanha. A sede — a nova sede, suponho — parece um pequeno fragmento de vidro vista daqui, ao lado do lago, que fica cinzento e opaco como chumbo nessa estranha luz, as árvores à volta com cerdas cor de carvão. A estação, no meio do caminho entre nós e a sede, do outro lado, parece uma peça de uma cidade de brinquedo.

— Não sei por que estamos fazendo isso — diz Miranda, de repente. — Poderíamos muito bem estar na sede bebendo champanhe.

Ela também reclamou durante a subida até aqui: do solo encharcado e da água gelada que entrava nas botas. Tudo porque não se saiu bem durante o treino de tiro ao alvo — tenho certeza disso. Se ela tivesse se provado uma ótima atiradora, a história seria outra — estaria liderando a caçada. Miranda detesta ser ruim em qualquer coisa. Deu para ver seu lábio se curvar quando Doug elogiou Emma, como se ela não acreditasse que alguém como a nossa amiga tivesse o direito de ser uma boa atiradora.

— Está um frio do cacete — acrescenta ela. — Tenho certeza de que os cervos devem estar escondidos em algum lugar longe do nosso campo de visão, se tiverem algum bom senso. Certamente não vamos pegar nada agora.

De repente, Nick se vira para encará-la.

— Ei! — grita o guarda-caça. — Cuidado, cara, você está segurando uma arma carregada.

— Desculpe. — Nick parece ligeiramente envergonhado. — Mas, para falar a verdade, estou meio cansado de ouvir que você está entediada, Miranda. Por que não volta para a sede, já que está com tanta vontade? Vai ser impossível pegar um animal de surpresa se você continuar reclamando que não está se divertindo.

Em seguida, faz-se um silêncio sepulcral, e o ar, já gelado, parece cair mais alguns graus. Miranda parece que acabou de levar um tapa na cara. Todos estão um pouco mais tensos nesta excursão, mas esse é o primeiro comentário abertamente hostil que alguém faz. Talvez não seja nenhuma surpresa que envolva Nick e Miranda. Ele, afinal, nunca foi muito fã dela. Acho que nunca a perdoou de verdade.

★ ★ ★

Quando saiu do armário para alguns de nós, no nosso primeiro ano na faculdade, Nick ainda não tinha contado aos pais, que na época estavam servindo na embaixada em Omã. Não que ele tivesse medo de contar, segundo me disse.

— Eles são bem liberais, e talvez já até imaginem... Quando estávamos em Paris, fiquei mais próximo de uns caras.

Mas ele queria escolher o momento certo, porque era um marco importante, uma afirmação de quem ele era.

Miranda alegou que não sabia de nada disso quando Nick apresentou os pais, que apareceram na sala do alojamento durante a semana de recesso antes das provas. Houve alguma discussão sobre as provas de fim de ano, e Miranda disse, em um tom cúmplice:

— Não se preocupem, sr. e sra. M, vamos nos certificar de que Nick fique com o nariz enfiado nos livros, em vez de sair por aí atrás de garotos bonitos.

O pior de tudo era que ela nem deveria saber. O grupo seleto ao qual Nick havia feito a confidência não incluía Miranda. Eu não me orgulhava de ter contado a ela. Em geral, guardava segredos muito bem, mas estava bêbada, e Miranda começou a me provocar por causa da minha paixão por Nick, então simplesmente escapou. Claro, implorei para ela não dizer que sabia. E, no entanto, ela alegou não ter qualquer lembrança disso. Depois, também declarou que achava que os pais de Nick "simplesmente soubessem".

Eu tinha certeza de que Nick jamais me perdoaria. Então fiquei aliviada com a reação dele. Ele ficou furioso, é verdade. Mas, por sorte, não comigo. Ele me disse que havia pensado em várias maneiras desagradáveis de se vingar de Miranda, mas não conseguiu encontrar nada que estivesse à altura do que ela tinha feito com ele.

— Sei que isso não deveria ser tão importante... — disse ele. — Eu ia contar para eles esta semana de qualquer maneira, durante um almoço agradável ou algo do tipo. Mas foi a intenção da coisa. Eu *sei* que não foi um acidente. Acho que ela fez isso porque gosta de ter esse poder. E de causar problemas entre nós dois, é claro.

— Como assim? — perguntei, surpresa.

— Tenho certeza de que ela se ressente de você ser minha amiga.

— Até parece. Miranda tem um monte de outros amigos, e eu tenho... alguns outros.

— Sim, mas ela não tem nenhum outro amigo *íntimo*. Já reparou nisso, Katie? Ela só tem você... e Samira, em caso de emergência. E acho que ela não gosta de dividir os brinquedos com os outros.

Agora, é claro, são águas passadas. Ou pelo menos Nick se esforçou o bastante para dar essa impressão. No entanto, fico me perguntando se ele ainda pensa no que aconteceu. As feridas infligidas nessa época sensível e imatura da nossa vida costumam ser as mais profundas — e deixam as piores cicatrizes.

— Ei — diz Samira, rispidamente. — Vamos esfriar a cabeça, está bem? Estamos aqui para aproveitar o feriado.

Engraçado, não me lembro de Samira ser tão otimista em relação às coisas. E penso em sua luta consigo mesma no café da manhã, em como ela conseguiu reprimir qualquer resposta que poderia ter dado a Miranda naquele momento.

Miranda, por sua vez, murmura algo baixinho, com um tom desafiador. Mas percebo que ela está realmente magoada. Ela gosta de falar o que quer, mas nem sempre curte ouvir o que não quer. Por baixo da aparência resistente e impecável, ela é mais sensível do que parece. E acho que sempre teve uma admiração secreta por Nick, que o vê como um igual.

Reparo quando ela olha para Julien, e me pergunto se ela está esperando que ele a defenda. Se for o caso, vai ficar decepcionada, mas talvez não surpresa. Ela sempre disse que ele odeia confrontos, que gosta de tentar agradar a todos — nunca quer ser visto como o vilão.

Também não quero tomar partido. Não posso me dar a esse luxo, pois já tenho problemas suficientes para resolver. Sinto como se tivesse sido catapultada para o passado: Miranda causando dramas, eu tendo que fazer a mediação entre ela e o pobre adversário — sentindo que ambos estão me pedindo para escolher um lado. Não vou fazer isso agora. Afasto-me do grupo, caminhando até o outro lado da ruína, e enfrento a força total do vento por alguns minutos, de olhos fechados.

Enterro as unhas na palma das mãos até começar a doer. Tenho que parar. Tenho que parar essa coisa, essa compulsão, de uma vez por todas. Mas toda vez que tento, descubro que sou incapaz de fazer isso. Quando realmente chega a hora, nunca sou forte o suficiente. Não acredito que me meti nessa confusão em que estou. Respiro fundo algumas vezes, abro os olhos e procuro me distrair com a vista.

Já estive em alguns lugares bonitos na vida, mas nenhum como este. Talvez seja a pureza da paisagem: em estado natural, intocada pela mão do homem, a não ser pelo pequeno aglomerado de construções lá embaixo, a estaçãozinha do outro lado e a velha ruína atrás de nós. É erma e brutal, e seu charme, se é que se pode chamar assim, reside nisso. As cores são todas suaves: o azul-ardósia, o amarelo-claro do céu, o vermelho-ferrugem da urze. E, no entanto, são tão hipnotizantes quanto um mar azul-turquesa ou uma praia de areias brancas.

Enquanto observo, um grande arbusto parece se erguer e se mover, e percebo que são veados, correndo como um só, sua suavidade contrabalanceada apenas pelo cômico vislumbre da cauda branca. Talvez seja isso que atraia meu olhar para outro lampejo de movimento, mais abaixo na encosta. Acho que, se não fosse pelos veados, não teria reparado. Não teria reparado *nele*, na verdade. Ele está a uns cinquenta metros, usando roupas camufladas, com uma mochila grande nas costas. Não consigo ver seu rosto, tampouco saber sua altura, porque está enfiado até a cintura na urze. Parece fazer esforço para não ser visto, mantendo-se abaixado, rente ao mato, enquanto se movimenta. Deve ter sido ele quem assustou os cervos e os pôs para correr.

Acho que ele ainda não me viu. Sinto meu coração batendo em algum ponto perto da garganta. Há algo ameaçador em como ele se move, feito um animal. Então, como um predador que fareja meu cheiro na brisa, ele olha para cima e me vê. E para de repente.

Não consigo entender o que acontece em seguida. É algo que desafia toda a lógica. Em questão de segundos ele parece afundar e sumir de vista, desaparecendo em meio aos arbustos. Pisco, só para me certificar de que de fato nada aconteceu com a minha visão. Mas quando abro os olhos ainda não há sinal dele.

Penso nas instruções da gerente: "Se virem alguém que vocês não reconheçam na propriedade, avisem." Então, devo avisá-los? Mas nem tenho certeza do que vi. A pessoa não vai se dissolver diante de nossos olhos, não é? É verdade que estou lacrimejando por causa do vento, e ainda me sinto um pouco grogue por causa dos comprimidos para dormir que tomei ontem à noite. Os outros vão pensar que estou simplesmente inventando ou imaginando coisas. Estou cansada demais para tentar explicar o que vi. Se eu fosse Miranda, transformaria isso em um grande drama, uma cena de história de terror. Mas não sou ela. Sou Katie: reservada, observadora. Além disso, não pode haver mal em não dizer nada. Pode?

Doug

Houve uma transformação no grupo. Ele percebeu isso antes mesmo da discussão entre o homem de óculos e a loura bonita. Já viu essa mudança acontecer antes. Começa com os rifles. Cada um deles está subitamente investido de um poder novo e terrível. No início, durante o treino de tiro ao alvo, eles se encolhiam a cada disparo, com o solavanco da arma, que deixava contusões na pele abaixo do ombro. Mas rapidamente — talvez até demais — aquilo se tornava natural, e eles melhoravam a cada tiro: concentrados, determinados. Começavam a se divertir. Só que algo mais se insinuava também. Um senso de competição. Mais do que isso... Algo primitivo era despertado. A febre que acomete todos os caçadores novatos antes de abater sua primeira presa. A sede de sangue. Cada um deles queria ser aquele que daria o tiro mortal. Ao mesmo tempo, eles nem ao menos sabiam pelo que estavam ansiando. Porque nunca mataram antes — a não ser por uma ou outra mosca esmagada ou um rato preso em uma ratoeira. Caçar é algo completamente diferente. Eles serão transformados. Uma inocência que não sabiam que tinham ficará para trás.

E também há a paisagem, que os enerva. Aqui em cima, as linhas duras e esqueléticas da terra são reveladas, granito espreitando como ossos velhos através da ferrugem vermelha da urze. Eles se dão conta de quão solitários estão neste lugar — não há vivalma por uma longa extensão de terra ao redor.

Exceto... Seus dedos encontram a ponta de cigarro no bolso. Ele não gosta disso. Mostra que alguém esteve ali recentemente. Heather não fuma, até onde ele sabe — e com certeza não chega nem perto da antiga sede se puder evitar. Iain talvez fume, mas ele não tem nenhum motivo para ir até ali: nos últimos tempos tem trabalhado perto do lago, na casa de bombas. Também poderia ter sido o casal de islandeses, mas ele os viu fumando cigarros de palha na noite anterior, depois do jantar.

Doug vai mencionar isso a Heather mais tarde. Só para verificar se ela também notou alguma coisa diferente.

Caçadores clandestinos? Haveria outros rastros. No passado, ele encontrara a grama manchada de sangue por onde eles haviam arrastado o espólio ilegal, ou os cartuchos das balas com as quais o abateram. Tinha encontrado vestígios de fogueiras que fizeram para tentar queimar o resto da carcaça (em geral, querem apenas a cabeça) e os ossos enegrecidos que ficavam para trás. Às vezes, encontrava até mesmo o animal abatido antes que eles voltassem para recolhê-lo — eles levam a cabeça, a parte mais valiosa, e deixam o cadáver escondido na vegetação até que surja um momento oportuno para buscá-lo.

A guimba de cigarro poderia simplesmente ter sido deixada por um turista fazendo trilha — eles ainda tinham o direito de cruzar a propriedade, embora sem dúvida fossem desencorajados pelas placas (provavelmente ilegais) de "propriedade privada". Ele não se lembrava da última vez que tinha visto um andarilho. Além disso, os montanhistas andavam com casacos impermeáveis de cores vibrantes, almoços embalados em papel-filme e eram pessoas comprometidas. Não eram do tipo de gente que emporcalha a paisagem que foi apreciar.

Não, ele não está gostando nem um pouco disso.

Doug fica satisfeito quando deixam a antiga sede. A história dela se assemelha aos próprios fantasmas. O guarda-caça assombrado por sua própria guerra, ateando fogo ao lugar. Ele conhece as forças capazes de levar um homem a fazer algo assim.

Eles encontram as corças no trecho do terreno que fica depois da sede. Uma mancha escura já começa a se espalhar pelo céu — o sol, invisível por trás das nuvens, deve estar começando a se pôr. Eles precisam ser rápidos. Ele manda os hóspedes se deitarem na vegetação e rastejarem em direção às corças, para não as espantarem.

Uma delas se separou do grupo, uma fêmea mais velha, com dificuldade de andar. Perfeito. Só se deve atirar nos animais velhos e fracos. Apesar do que os caçadores clandestinos acham, não se trata de colecionar troféus magníficos.

Quando chegam perto o suficiente, ele se vira para a loira mais baixa, a que não é bonita.

— Você — diz ele. — Quer tentar?

Ela faz que sim solenemente.

— Tudo bem.

Ele a ajuda a mirar.

— Na parte mais larga do peito, não na cabeça — orienta. — A margem de erro é muito maior quando se mira na cabeça. E não mire baixo demais, ou vai destroçar a pata dela. E *pressione* o gatilho; não se esqueça que dá para fazer isso com suavidade.

Ela faz o que ele diz. A arma dispara, um ruído nítido como o de um trovão, zumbindo nos ouvidos. Os outros cervos dispersam, assustados, fugindo a uma velocidade espantosa. Ouvem-se exclamações dos outros hóspedes atrás dele, inspirações profundas.

Há um instante, como sempre, em que parece que a bala errou o alvo ou desapareceu completamente. Então a corça se sacode como se tivesse sido atravessada por uma corrente elétrica. Há o baque tardio do impacto da bala, o metal penetrando a carne. Um bramido, um som que parece ser tanto de raiva quanto de dor. Ela cambaleia alguns passos, oscilando. E então, enfim, sucumbe — muito suavemente, como se estivesse tomando cuidado, as patas se dobrando sob o corpo. De repente, seu peito é uma massa vermelha. Um tiro perfeito.

Ele caminha cerca de cem metros até o animal agonizante, que ainda está lá, por um fio: sua respiração, uma névoa no ar gelado. Por um momento, seus olhos parecem encontrar os dele. Então, ele pega a faca e enfia, com um único golpe, no ponto exato na base do crânio. Agora ela se foi. Ele sente pouco remorso, a não ser pela elegância que um dia teve e agora não tem mais. Ao contrário de outras mortes pelas quais foi responsável, ele sabe que aquela é justificada, necessária. Sem interferência, a população sairia do controle; os recursos se tornariam tão escassos que todo o rebanho começaria a morrer de fome.

Ele se debruça no cadáver e enfia a mão na ferida. Então caminha de volta até a mulher, Emma, e — seguindo a tradição — unge a testa e as bochechas dela com o sangue.

Emma

O guarda-caça me disse que eu teria que esperar para comer a carne da corça que abati. Ela precisa ficar pendurada por alguns dias — dizem que nas primeiras vinte e quatro horas o *rigor mortis* se instala, e a carne fica intragável até os tecidos começarem a amolecer novamente. Mas eles têm carne já curada que posso preparar se quiser. Eu ia fazer um bife Wellington hoje à noite, mas me dei conta de que poderia fazê-lo com a carne de veado. Isso seria perfeito, não? Uma lembrança do nosso dia.

Vim até o celeiro para pegar a carne. Lavei o rosto antes, claro. Pelo visto, alguma lenda apregoa que não se deve limpá-lo antes da meia-noite ou a má sorte se abaterá sobre você, mas isso é só um monte de bobagens e superstições. Além do mais, o sangue tinha secado e se transformado em uma sujeira disforme.

Quando chego ao celeiro, não há sinal de ninguém, mas a porta está entreaberta. Empurro com uma das mãos e ela se abre.

Ouço vozes murmurando, baixas e urgentes. Ao som dos meus passos, elas cessam. Está escuro lá dentro, e tenho que semicerrar os olhos para ajustar minha visão. Logo em seguida, dou um passo para trás. Em um dos cantos do celeiro, há dois enormes pedaços de carne pendurados, sangrentos e medonhos, ao lado da carcaça do cervo que abati, esfolado, os olhos negros ainda vidrados, me encarando. Sinto um cheiro característico, impossível de confundir: intenso, metálico.

Atrás das carcaças, vejo o faz-tudo que sentou ao meu lado no jantar, Iain, empunhando um grande cutelo e usando um avental de açougueiro encharcado de sangue. Ele levanta a mão desocupada para me cumprimentar, a palma toda vermelha. Ao lado dele estão os dois hóspedes islandeses.

Eu me pergunto sobre o que aqueles três estranhos poderiam estar falando de maneira tão acalorada.

— Preparei a carne de veado para você — diz Iain.

Ele vai até o balcão e pega um pacote envolto em papel vegetal manchado.

— Obrigada — digo, recebendo o pacote com cuidado.

É pesado e frio.

— Estes dois — ele aponta para os hóspedes — me perguntaram se podem ficar com o coração do animal que você abateu, já que ele é melhor quando comido fresco. Espero que não se importe.

— Não... — digo, tentando esconder minha repugnância, como um bom chef deve fazer. — De jeito nenhum.

O homem, Ingvar, sorri para mim.

— Obrigado. Olha, você deveria provar um dia. É a parte mais saborosa.

PRESENTE

2 de janeiro de 2019

Heather

Encaro a tela do computador. Fico sentada, tapando a boca com a mão, uma clássica expressão de choque. Mas estou chocada de verdade com o que uma simples pesquisa do nome completo de Doug revelou. É grave. Muito grave. É muito pior do que até mesmo minha mãe poderia ter imaginado em suas fantasias mais macabras.

Dá para perceber isso a partir do breve resumo de cada matéria elencada pelo Google. Ele quase matou uma pessoa. Estou morando sozinha neste lugar com um homem que cumpriu pena na prisão. Que foi condenado por, como diz a declaração oficial, "lesão corporal grave com dolo".

A matéria do *Daily Mail* é o primeiro resultado. Abro. Há uma foto de Doug, olhos fundos, a boca numa linha sombria, cabelo raspado. Outra dele vestindo um terno sem caimento, sendo escoltado para o tribunal, os dentes à mostra em um esgar de ódio. Ele *parece* um criminoso; parece violento, perigoso. O resultado seguinte é um ataque chocante a todos os aspectos de seu caráter. Estudou em escola particular; largou a faculdade; serviu um tempo como fuzileiro naval, foi o único a sobreviver a um ataque dos talibãs em "circunstâncias obscuras". A reportagem insinuava de forma veemente — declarava com todas as letras — que houvera algum crime ou covardia de sua parte.

E então uma "briga de bar".

Conforme eu lia, as coisas só pioravam. A forma de "lesão corporal"? *Tentativa de estrangulamento*. Procuro qualquer coisa na matéria que possa absolver o comportamento de Doug de alguma maneira: algo a que eu consiga me agarrar. Quero que ele seja eximido de qualquer culpa. Não apenas porque a ideia de ter vivido com alguém capaz de assassinato a sangue-frio (ou pelo menos de tentativa de) é horripilante, mas porque, apesar de seu jeito taciturno, comecei a gostar bastante de Doug. Eu realmente acreditava quando garanti à minha mãe que ele era "inofensivo".

Mas não há nada que justifique o que ele fez. Fecho o *Daily Mail* e clico no link da BBC News, que deve me fornecer um relato imparcial e sem sensacionalismo. Na matéria há o depoimento de uma testemunha ocular: "Aconteceu do nada. Em um momento eles estavam conversando, acho. Eram só dois caras batendo papo tranquilamente em um canto do pub. Logo em seguida, aquele homem estava tentando estrangulá-lo. As pessoas tentaram puxá-lo, mas ele brigou com todo mundo, até enfim haver gente suficiente para dominá-lo. Foi assustador."

Minha pele se arrepia de frio, apesar de o aquecimento da sede estar ligado quase no máximo. Tentativa de *estrangulamento*. Eu me lembro dos hematomas em torno do pescoço da vítima, o colar preto e azul.

E, no entanto, que motivo Doug teria para matar a hóspede? Ela só estava aqui havia dois dias. Era uma completa estranha.

Talvez, uma vozinha diz, *ele não precisasse de motivo*. De acordo com as reportagens, também se acreditava que o homem no pub fosse um completo estranho.

Há pelo menos uma coisa que não se encaixa. O fato de Doug ter encontrado o corpo. Por que me mostrar onde estava o cadáver, em vez de arranjar um jeito de escondê-lo? Para ter o controle da situação? Talvez... Mas isso só teria algum sentido se ainda fosse possível fazer com que parecesse um acidente. É bastante óbvio, mesmo para quem não é médico, que ela foi estrangulada.

Há uma batida na porta. Eu sinto meu corpo congelar e fecho o laptop rapidamente. Com alguns passos rápidos, chego à porta e a destranco. Quando a abro, do outro lado — como de alguma forma eu já esperava — está Doug.

DOIS DIAS ANTES
Véspera de Ano-Novo de 2018

Katie

Todos estão indo para seus chalés para se arrumar para a noite. Miranda quer que todo mundo esteja impecável.

— Isso é ridículo — murmurou Samira para Emma e para mim. — Estamos no meio do nada, numa área rural. Por incrível que pareça, tenho outras prioridades além de me enfeitar toda... Achei que tivéssemos vindo para relaxar.

— Ah, mas acho que se arrumar vai dar um clima de celebração — argumentou Emma, com toda a sua lealdade.

Além disso, em questões como essa, não faz sentido se opor. Miranda *vai* conseguir o que quer.

No entanto, não é me arrumando que passo o tempo antes do jantar, mas agachada no banheiro sobre um bastãozinho de plástico e, em seguida, andando de um lado para outro no meu chalé, me perguntando o que vou fazer agora. Quero gritar. Mas este maldito lugar é tão silencioso que todos me ouviriam.

Talvez, digo a mim mesma, tentando respirar, o teste tenha dado um resultado errado. Queria ter comprado mais de um. Só que fiquei nervosa demais na farmácia da estação de King's Cross, com medo de que um dos outros me visse comprando. Além disso, a folhinha de instruções sugere que, embora seja possível o teste *não* identificar um resultado positivo, o inverso praticamente não acontece.

Quando me dou conta, já são oito da noite. Ponho um vestido preto que me lembrei por acaso de colocar na mala, um vestido antigo que usava quando ia sair depois do trabalho, e passo uma escova no cabelo com tanta força que acabo me machucando.

Não sei bem se é minha imaginação ou não, mas o vestido parece mais apertado do que estava na festa de Natal do escritório, e, quando examino meu reflexo de lado no espelho, tenho certeza de que posso ver uma pequena protuberância onde antes não havia nada. Ah, Deus. Eu me viro, de um lado para outro. Está lá, sem dúvida nenhuma. O medo cresce dentro de mim.

Agora que notei, minha barriga parece evidente; estou admirada que Miranda ainda não tenha feito nenhum comentário. Isso sem contar o fato de que notei meus seios um pouco mais sensíveis e que meu apetite tem oscilado. Mas como isso foi acontecer? Pensei que tivesse tomado todas as precauções. Claramente, não todas. E não sei o que vou fazer a respeito.

Eu me sento na cama. Não quero ir. Não consigo ir até lá e encará-los. Fico sentada por cerca de meia hora. Pensando... Torcendo... Talvez eles tenham se esquecido de mim.

Ouço uma batida na porta. Por um momento, quase consigo fingir que foi só minha imaginação.

— Katie? O que está fazendo aí? Estou vendo você sentada na cama!

Vou até lá e abro a porta — que escolha eu tenho? Sinto-me como um animal acuado em sua toca. Miranda está ali parada, com a mão no quadril. Ela está incrível, é claro: usa um vestido dourado justo; o tipo de coisa que só quem tem um corpo como o dela costuma vestir — mesmo assim, talvez apenas na véspera de Ano-Novo.

— Bem... — Ela me olha de cima a baixo. *Será que ela percebeu? Estou de frente, provavelmente, não.* — Você não está combinando muito com a celebração — diz, abrindo a bolsinha de festa pendurada em seu ombro. — Aqui, isso vai ajudar.

Em uma espécie de torpor, sinto quando ela pressiona o batom nos meus lábios; o cheiro é quase insuportável.

Ela se afasta.

— Pronto. Assim está melhor. Vamos.

Ela segura meu pulso, suas unhas roçando minha pele, e praticamente me arrasta porta afora, me forçando a andar de braços dados com ela.

Não consigo suportar esse contato tão próximo, então recolho o braço.

— Estou bem, obrigada — digo, mas acabo sendo ríspida demais. — Acho que consigo ir até lá sozinha.

Miranda olha para mim, chocada como se eu tivesse acabado de gritar com ela. É que eu nunca respondo. Ela adora dizer às pessoas que, como amigas, "nós simplesmente nunca brigamos". Mas isso não é mérito apenas dela, pelo amor de Deus. É porque, no passado, nunca ofereci resistência.

— Olha — diz ela, a voz baixa, perigosa —, não sei o que está havendo com você, Katie. Você está um saco desde que chegamos aqui. É como se de repente fosse *boa demais* para a gente. Como se não pudesse se dar o trabalho de participar. Mas, bem, esta noite você vai participar. Vai se divertir, nem que seja à força.

Ela sai andando, e me vejo indo atrás, como já fiz tantas vezes, obediente como se houvesse uma coleira no meu pescoço. Que outra escolha eu tenho?

O clima está diferente. Ontem à noite havia uma animação, um senso de camaradagem e união. Hoje, a atmosfera está carregada de uma intensidade perigosa. É como se o tempo que passamos lá fora, em toda aquela imensidão selvagem, tivesse nos deixado em alerta. Eu me pergunto se os outros ainda veem o cervo, como eu: os joelhos sucumbindo. Ele se tornou uma coisa obscura entre nós, pesado como um segredo escabroso. Matamos algo juntos. Todos fomos cúmplices, mesmo que tenha sido Emma quem atirou. Fizemos aquilo "por diversão".

Todos — menos eu — parecem ter se dividido em seus devidos pares, voltando para suas alianças primárias: Nick e Bo, Emma e Mark, Miranda passando o braço em torno da cintura de Julien. Um pouco afastados, Giles e Samira conversam em um murmúrio baixo. Miranda os convenceu a deixar Priya no chalé para que fosse "só os adultos" hoje à noite, mas, a julgar pela expressão revoltada de Samira, ela não está exatamente feliz com essa resolução.

Há certa alegria forçada enquanto Julien circula com uma garrafa de champanhe, nos servindo generosamente, mas todos parecem apenas engolir a bebida, quase sem saborear, como se estivessem tentando se embebedar para entrar no espírito. É claro que talvez seja só uma fantasia minha: pode ser que eu esteja projetando neles uma tensão que na verdade só existe na minha cabeça. Mas não tenho tanta certeza. Porque vejo os olhares rápidos e instintivos que cada um dirige aos outros: não estou sozinha nessa. Estamos procurando algo no rosto uns dos outros. Mas o quê? Familiaridade? Uma lembrança reconfortante de tudo o que nos une? Ou será que estamos procurando, cheios de medo, algum novo elemento, cujo vislumbre entrevimos na encosta daquela montanha sombria? Algo novo, estranho e violento.

— O jantar está servido! — grita Emma na cozinha.

É um alívio ter um novo foco, não precisar ficar parada ali conversando amenidades, o que de repente parece tenso e difícil, como se fôssemos completos estranhos na sala.

O prato principal é veado Wellington: mas não é o animal que abatemos hoje, fico aliviada em saber. Emma é uma cozinheira maravilhosa. O que está diretamente relacionado à sua incrível capacidade de organização, imagino. Ela planejou esta viagem inteira, nos mínimos detalhes. E ela, pelo menos, parece imune a qualquer que seja o espírito estranho que tomou todos os outros: está cheia de vigor e energia enquanto leva o prato até a mesa com um floreio.

— Meu Deus — diz Miranda. — Estou impressionada, Emma. Se você abrir nossa geladeira, em geral vai encontrar apenas uma garrafa de champanhe e um vidro de azeitonas pela metade. Você parece até uma adulta de verdade.

Emma cora de prazer. Só que... não sei se foi um elogio. O comentário de Miranda deu a Emma um ar sem graça, um pouco maçante. Enquanto a própria Miranda parece glamorosa, de uma maneira imprevisível e descolada.

E nem é verdade. Tudo bem, ela não é uma boa cozinheira, mas ela *cozinha*. Só que nunca vai deixar passar uma oportunidade de parecer superior a Emma de alguma forma.

Que vaca. Eu me surpreendo com o pensamento e tento reprimi-lo. O que deu em mim? E, afinal de contas, quem sou *eu* para falar?

Todos aplaudimos e comemoramos diante do prato: o brilho dourado da massa, a perfeição do pedaço compacto de carne.

Corto uma fatia. Está cozido à perfeição: a massa folhada crocante, a carne de veado milagrosamente rosa no meio. Mas, quando a espeto com meu garfo, um pequeno fio de sangue escorre da carne. Penso na corça que matamos hoje, cambaleando até cair de joelhos, o terrível gemido que pareceu ecoar dos picos à nossa volta quando ela tombou, e sinto meu estômago revirar. Coloco um pedaço na boca mesmo assim, e tenho dificuldade para engolir. Por um breve momento de pânico, a comida parece ficar presa no fundo da minha garganta, e acho que vou engasgar. Preciso tomar um grande gole de água para fazer o pedaço descer, o que me faz soltar uma tosse rouca logo em seguida.

Ao meu lado, Samira me dá uma cutucada.

— Você está bem?

Faço que sim com a cabeça. Percebo que Emma se virou para olhar para mim.

— Espero que esteja bom — diz ela.

— Sim — respondo, a garganta ardendo. — Está absolutamente delicioso.

Ela assente, discreta, mas não sorri. Eu me pergunto se ela reparou na dificuldade que tive para engolir: pior, na minha careta de ligeira repugnância ao ver a carne ensanguentada. Mas acho que é mais do que isso. Emma nunca pareceu gostar muito de mim. Já fiz de tudo — de uma maneira perversa, tentei com muito mais afinco do que teria feito se ela gostasse de mim. E deveria ser o contrário, não? Era ela quem deveria fazer um esforço para ser minha amiga. Era ela quem deveria estar em busca de algum tipo de aceitação dos amigos mais antigos de Mark. Certamente se esforçou com Miranda, apesar de Miranda ser uma verdadeira cretina com ela de vez em quando.

É claro que senti um pouco de pena de Emma quando ela se juntou ao nosso grupo. Havia tantas coisas a aprender, tantas piadas internas, tantas histórias. Com Bo foi diferente. O fato de ser americano de alguma forma o diferenciava. Ele era exótico — um nova-iorquino — e, além disso, tinha estudado em Stanford, então não havia exatamente um complexo de inferioridade no caso dele. Ao passo que Emma estudou em Bath, e Miranda sempre parecia determinada em encontrar pequenas maneiras de ser arrogante a respeito de Oxford, de constrangê-la, insinuando que ela não era tão boa quanto o restante de nós. Acho que ela não quer exatamente que Emma se sinta mal; ela só deseja uma espécie de reconhecimento servil de sua superioridade.

Em sua defesa, Emma mal parece notar quando Miranda a ataca. Ela tem uma solidez, uma autossuficiência... Sinto que é uma daquelas pessoas das quais não é difícil virar amiga, porque ela é fácil de lidar, não tem fantasmas do passado... mas não é do tipo que seria minha *melhor* amiga. Ela não parece ter uma camada mais profunda; ou, se tem, esconde muito bem. Agradável, sim, mas talvez também um pouquinho desinteressante. Meu Deus, estou começando a falar que nem Miranda.

— Quer saber? — falei para Emma no réveillon retrasado, quando ela ainda era muito nova no grupo. — Você não deveria tolerar as babaquices da Miranda.

— Como assim? — perguntou ela, de olhos arregalados.

— Como ela fala com você. Ela é assim com todos nós, para ser sincera. Às vezes tenho a impressão de que ela acha que todo mundo foi colocado na Terra apenas para servi-la. — Eu sabia muito bem como era essa sensação. — Eu a amo muito, porque ela tem muitas qualidades, mas essa é definitivamente uma das suas características menos admiráveis. Você não deveria dar corda para essa certeza que ela tem da própria superioridade.

Emma franziu a testa.

— Realmente não me importo, Katie.

Havia uma aspereza em seu tom que eu nunca tinha ouvido.

— Ah, só pensei que...

— Não precisa se preocupar comigo, realmente não me importo — repetiu ela.

E de fato ela não parece se importar. Eu a observo agora, sorrindo para todos, perguntando a Miranda onde ela comprou o vestido. Talvez eu esteja sensível demais, mas às vezes tenho a impressão de que ela apenas me tolera, em nome da harmonia do grupo. Que, sob a superfície, há uma antipatia genuína. Ou o mais próximo de antipatia que alguém como Emma chega a sentir.

É muito desagradável sentir que uma pessoa tão sincera e boa — sim, é exatamente esta a palavra: "boa" — quanto Emma antipatiza com você. Às vezes, nos meus momentos mais paranoicos, eu me pergunto se ela sabe que há algo de errado comigo. Se viu o caráter destrutivo e o egoísmo em mim antes de eu mesma reconhecê-los.

Miranda belisca a comida, separando cuidadosamente o filé da massa folhada, e comendo apenas a metade. Ela sempre foi muito cuidadosa com o peso. O que é ridículo, porque tem um corpo perfeito, pelo menos de acordo com as revistas femininas. Mas me lembro das refeições na casa dela e de sua mãe tirando o prato da mesa antes de ela terminar de comer. "Uma dama", dizia ela, "deixa comida no prato e mantém a cintura abaixo de sessenta e cinco." E eu achava que vinha de uma família problemática. Durante alguns anos, Miranda foi vegana, depois fez uma dieta de jejum intermitente por um tempo. E, além disso, faz todas as aulas de pilates, *ballet barre* e *soul cycle* oferecidas em sua sofisticada academia. Ela é obviamente linda, mas, se quiser saber o que acho, acredito que ficaria melhor se ganhasse um pouco de peso, um aspecto mais suave. Aos trinta e poucos anos, ela já está começando a ter aquele visual encarquilhado e envelhecido das estrelas de Hollywood. Ah, e tenho certeza de que aplicou botox. Seria de se esperar que, como melhor amiga dela, eu soubesse com certeza. Mas ela é estranhamente reservada em relação a essas coisas. O bronzeamento artificial que faz com regularidade, por exemplo: ela aparece em um casamento com um bronzeado de quem passou três semanas em St. Barts. Mas, quando faço um comentário, ela diz algo como "Ah, sim, passei muito tempo no sol nos últimos dias. Fico bronzeada com muita facilidade", e muda abruptamente de assunto.

— Ele é muito atraente, não é? — está dizendo ela agora. — Aquele guarda-caça? Do tipo forte e caladão... Como um personagem de um romance de banca. Tão habilidoso... Eu não sabia que caçar um cervo era tão difícil. E ele é tão *alto*. Vocês não poderiam simplesmente escalar aquele homem?

— Nossa, com certeza — diz Samira, seguido de um "ei!" magoado de Giles.

Mas Miranda mal parece notar que ela disse alguma coisa. Está olhando para Julien. A parte sobre Doug ser "alto" parece uma farpa particularmente afiada. Julien é muitas coisas, mas, se tem uma coisa que ele não é (e nunca será), é alto.

— Um tipo de homem *masculino* — acrescenta ela. — Há algo de quase perigoso nele... Mas isso só o deixa ainda mais atraente. Só de olhar para ele a gente já sabe que o cara seria capaz de consertar qualquer coisa ou de construir um abrigo no meio da floresta. Ninguém mais tem esse tipo de habilidade.

— Sabem o que vocês duas parecem? — diz Giles.

Seu tom é descontraído, mas acho que ele também está um pouco irritado.

— O quê? — pergunta Miranda, toda alegre.

— Duas solteironas desesperadas.

Não deixo de notar os olhares na minha direção — até Nick, francamente. Porque, se tem alguma solteirona desesperada aqui, ela é, bem... esta que vos fala. Eu me concentro em espetar um pedaço perfeito de carne de veado e massa folhada com meu garfo.

— Em nome de todas as mulheres do mundo, acho que você deveria tentar seduzi-lo, Katie — diz Miranda, implacável.

Ela diz só de brincadeira, mas há uma intensidade em seu tom, e eu me pergunto o que isso significa. Ela parece um pouco *exagerada* esta noite: o vestido dourado, o cabelo preso em um penteado meio moicano, o brilho nos olhos, o riso ligeiramente acima do tom.

— E ser assassinada? — diz Giles, rindo. — Bem, é natural perguntar, não é? O que um cara como ele faz sozinho em um lugar como este? Quer dizer, a paisagem é linda, tranquila e tudo o mais por alguns dias, mas deve ser bem estranho morar aqui o tempo todo sozinho. Uma pessoa ficaria maluca, se ainda não fosse.

— Ele não está sozinho — digo. — Tem a mulher do escritório, Heather.

— Sim, mas eles não estão juntos, estão? — diz Miranda. — E ela provavelmente é meio pirada também. Para escolher uma vida assim, a pessoa precisa ser esquisita ou estar fugindo de alguma coisa.

— Para mim ela parece perfeitamente normal — digo. Não sei por que estou defendendo os dois. Não é uma boa ideia discordar de Miranda quando ela está com esse tipo de humor. — E ele parece totalmente inofensivo. E, sim, acho ele atraente.

— Entendi — diz Julien, da mesma maneira pouco convincente que um tio bondoso. — Esse é o seu tipo, Katie?

Sinto que todos me observam, como se eu fosse um espécime no fundo de um frasco. Engulo o pedaço de bife e tomo um longo gole de água, embora anseie por um vinho.

— Talvez.

Ainda é cedo quando terminamos de comer. Emma está se esmerando em manter todos bem servidos de bebida. Ela insiste em se levantar e encher as taças, o que é meio constrangedor, porque parece que ela é nossa garçonete. Apesar de seus esforços, a conversa à mesa parece ter se esgotado. Há uma estranha pausa. O que fazer, com o que preencher o tempo? Com o conforto da noite anterior misteriosamente desaparecido, ficarmos sentados relembrando histórias do passado não parece o suficiente. Lembro a mim mesma que a noite de réveillon é sempre assim, por causa de toda a celebração forçada. Meia-noite — o que não é particularmente tarde em nenhuma outra data — de repente parece um marco distante.

— Eu estava aqui pensando. Sei que é meio adolescente... mas o que acham de brincarmos de Verdade ou Consequência? — sugere Samira.

Há uma mistura de resmungos.

— A gente já passou dos trinta, Samira — diz Nick, erguendo a sobrancelha. — Acho que não estamos mais na fase de Verdade ou Consequência.

— Ah, por favor — retruca Miranda. — Alguns de nós aqui ainda gostam de se considerar jovens.

— E pode ser divertido — acrescenta Emma.

Ela é a única cujo humor não parece ter mudado desde ontem de manhã: continua entusiasmada, corada de prazer pelo sucesso da refeição. Ela se esforçou bastante esta noite — não conseguiu igualar o glamour de Miranda, mas seu vestido tomara que caia cinza-escuro tem seu brilho, e ela passou um batom vermelho-vivo. Combina quase perfeitamente com a manchinha de sangue que ela esqueceu de limpar, logo acima da orelha, junto à linha do cabelo, um vestígio da caçada desta tarde.

Na falta de outras sugestões, todos parecem aceitar que é isto que vamos fazer agora: brincar de Verdade ou Consequência. Na verdade, há um alívio palpável por termos algo concreto para fazer na próxima parte da noite, algo que nos mantenha ocupados.

Nós nos sentamos em volta da mesa. Emma pega uma garrafa de vinho vazia e a gira. A garrafa aponta para Bo.

— Consequência — diz ele.

— Beije Mark — ordena Miranda.

Bo faz uma careta.

— Tenho mesmo que fazer isso?

Mark parece francamente aterrorizado. Mas Bo se inclina, com naturalidade, e cola a boca na dele. E por um momento — um piscar de olhos —, acho que Mark corresponde, sua boca se movendo de um jeito sensual em contato com a de Bo. Até que é excitante. Vejo Nick franzir a testa. Ele também notou.

Todos riem. Mas há uma nova tensão no ar agora, um frisson sexual.

Bo gira a garrafa, que aponta para Miranda.

— Verdade — diz ela com um sorriso ligeiramente vago.

Levando isso em consideração, além de seu olhar preguiçoso e sonolento, dá para ver que ela já bebeu bastante.

— Tudo bem — diz Nick —, tenho uma pergunta. Você já dormiu com mais alguém que esteja ao redor desta mesa?

Miranda ri.

— Se eu já dormi com mais alguém? — repete ela, enrolando um pouco a língua ao dizer "dormi". — Suponho que você queira dizer além do meu marido...

— Isso — diz Nick.

Ele olha para ela com tamanha intensidade que me faz lembrar de um gato observando um pássaro.

— Hum... — Ela coloca um dedo nos lábios (embora da primeira vez erre, tocando no queixo), como se estivesse refletindo. — Acho que nesse caso eu teria que responder... sim.

Há um silêncio de pura perplexidade. Isso não pode ser verdade, ou pode? Se for, nunca fiquei sabendo. Como *eu* não fiquei sabendo? Olho para Julien, mas ele não parece particularmente surpreso. Ele sabe? Quem pode ter sido? Observo com atenção todos os rostos ao redor da mesa, mas nenhuma expressão parece denunciar alguma coisa. Mark? Presumo que ele seja o mais provável, mas acho que teríamos sabido antes, de alguma forma. Mesmo assim, penso nele passando todo aquele tempo na nossa faculdade, esperando para entregar algum recado de Julien a Miranda. Teria havido ali oportunidade.

Miranda dá de ombros.

— Não vou dizer mais nada, então podem girar a garrafa de novo.

— Qual é — diz Samira —, você *tem* que contar.

— É! Você não pode falar isso e não dizer mais nada — reforça Bo.

— Claro que posso — diz Miranda, com um sorriso malicioso. — Respondi à pergunta, contei a minha verdade.

Giles entrega a garrafa a Miranda.

— Muito bem. Próximo.

O brilho nos olhos dela ficou mais intenso. Depois da revelação, parece haver mais em jogo, o ar está carregado. Ela gira, e a garrafa aponta para Mark.

— Consequência — diz ele, quase antes de a garrafa parar por completo.

— Tudo bem. — Miranda pensa por um momento. — Beba.

Ela estende uma garrafa de Dom Pérignon.

— A garrafa inteira? — Emma o encara. — Você não pode fazer isso.

— Esse era o truque que eu fazia nas festas — diz Mark. — Nunca contei a você? Uma garrafa inteira em dez minutos.

Eu lembro. Também lembro da confusão depois. Mark é um daqueles que não deveriam beber. A bebida deixa algumas pessoas emotivas, algumas, beligerantes, outras, irritadas — dá para adivinhar em qual grupo Mark se enquadra.

— Vou abrir — diz Miranda, levantando-se. Ela tira a rolha fazendo cerimônia, certificando-se de tomar cuidado para não derramar nem uma gota. Então caminha em direção a Mark. — Ajoelhe-se — ordena ela, com um ar meio sedutor, meio autoritário. — Abra bem a boca.

Ele obedece, e ela vira a garrafa, sem qualquer aviso ou delicadeza, colocando o gargalo entre os lábios entreabertos dele, que faz um ruído como se estivesse engasgando, mas ela não cede. Na verdade, acho até que vira mais a garrafa com a mão de unhas bem-feitas.

Mark engole o líquido, a garganta trabalhando com agilidade e os olhos lacrimejando, vermelhos, parecendo quase ensanguentados. Julien e Giles o incitam: "Manda ver!" e "Vira, vira, vira..." — reminiscências das festas do time de rúgbi, sem dúvida. Os outros apenas olham.

O nariz dele está escorrendo, como o de uma criança chorando. Ele emite mais daqueles ruídos de engasgo, e por trás desses sons há uma espécie de gemido baixo e animal que faz os pelos dos meus braços se arrepiarem. Por causa de tudo isso, a maior parte da bebida está espumando em seu queixo e encharcando a frente de sua camisa elegante e de sua calça social.

— Pelo amor de Deus — diz Samira —, acho que ele já bebeu o suficiente.

— Ah, por favor — rosna Miranda, ignorando-a completamente. — Beba. Você não está bebendo.

Penso em como as bolhas do champanhe são densas, em como é doloroso beber de um só gole até mesmo uma taça.

É uma cena horrível de se ver, parece uma imitação grotesca de um ato sexual. Mas, por algum motivo, é ao mesmo tempo impossível desviar o olhar e fazer qualquer coisa para acabar com aquilo. Os outros homens pararam de incitá-lo agora, seus cantos diminuindo até virarem um silêncio desconfortável. Até Emma fica imóvel, não emite som algum para incentivar o namorado. Ficamos sentados olhando, como se estivéssemos atordoados, hipnotizados por aquele espetáculo obsceno.

Finalmente, a garrafa se esvazia. Devagar, quase com relutância, Miranda a ergue. Dá um tapa no vidro, e mais algumas gotas caem, uma delas atingindo o olho de Mark em uma humilhação final, a culminância do insulto.

Mark está ofegante, com ânsia de vômito, curvado, as mãos nos joelhos. Por um momento horrível, parece que ele vai pôr tudo para fora. Samira, a companhia mais próxima, coloca a mão em suas costas para reconfortá-lo. Ele a repele com um movimento brusco dos ombros. Esperamos, em silêncio, para ver como aquilo vai terminar. Por fim, depois do que parece um longo tempo, Mark levanta a cabeça. Abre um sorriso fraco e pouco convincente e ergue uma das mãos, como um vencedor. Ele deve saber, sem dúvida, que tudo o que acabamos de testemunhar não foi de maneira algum uma vitória *sua*. Ainda assim, há um suspiro coletivo de alívio. Os outros comemoram. Era uma brincadeira! Ha, ha, Miranda, como você é cruel. Mark, parabéns, cara!

Quando Mark vai girar a garrafa, sua mão está tremendo.

Eu parecia prever o que ia acontecer. O gargalo aponta para mim.

— Consequência — digo.

Eu não queria uma consequência: todo mundo sabia que as consequências que Miranda inventava sempre foram horríveis. Mas prefiro praticamente qualquer consequência a uma verdade neste exato momento.

— Mark? — pergunta Samira, virando-se para ele. — Alguma ideia?

Mark põe a mão na garganta e tenta falar, mas o que sai é apenas um chiado rouco. Ele faz que não com a cabeça e passa sua vez.

— Tudo bem — diz Miranda, de maneira pragmática, pelo visto nem um pouco preocupada por ter sido a causa daquela humilhação. Ela faz uma conchinha com a mão, se aproxima de Emma e sussurra em seu ouvido. Meu Deus, parece que estamos na escola. Como Emma pode ser tão cordial com Miranda depois do que ela acabou de infligir ao seu namorado? Mas talvez estejamos realmente fingindo que era apenas diversão e brincadeira, que não havia a intenção, e de fato não se fez, nenhum mal.

Emma assente.

— Ou — diz ela, sussurrando algo no ouvido de Miranda.

Bo começa a rir.

— Vocês não vão compartilhar com a gente?

Emma nega com um gesto de cabeça para ele com uma expressão alegre. Miranda nem se dá o trabalho de olhar em sua direção. Ela está olhando diretamente para mim. Sinto um arrepio percorrer meu corpo.

— Entre no lago — diz ela. — Dez segundos, totalmente submersa.

Eu a encaro. Ela não pode estar falando sério.

— Miranda, a temperatura lá fora está abaixo de zero. A superfície está congelada.

— É — reforça Nick. — Miranda, ela vai morrer congelada.

Espero que Samira também me apoie. Mas ela tem o olhar perdido e a testa franzida, como se sua mente estivesse em outro lugar.

Miranda sorri, alegremente, e faz que não com a cabeça.

— A gerente me disse que dá um mergulho no lago quase todos os dias, até no inverno. Além disso, a gente vai esperar você com uma toalha. Você vai ficar bem, Katie.

Eu a encaro. Não consigo acreditar que ela vai realmente me obrigar a fazer isso. Mas seus olhos estão vazios, inexpressivos.

— Vamos — diz ela, com um leve aceno de incentivo. — Tire a roupa.

Tantas vezes na escola Miranda foi minha defensora: insultando as garotas que tentavam me atacar. Mas havia outro lado também. Miranda, a que praticava bullying. Quando queria, ela era muito mais cruel do que qualquer vadia da nossa sala. Era raro, mas acontecia. De uma hora para outra. Só para me lembrar quem estava no comando.

Tenho uma lembrança em particular — uma daquelas impossíveis de deixar para trás, por mais que se tente. Nono ano. No vestiário antes do treino de hóquei. Uma das garotas, Sarah, estava reclamando porque a treinadora não a tinha liberado das atividades, apesar de ela estar no primeiro dia da menstruação.

— Ela disse que vai ser "bom" para mim, que vai melhorar. Mas eu sei que não vai. Não é justo.

As outras assentiram e murmuraram palavras de solidariedade.

Então lembrei que tinha uma caixa de paracetamol na mochila: peguei e ofereci a ela. Sarah era uma das menos cruéis da turma. Às vezes nos sentávamos juntas, nas aulas que eu não tinha com Miranda, é claro. Ela olhou para mim e sorriu enquanto pegava os comprimidos.

— Obrigada, Katie.

Senti um calorzinho se espalhar pelo peito.

E então a voz de Miranda, clara como água:

— Mas acho que a Katie não entende, já que ela nem ficou menstruada ainda.

Todas as outras garotas se viraram para mim, chocadas, fascinadas, me encarando como se eu fosse exatamente o que me sentia: uma aberração. Era um sinal, eu estava certa disso, de que havia algo definitivamente errado comigo. Quatorze anos e nada de menstruação. Eu tinha contado isso a Miranda em caráter estritamente confidencial. Na hora ela me tranquilizou, disse que tinha certeza de que, no geral, eu não estava tão atrasada assim para a minha idade.

Mas depois usou isso para me humilhar. Como uma forma de me manter sob controle.

Está fazendo a mesma coisa agora.

Isso é um absurdo. Tenho trinta e três anos. No trabalho, estou rodeada de pessoas que me respeitam e confiam em mim. Tenho responsabilidades. Sou uma advogada brilhante, na verdade — e sei disso —, nunca deixo o outro lado vencer. Não vou permitir que ela me humilhe dessa forma.

Tudo bem, penso, olhando para Miranda. Continuo no jogo e dobro a aposta. Como se fosse a coisa mais comum do mundo, tiro o vestido e fico parada diante deles apenas com minhas roupas íntimas. De alguma maneira, consegui estar com roupas íntimas interessantes: seda amarela, detalhes de renda. Novas. Vejo que as sobrancelhas de Miranda se erguem um milímetro. Ela estava esperando peças bege surradas, imagino, para aumentar ainda mais a humilhação. Eu me pergunto se eles notaram minha barriga. Talvez ela possa ser explicada pelo inchaço pós-jantar. Mesmo assim, eu me curvo um pouco enquanto atravesso a sala sem olhar para nenhum deles e abro a porta da frente.

Porra. Está ainda mais frio do que antes, se é que isso é possível. Tão frio que dói. Sinto minha pele retesando. Não posso pensar, senão não vou conseguir. Tenho que ser dura como aço, minha melhor e mais forte versão. A água fica a poucos metros, no fim do caminho. Parece negra como tinta. Mas consigo ver pequenos fragmentos claros de gelo, finos como gaze, na superfície. Vou em direção ao lago e simplesmente continuo entrando conforme a água cobre meus tornozelos, minhas panturrilhas, minha barriga; em seguida, afundo até ficar com água no pescoço. O frio é inacreditável. Parece que estou me afogando, embora minha cabeça esteja acima da superfície. O frio força todo o ar para fora dos meus pulmões; estou respirando muito rápido, mas tenho a sensação de que não consigo inspirar. E então me controlo, finalmente. Eu me viro e encaro todos eles, que me observam, parados na margem. Todos me incentivando e gritando, exceto Miranda. Ela apenas me observa.

Eu a encaro enquanto ando na água. *Odeio você*, penso. *Odeio você*. Não me sinto mais culpada. *Você merece tudo que está acontecendo.*

Emma

Pego uma toalha para Katie no banheiro da sede. Ela está com tanto frio que seus dentes batem, produzindo um som parecido com o de alguém sacudindo dados na mão. À luz da sala de estar, seus lábios estão azulados. Mas os olhos são a parte mais perturbadora. Conheço esse olhar, é o de alguém prestes a explodir. Já o vi em Mark, naquele dia no hipódromo.

— Eu odeio ela — diz Katie, em um sibilo. — É sério, eu odeio ela. Não acredito que ela me obrigou a fazer isso. Você não conhece Miranda de verdade, Emma, então talvez não entenda o que eu estou falando. Você não sabe do que ela é capaz.

Na verdade, acho que a conheço muito melhor do que você vive tentando sugerir. Quem esteve ao lado dela ultimamente, quando você sumiu da face da Terra? E eu certamente sei do que *você* é capaz, Katie Lewis.

Não digo nada disso, claro, apenas trinco os dentes e sugiro:

— Que tal uma taça de champanhe? Vai ser bom para aquecer, não acha?

— Não. Não quero taça de champanhe nenhuma. Além disso, o seu namorado não bebeu tudo?

Ela cospe as palavras. Olho para ela. Nunca a vi assim. Na verdade, não sei nem se já vi Katie com raiva.

— Olha, Katie, tenho certeza de que não foi a intenção dela. Ela bebeu muito e achou que seria engraçado.

— Foi muito perigoso, porra — rosna ela. — Você tem ideia de como a água está gelada?

— Ah, Katie. Um novo ano está prestes a começar, 2019. *Um ano completamente novo.* Tente esquecer isso. Tenho certeza de que todos nós fizemos coisas das quais não nos orgulhamos nos últimos tempos.

Eu a encaro, apenas o suficiente para que ela reflita. Ela engole em seco e em seguida abaixa a cabeça, como se estivesse entregando os pontos.

— Na verdade, só quero que todos se divirtam — digo. — Venho planejando isso há muito tempo.

— Sim — responde ela, sentindo-se repreendida. — Eu sei. Me desculpe, Emma.

Eu a levo até o banheiro e a convenço a vestir novamente a roupa. De repente, ela fica obediente como uma criança.

Encontro um disco qualquer e o coloco na vitrola, pondo no volume máximo. É Candi Staton, "You've Got the Love". A minha música preferida. É como se fosse obra do destino.

E tem o efeito desejado. Todo mundo começa a dançar. Até Katie — embora meio desanimada.

Miranda já está muito bêbada a esta altura. Mas ainda dança melhor do que qualquer outra pessoa aqui, balançando-se no meio da sala, o vestido dourado incandescente com a luz. Eu me levanto para dançar com ela, imitando seus movimentos, e ela abre um grande sorriso para mim. Então, seu sorriso vacila, hesita.

— O que houve?

— Isso é tão *estranho*... — Ela, falando meio arrastado, estreita os olhos. — Mas tenho a sensação de que tudo isso aconteceu antes. Você já sentiu algo assim? Jurar que se lembra de um exato momento ter acontecido no passado?

É típico de Miranda, coitada, achar que *déjà-vu* é uma experiência que somente ela vivenciou.

— Já — respondo. — Algumas vezes.

— É essa música... — Ela franze a testa. — Estou falando sério. Sei que já dançamos ao som dessa música em algum lugar. Você não tem a sensação de que tudo isso já aconteceu?

Ela olha para mim com uma expressão questionadora. Não sei o que dizer, então começo a rir. Para ser sincera, ela está me assustando um pouco. Fico aliviada quando ela avista Julien por cima do meu ombro.

— Julien — diz. — Venha dançar comigo.

Ela estende os braços para ele, as mãos tateando seus ombros.

Ele faz a vontade dela por alguns minutos, balançando com obediência no ritmo da música, com as mãos nos quadris dela, embora haja uma curiosa falta de intimidade na postura dos dois. Mais do que qualquer outra coisa, ele parece entediado. Mas tudo faz sentido agora, é claro.

De repente, todos parecem muito bêbados. Tenho a sensação de que sou a única ainda no controle das faculdades mentais — além de Katie, talvez. Mark tirou a cabeça do cervo da parede e está andando pela sala com ela, usando-a como uma máscara, fingindo atacar as pessoas. Percebo agora como ele está bêbado depois de ter virado aquela garrafa, seus movimentos sem qualquer coordenação. Samira solta um gritinho — algo entre o riso e o terror verdadeiro — e se afasta dele, deixando-se cair em um dos sofás.

— Mark — grito —, coloque isso de volta no lugar.

Mas ele não me ouve. Ou me ignora. Quando ele está assim, não tem como argumentar.

Giles, enquanto isso, está passeando pela sala, bebendo champanhe direto da garrafa. Como se tomado por uma inspiração repentina, ele coloca o polegar no gargalo e começa a sacudir a garrafa furiosamente, como um piloto de Fórmula 1. Em seguida, tira o dedo e aponta para Julien, que se curva sob o jato — uma fonte de champanhe —, levando um banho na frente de sua camisa e de sua calça. Mas uma boa parte erra o alvo e encharca o tapete de pele de carneiro, o tecido caro do sofá...

— Parem... — berro, correndo na direção deles. — Parem!

Mas eles estão completamente alheios. Em sua embriaguez, parecem de alguma forma maiores do que são de verdade; suas ações, mais grandiosas, mais dramáticas. Então Julien pula em cima de Giles, pegando-o pela frente da camisa e puxando-o para baixo; a camisa se rasga, os botões voam por toda parte e aterrissam com pequenos tinidos. Mark se vira e olha para os dois. Ele larga a cabeça do cervo, como uma criança que avistou outras se divertindo com brinquedos melhores, e dispara até os dois, como se não quisesse ficar de fora, agarrando-os pelo pescoço. Os três cambaleiam, se debatem e em seguida tombam. A queda, bem em cima da mesa de centro de vidro da sala, causa um estrondo. Os dançarinos — Miranda, Nick, Bo e Samira — param o que estão fazendo e olham para eles. Observo quando o vidro se parte ao meio, lentamente, e em seguida se estilhaça em fragmentos que se espalham por toda parte. Os três emergem, atordoados.

— Ah, merda — diz Giles. E em seguida ri.

— Não tem problema — diz Julien com a voz arrastada. — Não se preocupe, Emma... — Ele procura por mim. — Eu pago. — Ele estica os braços. — Eu pago por tudo isso. — Estende a mão para Mark, que de alguma forma conseguiu ficar de pé. — Me ajude a levantar, cara.

Mark pega a mão dele e o puxa. Então, quando Julien está quase de pé, Mark o solta, e ele cai novamente no chão. Eu me pergunto se fui a única a reparar que não foi um acidente.

— Foi mal, cara — diz ele.

Julien está olhando para ele, tentando rir. Mas vejo que seus olhos estão cheios de intensidade, quase negros.

Está tudo dando terrivelmente errado. Olho ao redor, para os destroços da sala, a mesa de jantar lindamente arrumada, que parece estar zombando de mim. Isso não é nada parecido com o que planejei. Então, no relógio da parede, vejo a hora. Quase choro de alívio.

— Ei — grito, colocando as mãos em concha ao redor da boca para reverberar o som, sabendo que isso provavelmente vai chamar atenção deles. — Já é quase meia-noite!

Miranda

Lá fora, cambaleamos até a beira do lago. Julien está curvado — acho que ele deve ter se machucado nas brincadeiras com Giles e Mark. Eles quebraram uma mesa, pelo amor de Deus — parecem crianças. Katie ainda está enrolada em um grande cobertor de lã. Não é possível que ela *ainda* esteja com frio. Ela sempre foi frágil demais. Mesmo assim, me sinto muito mal pelo meu comportamento. Não em relação a Mark — ele estava merecendo aquilo, desde ontem à noite. Mas Katie, na verdade, não tinha feito nada para mim além de estar um pouco distante e não muito animada. Às vezes, esses impulsos me dominam, o desejo de levar as coisas um pouco mais longe... Até mesmo o desejo de machucar. Não consigo me conter, parece uma compulsão.

Eu gostaria de dizer alguma coisa para Katie. Pedir desculpa, talvez, mas não encontro as palavras. O champanhe bateu muito forte. Minha respiração embaça o ar, mas não consigo sentir frio, envolta em minha pequena manta de álcool. Eu me sinto entorpecida. Esqueci que já tinha bebido muito vinho antes do champanhe. Meus pensamentos estão embaralhados, minha mente, confusa. Talvez fosse melhor vomitar.

A contagem regressiva para a meia-noite começa.

— Um minuto! — grita Emma, olhando para o relógio.

Observo as estrelas. O ano novo. O que será que ele me reserva?

— Trinta segundos!

Olho para os outros. Todos sorriem, mas seus rostos, sob à luz projetada pela sede, parecem estranhos, espectrais, e seus sorrisos lembram rosnados.

Mark está parado com mais uma garrafa de champanhe. Ele não olhou na minha direção uma única vez desde o Verdade ou Consequência. Estou acostumada com os olhos dele em cima de mim. Não sinto falta disso, claro que não. Mas ao mesmo tempo, parada aqui, no escuro, tenho a sensação de ser invisível... de estar sem amarras... como um balão que de repente pode sair flutuando para o céu estrelado.

— Vinte segundos... — Os outros iniciam a contagem. — Dezenove, dezoito...

Subitamente, isso me incomoda. Parece a contagem regressiva para algo terrível, a explosão de uma bomba. Imagino as luzinhas vermelhas piscando.

— Cinco, quatro, três, dois...

— Feliz Ano-Novo! — gritamos mecanicamente.

Na beira do lago, Giles tenta acender um isqueiro.

— Cuidado! — grita Samira, sua voz alta e estridente.

— Vai logo! — grito, tentando afastar o mau pressentimento. — Estamos esperando!

Por fim, Giles parece conseguir acendê-lo. Ele cambaleia para trás. Logo depois, há um chiado animador seguido de um zunido, e um grande foguete vermelho irrompe do chão, com um som que se assemelha a um grito, e explode sobre o lago. A água reflete a explosão: mil fagulhas minúsculas. É lindo. Tento me concentrar, mas está tudo girando. O silêncio que se segue é tão... pesado. A escuridão ao nosso redor é tão densa, como se eu pudesse estender a mão e tocá-la. Se estivéssemos em Londres — ou em qualquer lugar próximo da civilização, aliás —, poderíamos ver todos os outros fogos de artifício espocando ao nosso redor. Lembrando-nos da existência de outras pessoas, outras vidas. Mas aqui estamos totalmente sozinhos.

Ainda ouço na cabeça o ruído do fogo de artifício. Mas já não soa igual, parece uma pessoa. E tenho a impressão de que não tinha nada a ver com fogos de artifício. Foi mais como um sinalizador. S.O.S. Disparado do convés de um navio naufragando.

Julien volta para junto de nós.

— Não é exatamente como os fogos de artifício de Westminster — diz ele.

— Mas quem quer Westminster, com todos aqueles corpos suados imprensados, quando se pode ter isto? — pergunta Emma. — Este lugar — continua, abrindo os braços — e melhores amigos.

Ficamos de braços dados e ela sorri para mim, um sorriso de verdade, afetuoso. Tenho vontade de abraçá-la. Agradecer pela existência de Emma.

E então ela começa a cantar — e sua voz é surpreendentemente afinada. Tento acompanhá-la.

Deve um velho amigo ser esquecido
E nunca mais se pensar nele?
Deve um velho amigo ser esquecido
Nos bons e velhos tempos.

Tudo bem, eu sei que já bebi muito, mas juntas aqui, no escuro e no silêncio, nossas vozes ficam lindas, e há algo de vulnerável nesse som. As árvores ao redor são muito densas e escuras. Qualquer um poderia estar nos observando enquanto realizamos esse pequeno ritual juntas.

Acho que deve ser todo esse álcool que está fazendo com que me sinta tão... estranha. Há um estampido alto, e eu tenho um sobressalto. Mas é só Nick abrindo outra garrafa de champanhe. Ele serve várias taças. Quando passa uma para Katie, observo seu rosto, e sua expressão me provoca um arrepio. O que há de errado com ela? Não pode ser tudo por causa do mergulho no lago, será? Ela nem sequer olha para a taça de champanhe, que escorrega de sua mão.

— Opa! — diz Bo, pegando-a. — Essa foi por pouco!

Nick ergue a taça.

— Aos velhos amigos!

Ele olha para mim quando diz isso. Não sei por quê, mas desvio o olhar e abaixo minha taça.

Há um silêncio estranho. Ninguém parece saber o que fazer em seguida. A paisagem ao redor continua silenciosa. Sinto meu estômago dar uma cambalhota desagradável; o chão parece se mover sob meus pés. Uau. Estou *realmente* bêbada.

— Temos que nos beijar — diz Samira. — Cadê os beijos? — Ela se estica e dá um beijo na bochecha de Julien. — Feliz Ano-Novo!

Mark se vira para mim. Não quero que ele me beije. Quando se aproxima, eu me abaixo, de forma que seus lábios apenas roçam minha orelha. Noto um lampejo de irritação, até mesmo de raiva, no rosto dele. Penso em seus olhos ontem à noite, na ameaça em seu tom de voz.

Eu me viro para Julien. Deste ângulo, seu rosto está totalmente imerso nas sombras. Não consigo distinguir suas feições nem sua expressão: vejo apenas o brilho escuro de seus olhos. Quando me aproximo para beijá-lo — na boca, claro —, tenho a sensação de que ele também é um estranho. Esse homem com quem passei tanto tempo da minha vida, com quem compartilhei uma casa e uma cama, ao lado de quem dormi quase todas as noites. Como é preciso pouco, apenas algumas sombras, para nos tornarmos desconhecidos uns para os outros. Uau. O álcool sempre me inspira reflexões profundas.

— Feliz Ano-Novo — digo.

— Feliz Ano-Novo — repete ele.

E não tenho certeza, mas acho que ele se vira um pouco quando vou beijá-lo, de forma que meus lábios tocam o canto de sua boca. Da mesma maneira que fiz com Mark.

Nick está do meu outro lado.

— Nick! — digo, com uma alegria forçada. — Feliz Ano-Novo mais uma vez! Venha cá. — Estendo os braços; ele aceita meu abraço. Está com um cheiro maravilhoso, como o balcão de uma perfumaria de luxo. — Por que nunca fomos melhores amigos, Nick? — pergunto, demonstrando uma carência ridícula.

Eu não queria dizer isso em voz alta.

Ele se afasta e coloca as mãos nos meus ombros: para todos os outros, poderia parecer um gesto carinhoso, mas ele olha bem nos meus olhos e diz:

— Ah, Miranda, acho que você sabe a resposta para essa pergunta.

É a forma como ele fala: tão baixo, quase um sussurro, de maneira que ninguém mais possa ouvir. Subitamente, sinto um frio que não tem nada a ver com o ar gelado. Dou um passo para trás.

Bebo mais um pouco. Em seguida *muito* mais, enquanto os outros continuam a celebrar ao meu redor. Quero entrar no clima de novo e me livrar desse sentimento. Uma espécie de medo, no fundo do estômago, de alguma forma mais profundo do que qualquer coisa que eu tenha sentido ontem à noite. Sinto como se estivesse agarrada na beira de um penhasco e meus dedos estivessem escorregando lentamente, lentamente, e abaixo de mim houvesse... o vazio, a perda de tudo... tudo de importante.

Bo se aproxima.

— Você está legal?

Ele é sempre o primeiro a perceber quando alguém não está bem. É porque ele é uma pessoa mais quieta, que observa, enquanto o restante de nós está ocupado em fazer alvoroço. E é gentil. Totalmente diferente de Nick, com toda a sua aspereza.

— Estou — respondo.

— Quer beber um copo de água?

Sei que ele diz que preciso de água porque estou bêbada, mas, para falar a verdade, estou me sentindo um pouco estranha.

— Tudo bem.

Sigo seus passos até a cozinha e observo em silêncio conforme ele enche um copo para mim na torneira.

— Obrigada. Acho que vou ficar aqui um tempinho, se não se importar.

— Tudo bem... — diz ele, hesitando.

— Pode ir! — interrompo, enxotando Bo.

— Ok. — Em seguida, movendo o dedo indicador como um professor: — Mas volto daqui a pouco se você não reaparecer.

— Tudo bem. — E então me lembro de dizer: — Obrigada, Bo.

— Imagine, querida. O número de vezes que já me ajudaram da mesma forma... Devo muito ao universo.

— Mas, Bo, não sou nenhuma viciada — afirmo, sem conseguir me conter. — Só exagerei no champanhe.

Ops. Eu não queria dizer isso.

Algo em seu rosto se transforma, seus olhos se estreitam até quase se fecharem. Nunca vi Bo assim antes. Sempre achei que deveria haver outra pessoa dentro dele: alguém mais sombrio. E, pelo que Katie me contou certa vez, alguém capaz de comportamentos extremos. É como se ele estivesse usando uma... máscara, e eu tivesse acabado de ver o que há por trás dela. De repente, me sinto um pouco mais sóbria.

— Me desculpe, Bo. Não tive a intenção... Não sei o que deu em mim. Bebi demais. Por favor... — digo, estendendo a mão para ele.

— Tudo bem — responde ele, de modo mais suave.

Mas não pega minha mão.

Espero Bo sair e em seguida apago a luz. Deixo minhas pernas desabarem embaixo de mim como uma cadeira dobrável e fico sentada no chão. Vou apenas descansar um pouco, até ficar sóbria... O que há de errado comigo? Como fui capaz de dizer aquilo para *Bo*, logo ele, que estava tentando me ajudar?

Uma vez Katie me disse que eu era "descuidada".

— Você diz as coisas sem pensar — afirmou ela —, sem medir as consequências. O problema é que as pessoas que não a conhecem podem achar que você está falando sério.

Ela me conhece muito bem. Mas acho que nem ela sabe como eu me odeio depois que faço um desses "comentários descuidados". Como, em Oxford, eu ficava deitada na cama de manhã, após uma noitada, e pensava, pensava, pensava em como tinha me comportado, em tudo que tinha dito e feito.

— Todo mundo se apaixona por você — me disse Samira certa vez. — É inevitável.

Mas, sempre me perguntei: será que realmente gostam de mim?

Vou apenas fechar os olhos, só por um minuto...

Sou acordada pelo som de uma voz: baixa, urgente.

— Miranda?

É a voz de um homem, pouco mais que um sussurro rouco, como se ele não quisesse ser ouvido. Quem será?

— Julien? — Semicerro os olhos em meio às sombras.

A escuridão me deixa confusa. A distância, ouço o ressoar de vozes... percebo que são os outros. Minha cabeça roda.

Ele se aproxima e, finalmente, descubro quem é. Nunca o vi assim. Há uma expressão estranha em seu rosto, quase ameaçadora.

Doug

Ele está sentado na poltrona em seu chalé. De tempos em tempos, pega a garrafa e se serve mais uma dose de uísque. Seu objetivo é beber até perder os sentidos, ou se anestesiar, embora sua mente ainda mantenha uma lucidez obstinada.

Véspera de Ano-Novo. Mais um ano chega ao fim. Dizem que o tempo é o melhor remédio, mas em sua experiência isso não adiantou muito. Acontecimentos de seis meses atrás são um borrão — os dias se misturam aqui, com pouca coisa que os diferencie além das estações que mudam lentamente. Mas aquele episódio em seu passado — já faz três anos agora — é tão claro como se tivesse acontecido um dia antes, uma hora antes.

Do lado de fora da janela, há uma explosão. Ele sente o corpo inteiro se enrijecer com o choque; quase se atira no chão, o coração dando a impressão de querer saltar para fora do peito. Então ele se dá conta do que é. Um fogo de artifício. Ele odeia fogos de artifício. Depois de tantos anos, ainda provocam esse efeito nele.

O dia em que a vida muda para sempre. Alguém percebe quando está se aproximando? Doug definitivamente não percebeu. As semanas tinham sido monótonas. Uma rotina estava se estabelecendo, assumindo a normalidade possível em um lugar como a província de Helmand. Todos os homens tinham relaxado, talvez até ficado meio descuidados. É impossível não passar por isso, mesmo que tendo sido treinado para se manter sempre alerta. Quando é necessário passar quatro dias seguidos mais "ligado" do que o corpo humano foi projetado para ficar, é impossível não "desligar" quando o nível de ameaça diminui.

Era uma incursão de rotina. Tão rotineira quanto uma ronda policial. Apenas para verificar se tudo estava como deveria. Os homens patrulhando a rua, ele no alto de um prédio, dando cobertura. Doug era um dos dois atiradores de elite; eles se revezavam, alternando turnos, para que estivessem sempre muito alertas, e aquele era o turno dele.

Os homens estavam logo abaixo, virando a esquina nos caminhões blindados, quando o observador gritou para ele. Uma criança pequena — um garotinho — vinha correndo da outra ponta da rua. Tudo ficou paralisado, a não ser pela pequena figura que corria. Doug percebeu que o garoto parecia... volumoso. Vestia uma jaqueta muito maior do que o tamanho dele. E corria bem na direção dos soldados. Ele devia ter apenas cinco anos. Não era nem mesmo um garoto de fato ainda, tinha acabado de sair da primeira infância. Mas Doug pensou imediatamente: bomba. Ele sabia o que tinha que fazer. Ajustou a mira no visor. Acompanhou o garoto. O dedo no gatilho. Ele estava pronto. Mas queria uma visão melhor para identificar alguma ameaça real. Além da jaqueta volumosa, não conseguia ver qualquer evidência concreta de bomba.

Ele tinha talvez dez segundos. Então nove, cinco, três. O observador gritava, mas era como se ele estivesse submerso na água: seu cérebro e seu corpo pareciam ter desacelerado. Ele não conseguia atirar.

E então tudo explodiu. Os homens. Os caminhões. Metade da rua. Tudo, no exato segundo em que ele finalmente conseguiu exercer a pressão necessária no gatilho.

A terapeuta que o atendeu disse que sua reação tinha sido completamente compreensível — que era uma situação complexa demais. E, no entanto, isso não o ajudava a explicar para si mesmo o que tinha acontecido, nem para as famílias dos homens mortos que o visitavam à noite. É por isso que ele não dorme: porque, enquanto está acordado, não precisa ver o rosto deles nem responder a seu interrogatório silencioso. Mas, ultimamente, as faces começaram a aparecer até mesmo nas horas de vigília. Ele as vê se aproximando no meio da paisagem. Tão reais que jura que poderia estender a mão e tocá-las.

É por isso que ele se sente um homem de sorte por ter esse emprego. Em qualquer outro, talvez não fosse capaz de esconder esse comportamento. Alguém perceberia que ele estava agindo de forma estranha, o denunciaria, e seria o fim. Mas aqui não há ninguém para fazer isso. Há Heather, no escritório, mas ela mantém distância e talvez também tenha coisas a esconder. Por que outra razão uma mulher nova e bonita de trinta e poucos anos moraria sozinha em um lugar como aquele? Ele não pergunta os motivos dela, e ela, por sua vez, não pergunta os dele. É um acordo tácito.

Ele teve sorte de o patrão não se importar com a outra questão, apesar de ter sido obrigado a informá-la em sua ficha de inscrição para o trabalho.

— O patrão não liga para isso — disse o homem de terno que o entrevistou. — Ele quer que você sinta que pode recomeçar do zero aqui.

Recomeçar do zero. Quem dera.

Ele liga a TV e imediatamente se arrepende. A única coisa que o aparelho mostra, é claro, são milhares de rostos felizes: famílias abraçadas nas margens do Tâmisa, os olhos iluminados por fagulhas vermelhas e douradas enquanto assistem à queima de fogos. Ele se pergunta o que Heather estará fazendo no chalé dela. Ele viu as luzes acesas tarde da noite. Sabe que ela também tem dificuldade para dormir.

Poderia ir até lá, com a garrafa de uísque, como já pensou em fazer em mais noites do que gostaria de admitir. Pensa naquela noite, quando ela abriu a porta e deu de cara com ele — ao ouvir o som. Ele se lembra de tudo, a imagem nítida em sua mente: o rubor nas bochechas de Heather, o cabelo escuro despenteado, o pijama grande demais a engolindo. Ela perguntou se ele queria entrar — e em seguida corou ao perceber como o convite poderia ser interpretado. Ele recusou, é claro. Mas imaginava como seria se tivesse aceitado. Imaginava muitas outras coisas também, nas horas lúgubres e insones da madrugada, quando via a luz acesa no chalé dela. Imaginava-se empurrando-a na parede, as pernas dela envolvendo sua cintura, o gosto de sua boca... Ele não vai até lá. Nem esta noite, nem nenhuma outra. Uma pessoa como ele tem o dever de ficar longe de alguém como ela. Ela não merece a catástrofe que ele representa.

Esse tipo de vida está vedado para ele agora. Ele se inclina para a frente, na direção do fogo. Estende a mão e, com o olhar frio de um cientista, a coloca nas chamas, onde a pele tosta como um bife.

PRESENTE

2 de janeiro de 2019

Heather

Doug está parado à porta, franzindo a testa.
— Pode entrar, Doug. Feche a porta.
Ele para diante da mesa, elevando-se sobre mim.
— Doug. Eu não devia ter feito isso, mas preciso confessar uma coisa. Fiz uma pesquisa na internet a seu respeito e descobri sobre o processo judicial.
Ele não diz nada; não tira os olhos do chão.
— O que aconteceu? — *Me explique*, penso. *O que você fez. A violência. Me ajude a entender.*
Mas não sei se ele vai conseguir explicar. Não vejo como pode haver alguma maneira de explicar o que aconteceu.
Ele respira fundo e começa.
Doug estava com os amigos em um bar em Glasgow, cerca de três meses depois de passar meio ano em uma missão no Afeganistão. Tinha bebido um pouco além da conta, ou melhor, muito além da conta, mas estava se sentindo à vontade e relaxado pela primeira vez em muito tempo. E então um cara se aproximou.
— Ei — disse ele. — Estou reconhecendo seu rosto. Conheço você de algum lugar.

— Acho pouco provável.

Ele mal olhou para o cara.

— Não, tenho certeza — disse o homem, e em seguida pegou o celular e procurou alguma coisa no aparelho. Mostrou a tela. Facebook, uma foto dele em Helmand. — Meu melhor amigo, Glen Wilson. Eu sabia. Este aqui é você, não é? Na foto com ele. Eu sei que é você.

Ele mal conseguiu olhar para a foto.

— Já que você diz — ironizou, sentindo a cerveja ácida no estômago, ainda apenas tentando fazer com que o cara fosse embora. Talvez isso apaziguasse os ânimos dele. — Devo ser eu.

— Então você esteve lá? — perguntou o homem, muito perto de Doug.

— Sim, estive. Eu conhecia o Glen. Era um cara legal.

Na verdade, não era. Não um dos melhores — estava sempre se metendo em brigas —, mas não se deve falar mal dos mortos. E ele conhecia muitos mortos.

— Você estava no regimento dele?

O rosto do homem, fedendo a cerveja, estava quase colado no dele. O sujeito falava alto demais. Havia uma tensão belicosa em sua expressão, os ombros rígidos. Doug sentiu o interesse das pessoas em torno deles despertando ao fundo, a atração irresistível do confronto. *Tem alguma coisa acontecendo.*

— Sim — respondeu ele, tentando manter a prudência, falar com calma, para se contrapor ao tom de voz do homem. A terapeuta tinha ensinado a ele alguns exercícios respiratórios que podia tentar usar. — Estava.

— Mas não consigo entender — disse o cara, sorrindo, só que não era um sorriso, estava mais para um rosnado. — Achei que todos do regimento tivessem morrido. Achei que eles tivessem sido cercados e explodidos pelo Talibã.

Doug fechou os olhos. *Era Al-Qaeda, na verdade.*

— Eles foram. A maioria...

— Então, como você conseguiu escapar, hein, parceiro? Olha para mim, estou falando com você. Como é que está aqui, são e salvo, bebendo uma porra de uma cerveja, *parceiro*? Enquanto meu melhor amigo está morto lá nas Arábias? Pode me explicar?

Ele sentiu algo crescendo dentro de si. Algo perigoso, saindo rapidamente do controle.

— Não tenho que explicar nada para você. Parceiro.

Tentou inspirar pelo nariz, expirar pela boca. Não parecia estar funcionando.

O homem deu mais um passo à frente.

— Ah, mas eu acho que tem, sim. E a gente tem a noite toda. Não vou a lugar nenhum até você me explicar tudo, cada maldito detalhe. Porque eu amava aquele cara como um irmão. E, do meu ponto de vista, quer que eu diga o que parece?

— O quê? — Doug se controlou; ainda lutava contra o sentimento que crescia. — O que parece?

O sujeito o cutucou com força bem no meio do peito.

— Parece que você é um covarde de merda.

Foi nesse momento que a névoa o engoliu: a névoa vermelha de que falam, embora tenha sentido mais como uma inundação. Na verdade, era o sentimento mais legítimo que tinha em meses. Uma sensação de que era ele mesmo, algo que não sentia desde os bons dias no começo da missão no Afeganistão.

Ele pulou no homem e o agarrou pela gola da camisa.

— Qual é o seu nome?

O homem engoliu em seco, mas não disse nada.

— Qual é o seu nome, *rapaz*? Desaprendeu a falar?

O homem tinha feito uma espécie de ruído distorcido e gutural, e Doug percebeu que na verdade estava segurando a gola da camisa com tanta força que ele não conseguia pronunciar uma palavra. Ele relaxou infinitesimalmente a pressão, e rugiu no rosto do homem:

— Qual é o seu nome, porra?

Os amigos do cara, pelo visto, não estavam interessados em ajudá-lo.

— Que belos amigos que você tem, hein?

Doug olhou para eles. Tinha a sensação de que seria capaz de enfrentar todos, se necessário, e se perguntou se eles também sabiam disso.

— É... É Adrian.

— Bem. Deixe-me dizer uma coisa, *Adrian*. Acho que você não deveria se intrometer no que não entende. Não tenho que me explicar para ninguém, muito menos para um imbecil como você. O que faz da vida?

— Eu sou... é... é... contador.

— Muito bem. Contador.

Ele deu uma sacudida no cara, que soltou um gemido. Não podia se dar aquele trabalho, percebeu; de repente se sentia apenas cansado e sóbrio. A inundação estava baixando. Aquele homem não valia sua energia. Ele o soltou.

— Faça um favor a si mesmo, e a todas as outras pessoas, e pare de se meter em coisas que nunca vai entender. Ouviu bem?

Não houve resposta. O homem estava massageando o pescoço. Mas fez que sim com a cabeça, duas vezes.

A mão de Doug doía. Ele a flexionou. Não estava orgulhoso do que acabara de fazer, mas pelo menos tinha conseguido se controlar. Foi então que ele ouviu, à meia voz:

— Covarde de merda.

Nesse momento ele perdeu a cabeça, de acordo com as testemunhas oculares — e havia muitas, porque o bar estava lotado. As testemunhas disseram achar que ele estava tentando matar o sujeito. A polícia teve que arrancá-lo de cima dele. Adrian Campbell. Esse era o seu nome completo. Houve circunstâncias atenuantes, até certo ponto. Campbell tinha um histórico de envolvimento em brigas e de perturbação da ordem pública. Havia a natureza do insulto, associada ao contexto de sua condição, anteriormente não diagnosticada: transtorno de estresse pós-traumático, o que significava que ele não era totalmente responsável pelas próprias ações.

Ele sabia que não tinha sido bem assim. Como era de se esperar, seu advogado o aconselhou a não mencionar isso no tribunal. A sentença foi duzentas e cinquenta horas de serviço comunitário e as sessões com a psiquiatra. No que dizia respeito a essa última parte, ele achava que provavelmente teria preferido ficar na prisão.

— Tudo bem — digo ao fim do relato de Doug.

Mas não está tudo bem de verdade. Eu não estou bem. Não sei como me sentir a respeito disso. Por um lado, a história, apesar de toda a violência, tem um tipo estranho de lógica. Ele estava sofrendo de transtorno de estresse pós-traumático e tinha sido cruelmente provocado. Pelo que contou, o homem fez o possível para acabar com a paciência dele, incitando-o de todas as maneiras. Acho que isso, pelo menos, fornece algum contexto para as coisas horríveis que li na internet. Mas há uma vozinha que também diz: *Você está atraída por esse homem, por mais que não queira. Logo, está tentando desculpar o indesculpável.* Porque o relato franco, até mesmo impessoal, que ele deu do incidente demonstrou exatamente do que ele é capaz. De maneira muito mais realista do que qualquer uma daquelas reportagens sensacionalistas.

O que o patrão achava ao me empregar aqui com um colega de trabalho que tinha feito uma coisa daquelas eu não sei, mas aí já é outro assunto. O que importa saber é: isso torna Doug capaz de matar aquela hóspede? Não, claro que não. Pelo menos... provavelmente, não. Espero que não.

A não ser, é claro, que ela o tivesse provocado.

UM DIA ANTES

1º de janeiro de 2019

Emma

A festa à beira do lago perdeu força de repente. Giles disse que ia dar uma olhada em Priya, Katie foi buscar outro suéter. Está muito frio para ficar aqui fora por muito mais tempo.

— Droga — xinga Bo. — Miranda ainda não voltou. Aposto que ela apagou. Ela me disse que queria ficar sozinha... mas, para ser sincero, não estava muito bem.

— Deixa ela — retruca Nick. — Talvez seja bom ela dormir um pouco.

— Não sei, ela parecia bem mal... — diz Bo.

— Eu vou — digo.

Está escuro e muito silencioso quando entro na sede, tanto que de início imagino que Miranda não deve estar aqui. Então ouço as vozes. Algo me faz parar; há uma intimidade na escuridão da sala que me faz achar que não deveria perturbá-los. Uma das vozes é baixa, rouca, quase um sussurro. A outra está embriagada, beligerante.

— Eu tinha que dizer a verdade. Óbvio. Era Verdade ou Consequência.

— Não, não tinha. Você sabe que não. Fez isso só para me irritar.

Uma risada, afiada e maldosa.

— Acredite ou não, Giles, mas não pensei em você nem uma *única* uma vez.

— Ótimo, exatamente. Você não pensou. Você não pensa. E o Julien?

— Ah... Ele não vai ligar. Uma vez eu disse a ele que tinha dormido com Katie, só para deixá-lo excitado. Ele tem meio que uma fantasia de "estudantes safadinhas" sobre nós duas. Relaxe. Ela *nunca* vai adivinhar que foi você, Giles.

— Não sei se você percebeu, mas não há muitos candidatos aqui. Não é preciso ser um gênio. Samira sabe que estávamos no mesmo grupo de estudos.

— Ah, pelo amor de Deus. Não sei por que você está fazendo todo esse drama. Foi há um milhão de anos, porra.

— Mas não foi o suficiente para que você nos fizesse o favor de esquecer essa história durante a droga da brincadeira. Se Samira descobrisse sobre nós, mesmo que tenha acontecido há muito tempo, seria muito, muito ruim. Ela teve muitos problemas depois que Priya nasceu, mais do que você imagina. E sempre suspeitou, sempre achou que pudesse ter acontecido alguma coisa. Que tenho uma queda por você. O que é completamente ridículo, claro.

— Será mesmo? — diz Miranda. — Hein, Giles? E aquela festa?

— Pelo amor de Deus, claro que é. O que você está tentando insinuar? Não olhe para mim desse jeito. Olhe só, todo mundo já bebeu demais. Acho que está na hora de todos irmos para a cama. Eu *sei* que você não vai contar nada. Só fiquei preocupado por um segundo... no meio daquela brincadeira idiota.

— Não, acho que eu não contaria. Mas não posso prometer. Talvez seja bom para o seu casamento... Um pequeno teste. Talvez seja revigorante para todos nós. Mostrar que vocês não são tão perfeitos quanto acham que são.

— Pelo amor de Deus, Miranda. — Ele está praticamente sibilando agora.
— Sabe o que eu acho? Que um dia desses você vai acabar indo longe demais.

Então, de repente, ouço um gemido: um som profundo e animal.

— Ah, pelo amor de Deus — repete Giles.

Miranda está de quatro, com seu vestido dourado, vomitando no chão.

Giles a observa, impassível. Ele não se parece em nada com o sujeito que conheço, o marido e pai atencioso, o médico que salva vidas em um hospital. Eu esperaria que esse homem se ajoelhasse, segurasse o cabelo dela. Acabo de ver um outro lado dele esta noite.

Então ele se vira, subitamente, antes que eu tenha tempo de me esconder, e seu olhar encontra o meu.

Miranda

Quando acordo, está muito escuro e silencioso. Por um momento, não tenho ideia do lugar onde estou. Tateio para me orientar. Minha primeira impressão é de me sentir absolutamente deplorável, como se minhas entranhas e minha garganta tivessem sido esfregadas com palha de aço. O gosto que sinto na boca é amargo, pungente. O que há de errado comigo? Será que estou doente? Procuro um interruptor e acendo a luz.

Ah. A luz me traz de volta ao ambiente conhecido. De maneira implacável, os acontecimentos da noite retornam à minha memória. O excesso de bebida. A necessidade de me provar como A Vida e a Alma da Festa. Giles me abordando com sua paranoia. Bem, talvez ele não esteja *totalmente* paranoico. Eu sei que Samira sempre teve suas suspeitas. E não me orgulho do que fiz naquela ocasião... Foi depois de uma noite de bebedeira no pub com nosso grupo de estudos, e eu já sabia que ela gostava dele, mas, pelo amor de Deus, foi antes de eles começarem a sair. Para ficar chateada com algo *assim* a pessoa tem que ser sensível demais, francamente. Se tem alguém que precisa se preocupar, esse alguém sou eu. Afinal, *já estava* com Julien na época.

Ah, meu Deus, e agora me lembro de vomitar na frente de Giles, os olhos dele em mim o tempo todo, como se parte dele desejasse que eu engasgasse com meu próprio vômito. Quando chegou, Julien parecia apenas cansado, vagamente enojado. Não: eu não estava tão bêbada a ponto de não me lembrar disso.

Eu me olho no espelho acima da penteadeira. Pensei que estava linda com meu vestido dourado. Ou melhor, eu *sabia* que estava linda. Mas é como se eu tivesse acordado em um universo paralelo. Agora o vestido está amassado e manchado, e minha maquiagem (eu estava usando muita, tem sido necessário ultimamente) penetrou nas rugas em torno dos olhos e da boca, que ontem eu poderia jurar que não eram tão profundas. Eu me afasto da luz e penso em Blanche DuBois, encolhendo-se diante de lâmpadas. É isso que vou me tornar? Existe algo mais triste do que uma mulher que um dia foi bonita perder a beleza?

Por alguma razão, há uma música tocando sem parar na minha cabeça. "You've Got the Love", de Candi Staton. E há algo nela que me incomoda, embora eu não consiga identificar exatamente o quê. Que nem ontem à noite, quando alguém disse alguma coisa desconcertante. Quem foi? E o que essa pessoa disse mesmo?

Pelo menos estou um pouco menos bêbada agora. Já devo ter livrado meu organismo da maior parte do álcool. Não tenho ideia das horas. Mas Julien ainda não voltou — então a festa ainda deve estar rolando. Sou tomada por um súbito medo de ficar de fora, diante do pensamento de eles terem continuado a festejar sem mim. Não acredito que apaguei. Preciso me recompor, voltar lá para fora. É o que se espera de mim, afinal. Sigo cambaleando até o banheiro, passo um pente no cabelo, jogo um pouco de água no rosto e tento, sem muito sucesso, ajeitar a maquiagem borrada em volta dos olhos. Escovo os dentes: já é alguma coisa, pelo menos. Que horas são? Verifico o relógio. Quatro da manhã. Uau, eles realmente aproveitaram a noite, então. Sinto aquela pontada de novo ao pensar na diversão que devo ter perdido. Sempre fui — e sempre me orgulhei de ser — a vida e a alma da festa. Foi isso que Julien disse em nosso casamento: "Eu amo você", olhando para mim, olhando nos meus olhos, "porque você é a vida e a alma da festa." "E por algumas outras razões, espero", respondi e comecei a rir. Ele sorriu. "Claro." Mas guardei essa expressão. Eu me lembro do jeito como ele olhou para mim quando disse isso, e não consigo abandonar esse aspecto da minha personalidade. Bem, vou mostrar a ele agora.

Abro a porta do chalé. O frio me atinge como um tapa. Reúno toda a minha coragem para enfrentá-lo. Há luzes acesas, só que não na sede, como eu tinha imaginado a princípio; na sauna. Sinto uma pontada de ressentimento — eles poderiam ter ido até o chalé me perguntar se eu queria ir junto. Eu queria muito ver como era a sauna.

Vou escorregando e deslizando pelo caminho congelado, passando pela sede. Todas as luzes ali estão apagadas, a não ser por uma única lâmpada na sala de estar. Só consigo distinguir Mark dormindo em um dos sofás. Houve outra baixa esta noite, então. Sinto-me um pouco melhor por saber que não fui a única.

Há um cheiro que reconheço das viagens para esquiar: um frescor quase metálico. Eu me lembro do alerta de Doug. Não seria maravilhoso se estivéssemos todos sentados na sauna, admirando o lago, e começasse a nevar? Tão pitoresco... Seria uma bela lembrança desta noite, uma lembrança que apagaria minha confusão.

Quando me aproximo, ouço um som estranho que me faz parar na mesma hora. Um som animal. Algo entre um grito e um gemido. Parece ter vindo daquela direção, do bosque que fica atrás da sauna. Estou arrepiada enquanto corro para a sauna: ela agora representa um refúgio naquele grande e selvagem ambiente a céu aberto.

Quando estou a poucos metros da porta, ouço o som novamente, e dessa vez hesito. Porque agora tenho quase certeza de que o barulho não veio das árvores lá atrás, mas de dentro da própria sauna.

PRESENTE

2 de janeiro de 2019

Heather

Vou até o banheirinho ao lado do meu escritório para jogar um pouco de água fria no rosto, em uma tentativa de clarear a mente depois de tudo que acabei de descobrir sobre Doug.
 Estou secando o rosto quando ouço algo, vozes murmurando. Um homem e uma mulher. São dois dos hóspedes, tenho certeza, mas não consigo identificar quais. Em grande medida porque, aos meus ouvidos, todos têm a mesma voz: típicas de pessoas do sul, de classe média, arrogantes.
 O homem fala primeiro.
 — Se eles descobrirem, estou ferrado.
 — Por que eles descobririam? — pergunta a mulher.
 — Tem um bilhete.
 Sinto um frio na espinha e me aproximo da parede o mais silenciosamente possível. Claro! O corredor para a porta dos fundos passa ao lado da minha sala. Alguém pode ir até lá para ter uma conversa privada e nem imaginar que há um espaço aqui, porque o banheiro só pode ser acessado pela minha sala.
 — O bilhete? — pergunta a mulher, com um tremor de incredulidade. — Você não destruiu?

— Não... Não parei para pensar. Eu estava muito apavorado com todo o resto. E não sei onde está agora...

Há um longo silêncio, durante o qual tenho quase certeza de que a mulher está tentando pensar em maneiras de evitar repreendê-lo. *Que tipo de bilhete?*, eu me pergunto. Um bilhete de suicídio? Parece improvável; até onde eu sei, é muito difícil estrangular a si mesmo.

— O importante — diz a mulher, com calma — é que você não teve nada a ver com a morte dela. É o que importa. Eles vão conseguir ver isso.

— Será que vão? — pergunta ele.

A voz dele se eleva, ganhando um tom estridente e apavorado. Em seguida, volta a um murmúrio, mais baixo do que antes: acho que ela lhe pediu que não falasse tão alto. Pressiono a cabeça com mais força na parede.

— Quando descobrirem as outras coisas sobre mim, quando concluírem que tipo de pessoa eu sou...

Há um estrondo repentino. Dou um pulo para trás, confusa, e percebo que, na minha ânsia de ouvir, acabei derrubando o quadrinho com uma cena de caça pendurado na parede ao meu lado, e ele caiu no chão com uma impressionante explosão de vidro se espatifando.

As vozes, é claro, silenciaram. Quase dá para senti-los, parados ali, do outro lado da parede, petrificados pelo choque — quase sem respirar. Com a maior discrição possível, volto para a minha sala.

UM DIA ANTES
1º de janeiro de 2019

Miranda

A cena com a qual me deparo dentro da sauna é absurda. Fico tão atordoada que sinto uma estranha vontade de rir. Lembro, na infância, quando nosso gato foi atropelado. Quando minha mãe nos contou, a primeira reação do meu irmão foi: "Ha!" Fiquei tão chocada que dei um tapa nele. Mas minha mãe explicou que era uma simples reação ao trauma. O cérebro sofre um curto-circuito e fica incapaz de compreender o que aconteceu.

Eis o que vejo: meu marido, agachado no chão da sauna. Acima dele, vejo Katie. Minha melhor amiga, a mais antiga. Completamente nua. As pernas abertas, a cabeça dele enterrada entre elas. Minha amiga sem graça, sem peito e de coxas grossas, com a cabeça jogada para trás em êxtase. Os pés dela estão entrelaçados nas costas dele. E enquanto assisto à cena, ele estende o braço e acaricia o mamilo daquele seio minúsculo que ela tem. Isso é demais para mim. Não dá para ignorar.

— Que nojo.

Eles ficam paralisados. Então, ambos, lentamente, se viram e olham para mim. Julien — ah, *pelo amor de Deus* — limpa a boca com o dorso da mão. De início, suas expressões são nulas, enquanto eles tentam compreender o que estão vendo. Sinto-me inundada por uma onda de horror, como um veneno entrando na corrente sanguínea. Olho para a tina de carvão quente e por um segundo me sinto tentada — realmente tentada — a pegar a pá e atirar uma carga de pedras escaldantes em cima deles.

É tudo completamente absurdo. Meu marido e minha melhor amiga. Não pode ser verdade. Quase espero que ambos de repente abram um sorriso e se parabenizem pela peça que pregaram em mim, como fizeram na festa surpresa do meu aniversário de trinta anos. Mas seria bastante difícil explicar uma brincadeira como essa.

— Ah. Ah, meu Deus — exclama Katie.

— Pensei que você estivesse dormindo — diz Julien. — Deixei você no chalé. Você estava apagada... — E então, talvez percebendo como é ridículo acusar a mulher de não estar onde ele achava que estava enquanto era traída, diz: — Ah, meu Deus, Miranda. Ah, merda. Me desculpa, por favor. Não é... Não é o que parece.

E agora eu realmente começo a rir, uma gargalhada de bruxa malvada que só faz com que eles pareçam ainda mais amedrontados. Ótimo. Quero que eles fiquem com medo.

— Não se atreva a voltar para o chalé — digo a Julien. — Sinceramente, não me importa onde você vai ficar. Pode ficar com ela, não dou a mínima. Mas não quero ver a sua cara. Não chegue perto de mim.

Eu me surpreendo com a calma em meu tom: com o contraste entre o meu eu interior e o exterior.

— Precisamos conversar...

— Não, não precisamos. Não quero falar com você nem olhar na sua cara por um bom tempo. Talvez nunca mais.

Ao dizer isso, percebo que estou falando sério. Fiquei furiosa com ele por causa do lance do tráfico de influência — no início cogitei, brevemente, me separar. Mas nunca considerei essa opção *de verdade*. E agora isso... Isso é diferente.

Ele balança a cabeça, em silêncio. Não consigo olhar para Katie.

— Não acredito que desperdicei tanto tempo com você. Com vocês dois.

E então algo me ocorre, algo quase terrível demais para verbalizar. Mas tenho que dizer, tenho que saber. Eu me viro para Katie, ainda sem olhar diretamente para ela.

— Você não bebeu. No trem. Eu vi. Você estava com uma taça de vinho, mas não bebeu. Você não está bebendo nada, na verdade.

Silêncio. Ela vai me fazer falar em voz alta. Vejo, mesmo agora, como ela se encolhe em sua nudez. Tentando esconder de mim: o que eu vi antes, quando ela estava apenas de calcinha e sutiã, mas não consegui entender naquele momento, porque estava muito bêbada, porque não fazia sentido. Não é uma barriguinha saliente. Katie não é o tipo de pessoa que tem barriguinha saliente.

— Você está grávida. — Como ela não responde, repito, mais alto: — Você está grávida. Diga, pelo amor de Deus. Você está grávida. É dele. Ah, meu Deus.

Vejo a boca de Julien se abrir. Então ele ainda não sabe. É uma pequena vitória, pelo menos, ver como ele fica chocado.

— Manda — diz Katie. — Foi um acidente...

Levanto a mão para que ela se cale. Não vou chorar na frente deles. É a única coisa em que consigo pensar. Miranda Adams nunca chora.

— Vocês se merecem — digo, enquanto o sofrimento e a raiva percorrem meu corpo como ácido.

A gravidez consegue ser muito pior do que o caso propriamente dito. A sensação de roubo é muito maior. É como se Katie a tivesse tomado de mim. Aquela coisa dentro dela deveria ser o *meu* bebê.

— Vou pegar o primeiro trem de volta para Londres amanhã — digo, e fico orgulhosa porque há apenas um indício de tremor em minha voz. — Preciso resolver algumas coisas. Corrigir umas coisas... Um segredo que guardei por tempo demais. Julien, imagino que você saiba do que estou falando.

Seus olhos se arregalam.

— Não, Miranda. Você não faria isso.

Mas eu faria.

— Ah, não? — Abro um sorriso; sei que isso vai deixá-lo ainda mais nervoso. — Você acha que me conhece muito bem. Ora, até poucos minutos atrás, eu também achava que conhecia você. Mas parece que eu estava errada. Então quem garante que me conhece tão bem assim? Quer descobrir como, na verdade, não sabe nada de mim?

— Vai destruir você também.

Coloco a mão nos lábios, fingindo ponderação. Estou quase gostando disso, de fazê-lo sofrer. É uma ligeira compensação.

— Na verdade, acho que não. Vou explicar tudo a eles, como você tentou me enganar no começo. Vai ser meio constrangedor, é verdade, e imagino que eu sofra uma pequena penalização por não ter feito isso antes. Mas não sou eu quem vai perder o emprego. Não sou eu quem vai preso. Vai ser você, caso não esteja claro. É você quem vai para a cadeia.

Seus lábios estão crispados.

— É um crime bem grave, não é? Ainda mais neste mundo pós-crise do crédito. Você acha que algum júri hesitaria em condená-lo? Você é um banqueiro ganancioso e filho da puta. Bastaria uma olhada para essa sua cara arrogante e eles diriam ao juiz para trancafiá-lo e jogar a chave fora.

Nem sei se nos julgamentos por uso de informações privilegiadas há um júri, mas ver a expressão no rosto de Julien — o medo — já é o suficiente. Katie parece totalmente perplexa. Então essa é uma intimidade que ele não compartilhou com ela. Garota de sorte.

Ele vem na minha direção novamente, e dessa vez levanto as mãos para impedir que suas palavras cheguem até mim e me afetem. Para mostrar a ele que não vou baixar a guarda.

— Isso arruinaria nós dois, Manda.

A versão curta e afetuosa do meu nome — como se ele achasse que poderia me comover.

— Nunca mais me chame assim. E, se você se refere ao que estou imaginando... Sim, quando eu pedir o divórcio, imagino que vá sobrar menos para mim, depois que eles acabarem com você. Mas pelo menos terei a consciência tranquila.

E terei me vingado.

Katie

Então eis A verdade. A que eu nunca poderia ter arriscado contar na brincadeira.

Tinha sido uma semana muito longa. Eu tinha virado duas noites no escritório. Na verdade, eles têm umas salinhas chamadas "cápsulas-dormitório" onde podemos descansar por algumas horas. Não — caso você esteja se perguntando —, isso não é a empresa cuidando de seus funcionários, é apenas para mantê-los por perto, para extrair deles o máximo de trabalho possível. Minha mente estava entorpecida. O caso tinha sido encerrado, eu ia para casa — só que não havia nada esperando por mim lá além de uma geladeira com um pouco de leite azedo, se eu tivesse sorte, e uma vista privilegiada mas nem um pouco inspiradora do mesmo quilômetro quadrado onde eu me matava de trabalhar todos os dias. E silêncio. O silêncio de uma mulher solteira sem nada para lhe fazer companhia, além de uma ou duas garrafas de vinho.

Eram dez horas. Tarde demais para ligar para alguém e inventar algum programa. Quando eu tinha vinte e poucos anos, as chances de isso acontecer eram maiores. Mesmo que as pessoas estivessem ocupadas, invariavelmente eu arranjava algo de última hora para fazer. Uma festa na casa de alguém — Samira estava sempre dando festas —, uma noite em uma boate com Miranda ou um grande jantar com o pessoal. Agora todos tinham planos que envolviam um número menor de pessoas, geralmente duas ou quatro, e que eram organizados com antecedência, sem espaço para um intruso de última hora. Talvez eu pudesse ter ligado para Miranda, mas não sabia se tinha energia para lidar com ela. Com toda aquela perfeição. Para ela me transformar em um de seus projetos, como sempre fazia — como sempre fez — e me dizer o que havia de errado na minha vida.

Então eu poderia ir para casa e tomar minha garrafa de vinho no meu apartamento vazio, ou poderia ir a um bar e talvez conhecer alguém para levar para casa. Esse era meu plano B para as noitadas, as festinhas e os jantares dos nossos vinte anos. Acho que, de certa forma, era mais eficiente: pelo menos não era preciso conversar.

Das duas opções disponíveis, a segunda era infinitamente mais atraente. Eu poderia convidar alguém, e haveria vida e barulho naquele apartamento por algumas horas. Então entrei em um dos lugares que frequentava, perto da catedral de St. Paul. O barman me conhecia tão bem que foi me servindo uma taça grande de Pouilly-Fumé antes mesmo de eu me sentar — o que é gentil ou deprimente, dependendo de como você encara as coisas.

Eu me acomodei junto ao balcão do bar e esperei que alguém me abordasse. Geralmente não demorava muito. Nunca vou ser bonita como Miranda, é claro. Isso me deprimia. Não é fácil crescer à sombra de uma amiga como ela. Mas ultimamente, talvez depois de completar trinta anos, descobri que tenho algo que parece intrigar os homens — minha própria atração particular.

Havia algumas pessoas no bar: prováveis grupos de colegas de trabalho e uma ou outra pessoa que marcou encontro pelo Tinder, mas o lugar não estava lotado. Era apenas terça-feira, não exatamente um dia de cair na farra. Talvez eu estivesse com excesso de confiança nas minhas chances. Havia apenas um homem sentado junto ao outro balcão do bar, perpendicular a mim. Eu tinha notado sua presença só de relance quando me sentei, embora ele não tivesse levantado a cabeça, e eu na verdade não tivesse olhado de fato para ele. Dava para perceber, mesmo com base apenas no contorno difuso em minha visão periférica, que ele era "um tanto jovem" do mesmo jeito que eu sou "um tanto jovem", e atraente. Não sei como eu sabia disso sem olhar, devia ser algum sentido animal. E esse mesmo sentido me dizia que havia alguma coisa nele que o deixava abatido, curvado.

E então nós dois levantamos a cabeça ao mesmo tempo, para chamar atenção do barman. E tive um choque ao ver quem era.

— Julien?

Ele pareceu surpreso em me ver também. Suponho que talvez não devesse ter sido tão surpreendente assim, considerando que nós dois trabalhamos no centro financeiro da cidade. Mas mesmo assim há milhares de bares e milhares de pessoas, e, de qualquer jeito, eu imaginaria que Julien estivesse em casa com Miranda. Foi uma das primeiras coisas que perguntei para ele.

— Cadê a Miranda? — perguntei sem emitir som.

Nunca tivemos muita coisa em comum, essa era a questão, a não ser Miranda.

— Em casa — respondeu ele da mesma maneira.

E então ele fez um gesto indicando que estava indo se sentar ao meu lado. Fiquei metade satisfeita, metade desanimada. Agora eu definitivamente não iria para casa com ninguém; depois que o nosso papo acabasse e ele tivesse voltado para Miranda, eu estaria cansada demais para começar qualquer coisa com outra pessoa.

Ele veio se sentar ao meu lado. Quando se aproximou para puxar o tamborete, senti o cheiro de sua loção pós-barba, um toque refrescante de gim-tônica, e me lembrei de como, vinte minutos antes, quando ainda achava que era um estranho, tive a impressão de que ele talvez fosse bonito. E ele *era* bonito. Eu sabia disso — tinha reparado na época em que ele e Miranda começaram a sair, é claro —, mas em algum momento parei de pensar sobre. Agora era como se o visse novamente com clareza. Era uma sensação estranha.

— O que você está fazendo aqui? — perguntei.

— Eu poderia perguntar o mesmo a você — rebateu ele.

O que, claro, não era uma resposta.

Eu disse a ele que tinha acabado de encerrar um caso.

— Então, acho que podemos dizer que estou comemorando.

— Cadê os outros? Seus colegas? Eles estão aqui?

Eu não podia exatamente responder: *Eles foram para outro bar, e eu só socializo com eles se não tiver como evitar.* Então respondi:

— Em casa, todos cansados demais para pensar em sair.

— Então você decidiu comemorar sozinha?

— Tipo isso.

— Não é meio solitário?

Havia uma estranha tensão entre nós. Acho que era a consciência de que nos conhecíamos havia dez anos e, de repente, estávamos nos dando conta de que não sabíamos nada um do outro. Nós literalmente não passávamos de dois conhecidos. Precisávamos de Miranda para dar sentido à conexão entre nós. Ambos estávamos bebendo bem rápido, na tentativa de dissipar o desconforto. Nem percebi que tinha terminado minha bebida quando ele perguntou:

— Mais uma?

— Ah, pode ser.

Eu me sentia lisonjeada. Ele estava gostando da minha companhia.

— Cadê a Miranda? — perguntei de novo.

— Você já me perguntou isso. — Ele disse isso de um jeito um tanto insinuante.

— Sim, mas então por que você está aqui sozinho? — Minha resposta foi igualmente insinuante.

Ah, meu Deus, eu estava flertando com o marido da minha melhor amiga?

— Só passei para tomar um drinque rápido.

O álcool me deu coragem para dizer:

— Então estou aqui, bebendo com o marido da minha melhor amiga? Estamos parecendo dois adolescentes matando aula ou algo assim. — Era para ser um comentário bobo, espontâneo, mas teve o efeito inevitável de tornar o que estávamos fazendo uma conspiração da qual Miranda tinha sido excluída. Bebi um longo gole do meu vinho.

— Se soubesse, ela com certeza ficaria com ciúme — disse ele. E então acrescentou rapidamente: — Eu sei que ela sente a sua falta. — Ele sorriu, mas havia algo triste e cansado em seus olhos; não combinavam com o sorriso. — Olha — continuou, um pouco mais sério —, para ser sincero, eu precisava de um pouco de tempo para mim.

— O que houve? — perguntei. Eu estava preocupada, mas ao mesmo tempo sentia aquela ínfima pontinha da satisfação que às vezes tínhamos ao ouvir os problemas dos nossos amigos. Tudo a respeito da vida de Miranda e Julien parecia impecável, maravilhoso. Eu disse isso a ele. — O que pode haver de errado? Vocês são perfeitos.

— Ah, claro — disse ele, com um sorriso melancólico. — Perfeitos. É exatamente o que somos. Perfeitos para cacete.

Houve uma pausa incômoda. Eu não conseguia pensar em nada para falar.

— Você está querendo dizer... — Procurei uma maneira de formular a frase. — Você está querendo dizer que... as coisas não estão muito bem entre vocês? Miranda não me disse nada.

Era verdade, não tinha me dito nada. Mas fazia bastante tempo que não nos víamos. Tínhamos nos falado rapidamente algumas vezes, mas sou um desastre ao telefone: algo que sempre dificultou bastante minha adolescência. Além disso, por causa do trabalho, eu quase não tinha tempo livre — e, quando sobrava algum, era tarde da noite, ou de manhã bem cedo, horários em que duvido que Miranda tivesse apreciado uma ligação. Senti uma súbita onda de culpa. Ela havia me perguntado várias vezes no último mês se eu estava livre, e tínhamos marcado de nos encontrar, mas eu havia cancelado no último minuto por causa de uma crise repentina no caso.

— Os problemas não são exatamente conosco — disse ele. — É um pouco mais complicado. Acho que seria mais correto dizer que o problema é comigo. Algo assim. Fiz uma coisa horrível. — Ele viu minhas sobrancelhas se erguerem. — Não... Não é isso. Eu não traí a Miranda. Eu me envolvi em uma coisa bem ruim. E agora não consigo mais sair.

— E a Miranda não sabe?

— Não... Ela sabe. Tive que contar a ela, porque envolvia nós dois. Ela tem sido... — Ele franziu a testa. — Acho que ela tem sido muito generosa. Compreensiva. Apesar de tudo. Mas às vezes eu a pego olhando para mim, e ela parece muito decepcionada. Como se não fosse isso que ela queria para a vida dela. Está tudo um pouco confuso.

Ele enrolou a língua ao dizer "confuso", e me perguntei quanto ele já devia ter bebido antes de começarmos a conversar.

— Quer falar sobre isso?

Ele balançou a cabeça.

— Não. Quer dizer... na verdade, eu gostaria, mas não posso.

— Por que não? — Então me contive. — Desculpe, acho que já bebi demais. Isso foi indelicado da minha parte. É só me mandar calar a boca.

— Por favor, não. — Ele abriu aquele sorriso melancólico de novo, tão diferente do brilho expansivo e encantador de sua expressão habitual. Eu preferia o primeiro; era mais real. — Gosto de conversar com você. Não é engraçado? A gente se conhece há tantos anos. Quantos, dez?

— Onze — corrigi.

Junho de 2007. Foi quando dei de cara com ele saindo do nosso banheiro.

— E mesmo assim nós dois nunca conversamos de verdade.

— Acho que não.

— Bem, vamos beber mais alguma coisa e conversar. De verdade.

— Eu...

— Ah, vai. Por favor. Senão, vou ficar aqui bebendo sozinho, e essa talvez seja a coisa mais deprimente do mundo. — Ele se conteve, sem dúvida lembrando que era exatamente o que eu estava fazendo antes. — Desculpe, não quis dizer...

— Tudo bem — falei.

Ele tinha razão. Mas beber em casa era pior. Meu apartamento vazio, minha geladeira vazia e a vista vazia: o mar de prédios de escritórios, o centro financeiro — o lugar que devorava todo o meu tempo, o que significava que minha vida também era vazia.

A ideia de voltar para casa fez minha pele se arrepiar de repente. *Eu preferia continuar bebendo com ele*, pensei. Mas havia algo estranho naquilo, em estar em um bar com o marido de Miranda sem que ela soubesse. E... estranhamente agradável também, o que talvez fosse o pior de tudo.

— Está bem — falei.

Que se dane.

— Ótimo. — Ele sorriu, e senti algo dentro de mim dar uma cambalhota. — Vai querer o quê? — E então, antes que eu pudesse responder: — Já sei. Vamos tomar uísque. Você gosta? — Sem esperar pela minha resposta, ele se virou para o barman. — Vamos querer o Hibiki. — Ele sorriu. — Você vai gostar. É japonês, vinte e um anos.

Nunca bebo uísque. Para falar a verdade, quase nunca bebo destilados — posso beber uma garrafa de vinho sozinha praticamente sem sentir, mas destilados são outra história.

O uísque foi direto para a minha cabeça. Mas isso não é desculpa para o que aconteceu em seguida.

Miranda era obviamente um assunto delicado. Então acabamos falando sobre todo o resto. Descobri que Julien era um interlocutor muito melhor do que eu imaginava. Eu sempre tinha pensado nele como um cara charmoso, superficial, o que escondia um vazio interior. Falamos sobre Oxford, sobre como a vida era fácil naquela época, apesar de acharmos que estávamos trabalhando tão pesado quanto jamais faríamos no resto da vida.

Conversamos sobre o meu trabalho — ele tinha lido um pouco sobre o caso no qual eu estava atuando. Pela primeira vez, não me vi com dúvidas, imaginando que ele estivesse perguntando só por educação, enquanto esperava que Miranda o salvasse ou que alguém mais interessante aparecesse. Ele estava virado para mim, seus joelhos apontando para os meus. Um especialista em linguagem corporal teria dito que todos os sinais eram muito positivos. Ou muito negativos, dependendo do ponto de vista. Mas eu ainda não estava pensando nisso. Ou, se estava, deixei esses pensamentos de lado. Eram ridículos, não?

Conversamos sobre o dia em que nos conhecemos (ele não se lembrava da ocasião anterior, no Baile de Verão, e eu era orgulhosa demais para corrigi-lo), quando ele saiu do banheiro enrolado na toalha.

— Lá estava eu, seminu, e lá estava você, toda elegante — comentou ele.

Fiquei surpresa ao ouvir isso; sempre pensei que ele achava que eu era apenas a amiga mais feia e mais chata de Miranda. Elegante. Percebi que aquela palavra ficaria na minha mente por um bom tempo.

— Isso é tão legal — disse ele a certa altura. — Não é? Simplesmente bater um papo. Como é que a gente nunca fez isso antes?

Seu hálito estava carregado de uísque, é verdade, mas mesmo assim senti suas palavras me aquecendo. E percebi que ele não era tão arrogante quanto sempre supus — nem tão perfeito, é claro. Talvez os anos tivessem tirado um pouco do viço dele, e eu não tivesse parado para notar. Ou talvez ele sempre tivesse sido assim. De qualquer forma, eu nunca o tinha visto tão gentil e tão humilde. O meu eu sóbrio poderia ter indicado que tudo isso provavelmente era apenas o famoso carisma de Julien em ação. Mas o meu eu bêbado estava gostando muito.

Porque em algum momento me dei conta de que nós dois estávamos muito bêbados.

— É melhor eu ir para casa — falei, embora percebesse que não queria, e não apenas por causa da ideia deprimente de ter um apartamento estéril de solteira à minha espera.

Era porque eu estava realmente me divertindo. Estava gostando da companhia dele. Mesmo assim terminei o copo e desci da minha banqueta. Quando escorreguei e cambaleei com meus sapatos de salto, descobri que estava ainda mais embriagada do que pensava. Julien desceu do tamborete e reparei que ele cambaleava também.

— Você não pode ir para casa sozinha — disse ele. — Vou com você. Não é seguro.

Por alguma razão, não me dei o trabalho de dizer a ele que ia andando sozinha para casa todas as noites e que já tinha feito isso mais bêbada do que naquele dia, às vezes com um completo estranho ao meu encalço. Acho que nós dois sabíamos que isso na verdade era uma desculpa para continuarmos a conversar, para continuarmos na companhia um do outro.

Não lembro qual dos dois deu o primeiro passo. Só lembro que, de repente, estávamos em um beco deserto e a única coisa que eu conseguia ouvir era o som da nossa respiração. Logo depois do beco havia a avenida em Cheapside, carros e pessoas, e mais adiante toda a cidade, iluminada, caótica, com todos os seus milhões de habitantes. Mas naquele beco escuro éramos apenas nós dois, e ambos estávamos respirando muito alto. E de repente nenhum de nós dois estava mais tão bêbado. Aquele momento de desejo tinha nos deixado sóbrios. E então senti a leve pressão de seus polegares no meu quadril, e dava para sentir uma pressão maior entre as minhas pernas — como ele estava duro. E eu peguei sua mão e a guiei, por baixo da minha saia, e ele gemeu com a boca no meu pescoço.

O sexo foi rápido: tinha que ser, naquele lugar público. Qualquer um poderia nos surpreender a qualquer momento. Também foi muito bom. Gozei constrangedoramente rápido. Mas ele, apesar do álcool e da dificuldade da nossa posição (ele tinha que me segurar contra a parede), gozou logo depois. Acho que foi a estranheza daquilo tudo, a ilicitude, que tornou o sexo incrivelmente excitante. Depois, ficamos colados por vários segundos, o rosto dele no meu pescoço. Eu não conseguia acreditar no que tínhamos acabado de fazer.

Ele disse em voz alta:

— Não acredito que isso aconteceu.

— Eu sei. Vamos... Vamos só fingir que não aconteceu.

Uma pequena parte de mim pensava secretamente: *Será que qualquer uma teria servido?* Será que eu era apenas uma garota em um bar, no lugar certo, na hora certa? Ou era eu?

Essas coisas não deviam ter feito diferença, eu sabia. Mas fazem mesmo assim. Porque durante muito tempo eu tinha pensado que ele me via como a contraparte chata e desinteressante, e que era por isso que mal se dava o trabalho de falar comigo. Agora havia uma nova e emocionante possibilidade: que na verdade ele me desejava.

Miranda

Eu me viro ao ouvir passos atrás de mim. É Julien, com uma toalha enrolada na cintura, os pés derrapando na lama.

— Cometi um erro grave — diz ele em um tom de "vamos todos ser adultos". — Eu sei que cometi. Mas tenho passado por um momento muito estressante.

— Desculpe, mas você tem passado por um momento muito estressante?

— Sim — responde ele. — É... fechamos um negócio que deu errado. E eu tinha orientado Mark a investir nele. Ele não ficou nem um pouco feliz.

Eu me lembro do que Mark disse na primeira noite, quando me agarrou. A referência ao "segredinho sujo" de Julien. A escolha das palavras me pareceu estranha na hora. Pensei que ele estivesse falando do uso de informações privilegiadas, mas agora entendo.

— Ele sabia, não sabia? Sobre você e... — Não consigo dizer o nome... — ... ela.

— Talvez eu tenha deixado escapar alguma coisa, em um dia em que fiquei muito bêbado. Eu estava me sentindo tão culpado... Queria que ele me desse um conselho. Ele é... Ele era... o meu melhor amigo. E agora ele está me ameaçando, Manda.

Ele parece sentir uma pena ridícula de si mesmo. Neste exato momento, estou odiando Julien, de verdade. Não apenas pelo que ele fez, mas por sua covardia, sua autopiedade patética.

— Tudo isso é culpa sua, seu idiota. Tudo isso porque você sempre quer um pouco mais. Você sempre acha que tem direito a uma fatia maior. Eu devia ter previsto isso há muito tempo. É claro que você ia ter um caso. Embora eu nunca, nem em um milhão de anos, imaginasse que seria com a Katie. Achei que você tivesse mais bom gosto.

Ele faz uma careta, uma ligeira contração na boca, e por um momento surreal chego a achar que ele pode estar prestes a defendê-la. Porém, ele claramente para e pensa melhor. Eu o conheço muito bem: está mais preocupado em salvar a própria pele.

— Ela me seduziu, Manda.

Minha pele se arrepia.

— Não me chame desse maldito apelido — digo, sibilando.

— Desculpe. Mas quero deixar isso claro. A culpa é toda dela. Acho que... Acho que ela estava com tudo armado, desde o momento em que me viu sentado naquele bar. Acho que ela soube, depois de olhar para mim, de ver meu estado, que eu teria sido incapaz de resistir. Não tive a menor chance. Foi como naquela vez em Ibiza.

— Que vez em Ibiza?

— Ah, meu Deus. — Julien parece se arrepender imediatamente do que disse. Ele passa a mão no rosto. — É melhor você saber logo de uma vez. Naquela viagem que nós fizemos em um feriado. Na última noite. Ela deu em cima de mim. Eu estava... louco. Eu estava fora de mim e sentindo sua falta... Ela parecia uma mulher possuída, Manda... Desculpe. Ela se atirou em cima de mim.

Olho para ele, a bile subindo pela garganta. Ibiza. Enquanto eu estava no enterro da minha avó... ele estava dormindo com a minha melhor amiga. Aquela viagem foi pouco depois que começamos a namorar, bem antes de nos casarmos — o que piora tudo, significa que esse segredo repugnante esteve entre nós durante todo esse tempo. Julien está visivelmente arrependido de ter me contado. Ele faz uma espécie de gesto desesperado com a mão, como se tentasse afastar aquilo de sua mente, e diz:

— Mas... eu não queria que nada disso tivesse acontecido.

Seria quase divertido, eu acho. Vê-lo hesitante, enterrando-se cada vez mais nesse buraco particular. Divertido se, é claro, ele não fosse meu marido, o homem a quem dediquei mais de uma década — toda a minha juventude —, e se eu não fosse o motivo dessa piada.

— Enfim — se apressa em dizer Julien (ele deve estar vendo a repugnância e a absoluta incredulidade em meu rosto) —, quando nos encontramos por acaso naquele bar... Acho que ela viu que eu estava em um mau momento. Você estava me tratando como um cidadão de segunda classe, mal falava comigo. Eu estava me sentindo um fracasso total, uma decepção. Ela fez com que eu me sentisse... desejado, desejável. Tentei acabar com tudo. Fui ao apartamento dela no dia seguinte, para dizer a ela que aquilo não podia continuar. Mas ela não deixou. Fui um fraco, eu sei. Ela era como um vício que eu não conseguia largar...

Levanto a mão para interrompê-lo.

— De que roteiro você tirou essas falas, Julien? Será que você tem tão pouco respeito por mim que realmente acredita que vou engolir algum desses clichês patéticos?

Ele faz um gesto suplicante e fragilizado com as mãos.

— Eu só queria tentar explicar.

— Bem. Não vai adiantar nada. Não consegue entender isso? Não vou acreditar em mais nenhuma baboseira sua.

Acho que, se eu tivesse uma arma agora, eu o mataria. Se soubesse o código da tranca do galpão onde estão os rifles, acho que haveria pouquíssima coisa para me impedir de pegar um, voltar para a sauna e atirar nos dois. As pessoas ainda recebem penas mais leves por crimes passionais? Qualquer sentença, neste momento, parece valer a pena. Ninguém sacaneia Miranda Adams desse jeito.

Não tenho rifle. Mas o que tenho talvez seja mais poderoso que qualquer arma.

O uso de informações privilegiadas. Eu tinha sido envolvida, claro. Mas podia contratar um bom advogado. Meus pais me ajudariam. E, por pior que fosse para mim, isso seria apenas uma pequena fração da desgraça que se abateria sobre Julien. Neste momento, parece valer a pena.

— Na verdade, eu sei o que vou fazer. Vou me conectar ao seu precioso Wi-Fi e enviar um maldito e-mail agora mesmo. Basta um clique. Apenas a porra de um clique. Posso não ter carreira, mas tenho amigos, Julien... Você também os conhece. Olivia... Você sabia que agora ela está trabalhando no *Times*? Ou Henry, meu ex de antes da faculdade? Ele está no *Mail* agora... Já *imagino* a manchete que eles vão criar para você. E sabe de uma coisa? Acho que vou ficar muito bem sozinha.

Ele dá um passo para trás. Seu rosto está nas sombras. Mal consigo distinguir suas feições, menos ainda sua expressão. E não pela primeira vez — mas com uma razão muito maior agora —, penso: *Não conheço essa pessoa. Não sei do que ele é capaz.*

PRESENTE
2 de janeiro de 2019

Heather

Volto para a minha sala. Doug está sentado lá — e estou prestes a contar a ele o que acabei de ouvir no banheiro, quando o telefone toca.

— Alô?

— Alô, Heather, aqui é a inspetora Alison Querry.

— Conseguiram achar um jeito de chegar aqui?

Posso sentir os olhos de Doug em mim.

— Bem, ainda estamos trabalhando sem descanso, é claro — diz ela. — A previsão do tempo indica que a neve deve diminuir nas próximas horas, então poderemos tentar uma aproximação com o helicóptero. Mas tem outra coisa. Eu queria que você soubesse que infelizmente estou sendo chamada para cuidar de outro caso; o inspetor John MacBride vai assumir o caso no meu lugar. Não preciso nem dizer que ele é extremamente capacitado. Vou colocá-lo na linha para falar com você agora.

Meu cérebro dispara. Alison Querry está no comando da investigação sobre o Estripador das Terras Altas. Se ela foi chamada para cuidar de outro caso, isso significa...

Mal ouço quando o inspetor John MacBride se apresenta. Estou digitando "Estripador das Terras Altas" no Google com uma das mãos e em seguida seleciono a aba NOTÍCIAS. As manchetes inundam a tela: "Suspeito preso em esconderijo em Glasgow", "Descoberto esconderijo do Estripador em Glasgow","Estripador capturado?". Eles encontraram alguém. Com o tempo bom, Glasgow fica a duas horas de carro daqui. Isso só pode significar uma coisa. Se de fato encontraram o homem que matou aquelas outras mulheres, ele não pode ter tido nada a ver com este assassinato em particular. Foi outra pessoa. Foi alguém daqui.

UM DIA ANTES
1º de janeiro de 2019

Katie

Julien volta para a sauna. Vagamente, registro o absurdo da aparência dele: completamente nu, o pênis encolhido por causa do frio, os pés cobertos de lama. E apenas por um momento, talvez com a maior intensidade desde que começamos a nos encontrar, eu me pergunto: *O que estou fazendo?*

Será que tudo só tinha a ver com Julien? O desejo secreto que nutri por ele durante todos esses anos? Ou será que também tinha a ver com Miranda? Eu jamais teria admitido isso para mim mesma, não antes. Mas, apesar de todo o remorso que senti, olhando para ela parada ali, horrorizada, apesar de toda a vergonha... será que não havia mais alguma coisa? Uma pontinha de satisfação com seu sofrimento? Por, uma vez na vida, levar vantagem sobre ela?

Eu gostaria de salientar que originalmente fui à sauna apenas para tentar me esquentar depois daquele horrível mergulho no lago, sem qualquer outro plano em mente. Eu devia estar lá há mais ou menos dez minutos quando ouvi uma batida na porta.

Abri e dei de cara com Julien. Ele sorriu para mim e entrou depressa, furtivamente. Na mesma hora, começou a se despir.

Por mais que não quisesse, senti um arrepio de excitação. De expectativa.

— Está tudo bem — disse ele. — Eu a coloquei na cama, ela está completamente apagada. Mark está desmaiado na sede, e Emma voltou para o chalé. Somos só nós dois. Na verdade, eu estava a caminho do seu chalé quando vi a luz daqui acesa e pensei... *Bem, mas que* ótima *ideia.*

— E se Miranda acordar e perceber que você não está?

— Ela não vai a lugar nenhum. Vai ser que nem ontem à noite. Vou dizer a ela que fui dar uma volta.

Às vezes isso me inquieta, a velocidade com que ele inventa mentiras.

— E você acha que ela ia acreditar? São três da manhã, Julien.

— É, eu sei. Mas é que... ela sabe que ando com muita coisa na cabeça ultimamente.

— Aquilo que você queria compartilhar comigo, mas não pode?

— É. Isso.

Não sei por que me magoava o fato de ele se recusar com tanta persistência a falar sobre isso.

— Temos compartilhado bastante coisa recentemente — falei. — Acho que só não consigo entender por que você se recusa a falar sobre esse assunto em particular.

— Não quero sobrecarregar você com isso — respondeu ele. — Não há necessidade de você saber. Como já expliquei, se eu contasse, você se tornaria culpada por associação, cúmplice.

— Mas eu sou culpada.

— Eu sei — disse ele, aproximando-se de mim, mas não sem olhar rapidamente para trás, como se alguém pudesse ver qualquer coisa através das venezianas fechadas. — Deliciosamente culpada.

— Julien. O que você está... Achei que tivéssemos combinado...

Ele silenciou meu protesto com sua boca. Correu as mãos pelos meus braços, depois pelas minhas costas, agarrando minha bunda e me suspendendo de forma que eu não tivesse escolha a não ser enlaçar minhas pernas em torno de suas costas. Toda a minha resistência derreteu no mesmo instante.

— Isso foi antes — disse ele. — Combinamos antes.

— Antes do quê?

— Antes de eu me dar conta de que estou completamente obcecado por você. Ficar sem ver você nestas últimas semanas, o Natal na casa dos pais da Miranda...

— Cheguei a passar mal de tanta culpa. Passei mal fisicamente, Julien. Eu estava literalmente... No trem, tive que ir ao banheiro vomitar.

Embora, na verdade, isso talvez se devesse ao que eu tinha descoberto hoje de manhã.

— Pobre Katie.

— Não, não venha com essa. Não podemos continuar assim. Não é justo com a Miranda.

Ele assentiu.

— Não é justo com a Miranda — repetiu ele —, e é por isso que acho que devemos contar tudo a ela. — Abri a boca para contestar, mas ele balançou a cabeça. — Escute. Éramos muito novos quando começamos a namorar. Ela parecia tão segura de si... Ela era deslumbrante. Eu queria um pouco disso. E, sim, eu gostava muito dela. Mas depois, com o passar dos anos, todo aquele ímpeto desapareceu. Tudo o que ela queria mudou. Ela não queria fazer nem queria ser nada incrível. Ela só quer *coisas*, o tempo todo: férias e roupas e um carro novo e, bem, um bebê. Mas ela detesta criança. Às vezes acho que ela só quer um bebê porque todo mundo tem... Porque é uma "meta de vida". E com você, Katie... é diferente. É mais complexo. É mais profundo. É muito mais... livre.

Pensei no sinalzinho de positivo no bastão de plástico. Eu ia esperar, pensei. Ia encontrar o momento certo.

— Você sabe a pessoa que é. Você tem uma carreira, uma vida. Não precisa de mim para validar quem é.

Senti uma estranha e inesperada onda de compaixão por Miranda: os dois estão juntos há mais de dez anos. Em que mundo isso não poderia ser chamado de profundo? Mas por trás da compaixão, apesar de toda a culpa... Sim, eu sabia que havia um prazer sombrio e complexo. Todos aqueles anos sendo a escudeira, sendo a segunda opção, a suplente. Agora eu a superei em alguma coisa, finalmente.

Doug

Algo o acordou. Seu corpo está alerta; a consciência, espalhada por cada poro — sua mente luta para alcançá-lo. Ele desperta com agitação de seu estupor regado a uísque, o coração batendo no dobro da velocidade. Ele olha para si mesmo. Está cercado de vidro quebrado. Mas então se lembra: antes de apagar, tinha atirado o copo na TV e gostado do som dele se espatifando na tela. Gostou quando sufocou por um momento o som dos hóspedes que se divertiam na sede, a música no volume máximo. Ridicularizando sua própria "celebração" — uma garrafa de uísque e o espetáculo deprimente da felicidade alheia na TV. Então sorveu as últimas gotas diretamente da garrafa e por fim se deixou afundar, prazerosamente, na inconsciência.

Mas agora alguma coisa o despertou. Uma batida na porta. Alta como um tiro de rifle.

Ele fica parado, ouvindo como um animal.

A batida se repete.

Não tinha sido sua imaginação. Ele tateia em busca do relógio. Quatro da manhã. Quem poderia precisar dele a esta hora? Heather, pensa ele, ainda incoerente. Ela pode estar precisando da ajuda dele, de alguma forma.

Ele abre a porta e olha com a vista embaçada. É ela, a hóspede bonita. Só que parece... péssima. Ainda linda, com um longo vestido dourado, mas todo o resto está arruinado: o tecido do vestido rasgado, o rosto manchado de maquiagem. O batom é um longo borrão em uma das bochechas.

— Oi — diz ela, com a postura ligeiramente oscilante. — Desculpe, espero não estar abusando.

Ele está bêbado. Ela, porém, está mais bêbada ainda. Perceber isso faz com que sua embriaguez comece a passar.

Ela espia atrás dele.

— Uau — diz ela. — É bem vazio aqui. Muito... minimalista.

— Você não pode entrar.

Doug tenta bloquear a entrada dela com o corpo, mas ela se contorce e consegue passar.

— Mas eu trouxe champanhe! — Ela segura uma garrafa aberta. Dom Pérignon, coisa sofisticada. — Você não vai me deixar beber o resto sozinha, vai?

Quando ela se aproxima, ele percebe que o cheiro de seu perfume, agora familiar, está contaminado por algo amargo e rançoso.

Ele se sente como um animal encurralado em sua toca, seu espaço seguro e privado. Ela dá um passo à frente, toma a cabeça dele entre as mãos e o beija. Sua boca é uma concentração de acidez, mas também aquela fumaça perfumada que parece envolvê-lo. Ela gruda o corpo ao dele e o beija com intensidade. Faz tanto tempo. Ele sente o desejo crescer dentro de si, misturando-se desconfortavelmente com a raiva que ainda sente pela interrupção. Ela segura o zíper, abre sua calça e enfia a mão lá dentro. Seus dedos se enroscam em seus pelos.

— Não — diz ele, voltando a si.

Ela se afasta e faz uma careta.

— O que foi que você disse?

— Não — repete ele.

— Vá se foder! Vai me dizer que não quer? Estou *vendo* que você quer.

— Eu posso... preparar uma xícara de chá — diz ele, embora não saiba se no momento tem os meios necessários para concluir essa tarefa.

Ela ri, cambaleia em seus saltos brilhantes e depois franze a testa para ele.

— Não acredito — diz ela. E então aponta para ele. — Eu sei que você quer. Eu vi como você olha para mim. Naquele jantar... Ontem, na caçada.

Você não me engana. — Ela está furiosa, irada, o dedo apunhalando o peito dele. — Mas está com medo. Sabe o que você é? Um *covarde de merda*.

Aquelas palavras. Ele sente a raiva e a tristeza crescendo dentro de si, como naquela outra vez. Sente a inundação vermelha de sua cólera engolir tudo, e algo dentro dele ceder, ceder... e irromper.

PRESENTE

2 de janeiro de 2019

Heather

— Era a polícia — digo a Doug. — Eles encontraram o Estripador das Terras Altas. A quilômetros de distância, então pelo visto ele não tem nada a ver com esse assassinato. Deve ter sido alguém daqui.

Ao dizer isso, ouço a verdade dessa constatação pela primeira vez. Ela se torna realidade. Eles estão aqui.

— E acabei de ouvir uma coisa enquanto estava no banheiro. — Paro ao ver a expressão no rosto dele. — Doug? Você está bem?

Ele está andando de um lado para outro diante da minha mesa, esfregando o queixo — com tanto vigor que a pele sob a barba por fazer está esfolada e vermelha, embora o restante de seu rosto pareça ter perdido completamente a cor. Seus olhos estão escuros e insondáveis. É como se ele estivesse encarando tudo aquilo de forma extraordinariamente pessoal. Ele parece mal desde o início do dia, percebo; eu havia notado, mas não tive a chance de analisar da maneira devida. Parecia natural, depois de ter encontrado o corpo e tudo o mais.

— Doug?

Ele se vira para mim, mas parece não ter ouvido a pergunta.

— Doug! — Estalo os dedos diante de seu rosto, forçando-o a se concentrar em mim. — O que foi? O que aconteceu?

Ele balança a cabeça por vários segundos. E então diz, apressado:

— Tem mais uma coisa. Não contei tudo para você.

Ah, Deus. Eu me preparo.

— O que foi?

— Naquela noite, pouco depois que você veio trabalhar aqui, quando ouviu o grito... Lembra?

— Lembro.

O som ainda está gravado na minha memória.

— Bem, não foi uma raposa. — Ele faz uma careta. — Foi um grito. Fui eu.

Penso nas minhas primeiras impressões ao ouvir aquele ruído — de que parecia um som feito por uma pessoa em profunda agonia.

— Ah, Doug.

— Tenho uns "lapsos", acho, em que não consigo me lembrar do que fiz. Quando recobro a consciência, estou em lugares estranhos, sem saber como cheguei lá. Naquela noite, por exemplo... Não me lembro de ter feito barulho. Eu me vi em meio às árvores perto do lago e cheguei à conclusão de que só podia ter sido eu.

Não quero ouvir mais nada. Só que há mais, e ele continua falando, irrefreável:

— Na véspera de Ano-Novo... — ele passa a mão que não está machucada pelo cabelo revolto, naquele gesto nervoso que eu o vi fazer tantas vezes nas últimas horas — ... bebi muito... Disso eu me lembro. E... — ele dá um suspiro, sem olhar nos meus olhos — ... eu estava com raiva. Então bebi um pouco mais. E acho que apaguei. E então há uma grande lacuna que é apenas... um espaço em branco.

Um espaço em branco.

Finalmente, ele me encara. A expressão é a de um homem que está se afogando.

UM DIA ANTES
1º de janeiro de 2019

Katie

Tenho que ir falar com Miranda. Não, não se trata de uma crise tardia de consciência. Não adianta pedir desculpa, é tarde demais para isso. Se eu realmente lamentasse, teria parado há muito tempo. Foi só agora, depois de ver a reação de Julien a tudo isso — sua covardia em sair correndo atrás dela e, certamente, implorar pelo seu perdão, depois voltar para cá e fingir que não fez nada disso —, que me arrependi pela primeira vez. Como dizem, a ficha caiu.

Mas quero uma chance de explicar. Ela precisa saber que nada disso foi premeditado, que não fiz de propósito, para magoá-la... pelo menos não conscientemente. Que o caso — porque é isso que se tornou — me arrastou com a força de uma ressaca. Não é uma desculpa para me eximir da minha responsabilidade, porque sei que não há desculpa. Não para fazer algo tão terrível com uma de suas melhores amigas. Mas me parece importante dizer essas coisas.

Também estou um pouco preocupada com ela. Miranda parecia tão desalinhada, tão bêbada, parada ali, o vestido dourado manchado e rasgado, como uma deusa caída e vingativa. Está muito frio agora — eu não tinha me dado conta de que poderia esfriar ainda mais, e ela não estava usando nada além de uma fina camada de seda, seus pés praticamente descalços, a não ser por aqueles saltos ridículos. Ela não faria nada estúpido, faria? Não. Tenho quase certeza de que esse não é o estilo de Miranda. Ela desejaria fazer mal a *nós*, não a si mesma.

De repente, me sinto exposta aqui fora. A escuridão me cerca, insondável, impenetrável. O único movimento que capto é o das pequenas nuvens de vapor da minha respiração. Acabou de me ocorrer que Miranda pode estar em algum lugar aqui fora comigo, me observando de algum esconderijo. Penso naquela sala dos rifles. Preciso manter o controle. Não me surpreenderia com nada que viesse de Miranda neste momento. Como amiga, ela já consegue ser má o suficiente. A ideia de tê-la como inimiga é totalmente assustadora.

Bato na porta do chalé dela. Nenhuma resposta. Observo as janelas escuras e a imagino olhando para fora, me vendo e sorrindo para si mesma.

— Miranda — chamo —, precisamos conversar.

O chalé me olha de volta, inexpressivo, zombando de mim.

— Preciso explicar tudo a você — digo. Minha voz parece ecoar no silêncio, as reverberações voltando de longe, das montanhas à nossa volta. — Vou ficar esperando no meu chalé, se você quiser conversar.

Não há resposta. Silêncio, como uma respiração presa.

De volta ao meu chalé, Julien está enrolado em uma toalha, encolhido no sofá, bebendo uísque direto de uma garrafa. Acho que deve ser a garrafa de cortesia fornecida pela propriedade. Não toquei nela, mas agora resta menos da metade do uísque.

— Julien. — Tento tirar a garrafa da mão dele. Ele se agarra a ela, como uma criança que não quer largar o brinquedo. — Julien, você precisa parar. Você vai se matar se beber mais.

Ele balança a cabeça.

— Ela vai me matar primeiro. Ela vai me tirar tudo que trabalhei duro para conquistar. Ela vai me destruir... Você não entende.

Julien parece totalmente patético, enrolado na toalha. De repente, quase sinto repulsa por ele. Seu peito largo e musculoso é ridículo. Quem tem um corpo assim, a menos que seja absurdamente vaidoso? Antes parecia exótico, muito diferente dos homens com quem eu tinha saído. E o fato de eu ficar lisonjeada por ele me desejar — isso talvez tenha sido o que me deixava mais excitada... Nos últimos seis meses, consegui ignorar as pequenas coisas que me incomodavam nele: seu egoísmo depois do sexo, sempre correndo para tomar banho primeiro, ou sempre exigindo que fizéssemos as coisas do jeito dele, ou não respondendo a nenhuma das minhas mensagens durante vários dias, mas, em seguida, ficando furioso se eu deixasse uma das suas mensagens sem resposta por mais de uma hora. A excitação de tudo aquilo — o subterfúgio, o encontro ilícito e, sim, a qualidade do sexo — as tinha tornado palatáveis.

Será que tudo se resumia a isso?, eu me pergunto agora. A verdadeira fonte da excitação, além de qualquer química ou atração física? A pura descrença de que ele me desejasse, e não mais Miranda? Eu realmente a invejava tanto assim? *Sim*, diz uma vozinha. Talvez eu a invejasse tanto assim.

PRESENTE

2 de janeiro de 2019

Heather

Doug está certo. Não vai pegar bem para ele. Talvez ele tenha sido a última pessoa a ver a hóspede com vida. No entanto, por mais estranho que seja, agora me sinto comprometida com sua inocência. Simplesmente não acho que ele tenha feito isso.

É engraçado, alguns dias atrás eu não sabia quase nada a respeito dele. Eu não sabia se era digno de confiança. Ver os resultados aparecerem na tela, o horror daquelas manchetes, por um momento pareceu uma sentença de culpa. Mas por alguma razão, depois da vulnerabilidade e da sinceridade de suas confissões, abri mão desse sentimento. Ele revelou seus segredos mais íntimos e vergonhosos para mim, e, ainda assim, de alguma maneira, sinto que não posso julgá-lo com tanta severidade por isso.

E então houve a conversa que entreouvi no corredor. Dois dos hóspedes, pelo menos, podem não ser tão inocentes quanto parecem. Eu só queria não ter derrubado aquele maldito quadro no chão, para ter conseguido ouvir um pouco mais do que disseram.

Entro na sala de estar e todos olham para mim.

— A polícia já chegou? — pergunta a mulher chamada Samira, segurando a bebê no colo. Será que a voz feminina no corredor poderia ser dela? Não tenho certeza. Foi ela quem nos alertou para o desaparecimento. Mas isso não necessariamente quer dizer alguma coisa.

— Não, mas eles esperam que o tempo esteja melhor hoje à tarde — respondo.

Ela balança a cabeça, emburrada. Estão todos me observando, eu sei. Eu gostaria muito que a situação fosse o inverso, para que eu pudesse observá-los em busca de alguma anomalia reveladora, algum lampejo de culpa. Vou até a chaleira, no piloto automático, para fazer mais chá, mas percebo que o chá acabou. Em um cálculo aproximado, foram cinquenta saquinhos em um dia. Há mais no depósito. Visto meu casaco de neve, meu gorro vermelho, minhas botas e saio para aquele mundo de brancura, a neve chiando a cada passo.

Destranco as grandes portas do celeiro, liberando um cheiro de poeira, aparas de madeira e terebintina. De um lado estão todos os nossos suprimentos: garrafas de água, para o caso de interrupção do fornecimento (já aconteceu mais de uma vez), açúcar e pacotes de cápsulas de café, papel higiênico e caixas de cerveja. Coisas indispensáveis à vida, mesmo neste lugar.

Aqui também é onde fica o aparelho que recebe o sinal da câmera do circuito interno, instalada no portão, zumbindo na tela de uma TV antiga. Há tecnologias muito mais avançadas hoje em dia — eu poderia acessar todas as imagens no meu computador do escritório —, mas o patrão é estranhamente sovina em relação a algumas coisas. Observo a tela: a imagem familiar da trilha. Há tanta neve que a imagem está quase sem definição — tudo que ela mostra é o branco.

Do outro lado, está todo o equipamento de caça: as roupas camufladas, as botas de caminhada, os binóculos. A fileira organizada de rifles. A precisão militar de Doug.

Exceto...

Pestanejo, olho de novo. Reconto.

... Exceto pelo fato de que parece estar faltando um rifle. Um dos suportes está vazio. Acho que em geral são dez. E agora há apenas nove.

Ligo o rádio, ainda no bolso do meu casaco. Minha mão paira sobre o botão de transmissão — estou prestes a chamar Doug, para perguntar se há algum motivo para a falta da arma. Será que, digamos, ele pegou um dos rifles para alguma coisa? Então paro e penso: *Será que posso confiar nele?* Devo mesmo chamar sua atenção para o que descobri? *Porque talvez ele já saiba. Talvez tenha sido ele quem o pegou.*

Afinal, a pessoa que pegou o rifle, seja lá quem for, tem que ter acesso ao depósito, o que basicamente exclui todos os hóspedes. Há apenas duas outras pessoas que conhecem a senha. E uma delas deixou a propriedade na tarde da véspera de Ano-Novo para passar o réveillon com a família.

Estou tentando decidir o que fazer com essa nova constatação. Não chega a ser um pensamento que me deixa exatamente mais tranquila, mas me ocorre que não tenho certeza de que Doug precisaria pegar uma arma daqui — acho que ele tem o próprio rifle. E talvez só houvesse apenas nove mesmo. Esfrego meus olhos, que estão ardendo por causa do cansaço. Estou muito, mas muito cansada. Talvez eu esteja simplesmente evocando quimeras da minha própria mente.

Pego a grande caixa de chá. Resolvo não dizer nada a Doug. Mas vou manter isso em mente, apenas por precaução. Quando passo pelo antigo monitor do circuito interno, olho para a tela exibindo sua imutável paisagem nevada: a vista dos portões. É provável que nossas gravações sejam as mais monótonas de todo o Reino Unido. Daria na mesma se a tela estivesse mostrando uma imagem fixa, não fosse pelos flocos de neve que caem sem parar diante das lentes, os segundos passando no canto superior direito da tela. Uma cena idêntica à que estava sendo mostrada quando procurei algum sinal da hóspede desaparecida e não vi nada além da neve caindo. Eu me lembro de avançar a gravação: nada, nada, nada, a semelhança de tudo chegava a me dar tonteira. E, no entanto... uma súbita aceleração dos meus batimentos cardíacos, meu corpo parecendo entender algo antes mesmo da minha mente. *Nada*. Mas não deveria haver... alguma coisa? Eu não deveria ter visto, por exemplo, uma caminhonete vermelha — a caminhonete de Iain — deixando a propriedade na véspera de Ano-Novo? Ele foi embora nesse dia: foi o que achei o tempo todo. Foi o que eu disse à polícia.

Mas se não o vi sair...

... Então ele deve estar aqui. Em algum lugar, na propriedade. É a única explicação.

Meu rádio crepita. É Doug.

— Onde você está? — pergunta ele.

Penso na luz que vi na véspera de Ano-Novo, subindo o flanco do Munro em direção à antiga sede. Penso no único outro abrigo viável na propriedade, que Doug e eu nem sequer nos preocupamos em checar porque ninguém entra lá, já que está trancado. De repente sei aonde tenho que ir. Penso em como Iain sempre foi extremamente enfático ao me dizer para *nunca chegar perto de lá*, por causa do perigo. Lembro também que ele me disse para não deixar os hóspedes perambularem ao ar livre durante a noite.

— Heather, você está ouvindo? — A voz de Doug ecoa no silêncio do celeiro. Há uma preocupação genuína em sua voz. — Você está bem?

— Estou. Eu... Eu já volto — respondo, colocando o rádio de volta no bolso.

É provavelmente uma ideia muito estúpida. Sei que o sensato a fazer seria ficar onde estava, no calor e na segurança da sede. Mas estou cansada de não fazer nada. E não me refiro apenas aos últimos dias. Porque, na verdade, não estou fazendo nada há muito tempo, fugindo, me escondendo de tudo. Eis uma chance de provar algo para mim mesma.

Eu me preparo no depósito mesmo. Botas de caminhada ainda mais resistentes, um par de binóculos, uma ferramenta multiuso. Estou levando no bolso o celular, que só vai ser realmente útil como lanterna, a menos que eu consiga algum sinal lá no topo. Não me preocupei com o equipamento de camuflagem, é claro — seria quase tão visível quanto qualquer outra coisa no branco da paisagem. Ah, e carrego um rifle pendurado no ombro. Só atirei uma vez e não diria que foi exatamente fácil. Mas é melhor que nada. Vai funcionar como um instrumento de dissuasão, senão como uma arma.

Durante a caminhada, recapitulo o que sei sobre Iain. A resposta é: "Não muito." Não sei nem o sobrenome dele. Ele mencionou a "patroa" para mim algumas vezes, mas nunca a conheci. Não consigo me lembrar, tentando invocar uma imagem mental dele, se usa aliança — mas, para falar a verdade, não consigo nem sequer recordar com precisão as características do seu rosto. De modo geral, quando está aqui, ele parece parte da paisagem. Realiza seu trabalho sem puxar conversa comigo, obedecendo a instruções diretas do patrão — foi o que eu sempre supus.

A neve é ainda mais espessa no flanco do Munro. Escorrego e caio várias vezes — minhas botas de caminhada não são páreo para o declive, mesmo na parte mais baixa. Esse é exatamente o tipo de comportamento que aconselharíamos os hóspedes a não adotar. Não sair sem o equipamento adequado. Pelo menos estou com o rádio no bolso, se precisar.

Respiro fundo. Faz muito tempo que não venho aqui em cima.

As ruínas e o estábulo parecem particularmente escuros em contraste com a neve que acaba de cair. Odeio este lugar. Dá para sentir o cheiro de queimado e de morte que o contamina. Tem o cheiro de todas as coisas das quais fugi. Bem, não vou fugir mais.

— Heather? Heather... Onde você está? Já faz quase uma hora.

Meu rádio está crepitando. É Doug, claro.

É a ligeira nota de pânico em sua voz — algo que nunca ouvi, nem mesmo quando ele estava me contando sobre seu passado — que me faz responder.

— Estou... aqui fora.

— Por quê? O que você está fazendo? — Ele parece irritado.

— Eu só queria explorar mais um pouco, só isso... Tive uma ideia sobre uma coisa.

— Pelo amor de Deus, Heather, ficou maluca? Me diga exatamente onde você está. Estou indo encontrar você.

— Não. Você tem que ficar de olho nos hóspedes.

Antes que ele responda, desligo o rádio. Preciso me concentrar.

A porta do estábulo está trancada, como sempre, a telinha do painel de senha piscando. Parece totalmente incongruente contra a pedra antiga. Iain me disse uma vez, logo no início, que a estrutura não é sólida, poderia desabar a qualquer momento. E então acabaríamos com o pesadelo de um processo judicial nas mãos.

— O chefe quer ter certeza de que é realmente seguro — disse ele. — Não chegue perto. Não queremos que nenhum hóspede entre lá e acabe morrendo se o teto cair na cabeça dele.

Sempre fiquei muito satisfeita em manter a maior distância possível daquele lugar. Nunca me aproximo da antiga sede se puder evitar. Quando estávamos procurando a hóspede desaparecida, viemos até aqui. Verifiquei a porta, senti a resistência inflexível da fechadura na minha mão, e me afastei de lá o mais rápido possível. Então, agora é a primeira vez que me ocorre perguntar por que nunca recebi a senha. Na época, eu simplesmente tinha visto a porta trancada e presumido que isso significava que não havia como um hóspede ter entrado.

De repente, é como se houvesse um segredo bem diante do meu nariz o tempo todo sem que eu nunca tivesse reparado, de tão enredada que estou no meu mundo interior, o longo legado da minha dor. Se eu não estivesse, será que a hóspede teria morrido? Afasto esse pensamento. Não vale a pena pensar nisso agora.

Não há como forçar: é uma porta de carvalho pesada e antiga, e a fechadura não cede um milímetro quando a empurro. E se fizer com força demais, tenho medo de realmente derrubar o prédio todo na minha cabeça. Então vou até os fundos. Todas as janelas estão cobertas com tábuas, impenetráveis.

Ah, mas agora que estou olhando, noto que uma das tábuas no alto está meio solta. Há uma lacuna escura aparecendo na fresta entre ela e a tábua ao lado. Se eu subir em alguma coisa, talvez consiga alcançá-la. Subo em uma das pedras caídas, tiro a ferramenta multiuso do bolso, abro o alicate e o utilizo para segurar uma extremidade da tábua. A pedra em que estou pisando oscila ameaçadoramente, e o rifle se choca contra mim. Tiro a arma do ombro. Estou certa de que está travada, mas do nada tenho uma visão de mim mesma escorregando e disparando o rifle.

Forço a tábua para a frente e para trás, usando todas as minhas forças, até senti-la ceder aos poucos. Com um *pop!* um prego se solta, e a tábua oscila para baixo, expondo uma abertura do comprimento do meu braço. Depois disso, é fácil arrancar as tábuas vizinhas para expor um buraco de quase um metro quadrado. Espio lá dentro, apoiando-me na borda da tábua debaixo, sentindo a rocha se inclinar perigosamente. Há um odor de mofo e — sim, quase imperceptível — o cheiro centenário de coisas queimadas. Será possível, ou é só fruto da minha imaginação? Não consigo enxergar muito, mas o que vejo é que o espaço não está vazio. Há algo no meio da sala, uma pilha de alguma coisa. Desço e pego meu celular, ativando a lanterna. Por um momento, tenho a forte impressão de estar sendo observada. Verifico em todas as direções, mas vejo apenas a cobertura da neve, intacta — a não ser pelo rastro das minhas próprias pegadas. Provavelmente é apenas o silêncio aqui em cima. A antiga sede faz isso com a gente. Ela tem uma presença toda própria.

Aponto o feixe da lanterna para o objeto no meio da sala. Consigo ver agora, mas não sou capaz de discernir o que é. Não é um objeto, mas uma coleção: uma pilha instável de pacotes, hermeticamente embrulhados em papel-filme, cada embalagem individual mais ou menos do tamanho de um saco de açúcar.

Na verdade, o que quer que haja dentro, despontando através do invólucro transparente, parece um pouco com açúcar: alguma substância esbranquiçada. E então a ficha cai. De repente estou bastante certa de que o que há dentro daqueles pacotes é algo muito diferente e muito mais valioso do que açúcar.

Como em um pesadelo, ouço os passos atrás de mim.

— O que você está fazendo aí em cima? — pergunta alguém com uma voz algo educada, algo coloquial.

Despenco, em choque, minhas mãos se arrastando pela madeira áspera, farpas rasgando minha pele. Minhas pernas mal me aguentam; de repente estão fracas de tanto medo. Tento pegar o rifle e ouço — mais do que sinto — o estalido alto de algo golpeando a parte de trás do meu crânio. Minha visão se apaga como a chama de uma vela.

Quando volto a mim, meus olhos demoram um tempo para se ajustar, então vejo uma figura parada na minha frente. No começo, aturdida pela dor na cabeça, não o reconheço, também por causa da vestimenta: um casaco de neve enorme, ainda maior do que o meu, que lhe deixa com quase o dobro do tamanho normal. Seu rosto está contraído de frio, azul em torno dos lábios. Parece alguém que tem dormido mal.

Iain.

— Não consigo entender — digo, meio incoerente. — Pensei que você estivesse em casa. Onde você... — Eu paro, porque vejo que ele está carregando uma arma.

Ele a segura de maneira displicente, depois a ergue como se avaliasse seu peso. O gesto, tenho certeza, é para mostrar sua familiaridade com a arma — e como seria simples levantá-la e apontá-la para mim.

— Falei para você não vir aqui — diz ele. — Falei para ficar longe.

— Porque não era seguro.

— Exatamente. Não é seguro, como você pode ver.

— Você me disse que era por causa da construção, porque poderia desabar. Não porque... — Não sei como verbalizar isso, se é seguro fazê-lo: *Não porque há algo aqui que você não quer que eu veja.*

— Sim. Ou você é menos idiota do que eu imaginava, ou *muito* mais. Estou tentando descobrir qual das duas opções. Acho que provavelmente é a última.

Por que — por que — simplesmente não esperei pela polícia e contei minhas suspeitas para eles? Eu sou uma *estúpida*. Mais do que isso, eu nem ao menos disse a Doug para onde estava vindo. *Porque você sabia que ele ia impedi-la.* Fui uma completa idiota. Tudo isso, de repente, parece uma missão suicida. E o pensamento me ocorre... *Será que foi mesmo uma missão suicida?* Penso no esquecimento que contemplei no passado: as pílulas, a ponte. Passei muito tempo pensando que talvez morrer não fosse tão ruim assim. Mas agora — e pode ser apenas um instinto animal profundamente enraizado — de repente descubro que quero estar viva.

— Olha — digo, tentando parecer calma, razoável. — Vamos fingir que não vi nada disso. Vou embora e vai ser como se nunca tivesse acontecido.

Ele ri.

— Não, acho que não podemos fazer isso.

Olho para ele. Se não fosse uma situação tão horrível, poderia ser quase fascinante a mudança que se operou nesse homem, que, na minha percepção, parecia um sujeito simples e descomplicado, um pouco taciturno. Mas, no fim das contas, percebo que não é uma mudança. Este é o verdadeiro Iain. Ele apenas usava aquela outra personalidade como disfarce.

Ele se aproxima, estendendo o braço livre, e eu recuo.

— Tudo bem — diz ele. — Vamos fazer assim.

Ele aponta o rifle. Enrijeço, minha pele se retesando, minha garganta se fechando de terror. *Acabou. Ele vai me matar.*

— Comece a andar — ordena. — Está esperando o quê?

Ele me conduz até outro lado do celeiro. Mantendo o rifle vagamente apontado na minha direção, ele digita o código. *É a minha oportunidade*, penso. É o momento em que eu poderia tentar escapar. Mas escapar para onde? Há apenas uma imensidão branca à nossa volta. É impossível um alvo mais evidente. Então só me resta esperar enquanto ele abre a porta e me leva para dentro, para a escuridão.

Constato imediatamente que está muito mais quente aqui do que eu esperava. No canto do aposento, vejo que ele instalou um gerador.

— Que gentileza da sua parte pensar em mim — digo, tentando soar o menos amedrontada possível.

Ele sorri com desdém.

— E o que temos aqui? — pergunto. — Pacotes embrulhados em papel-pardo amarrados com barbante?

Estou falando, porque falar — o esforço de não gritar, de articular as palavras — me mantém calma, pelo visto.

— Exato — diz Iain. — E você definitivamente *não* precisa preocupar essa sua cabecinha com o que tem dentro desses pacotes.

Mas preciso mantê-lo falando. Tenho que encontrar uma maneira de continuar viva — e, no momento, distraí-lo da tarefa de me matar é a única carta que tenho na manga. Não adianta prometer a ele que não vou contar a ninguém o que vi. Ele não vai acreditar. Acho que, nesse ponto, ele tem razão.

Então, em vez disso, pergunto:

— É isso que você tem feito esse tempo todo? Os serviços na propriedade eram apenas uma fachada? Imagino que isso deva ser um pouco mais lucrativo.

— Você bem que gostaria de saber, não é?

E então ele dá de ombros, como quem diz "por que não?", o que não pode ser um bom sinal. Se ele decidiu que não tem problema me contar, é porque também decidiu que não vou ter a oportunidade de contar a ninguém. Mas não adianta pensar assim. *Apenas ganhe tempo. Tempo é vida.*

— Se quer mesmo saber — diz ele —, gosto de pensar nisso como apenas mais um dos meus trabalhos. Construo um excelente muro de pedra seca. Consigo rejuntar uma vidraça em dez minutos. E sou um ótimo... entregador.

— Entendi — digo, devagar, como se estivesse fascinada pela genialidade dele. — Você traz essas coisas na sua caminhonete de...

— Digamos apenas que de *algum lugar* — interrompe ele, fingindo ser paciente.

— Aí você deixa aqui e depois...

Tento pensar em meio ao alarme de pânico disparado em minha cabeça. Qual seria o sentido de trazer tudo para cá, uma das áreas mais remotas do Reino Unido, sem meios de transportar para nenhum outro lugar?

E então me lembro da história deste local. O antigo proprietário insistindo para a construção da estação.

— Depois você coloca no trem.

Ele tira um chapéu imaginário.

— Direto para Londres.

Ele sorri e isso lhe dá um aspecto ainda mais sinistro. Eu me pergunto como pude pensar que ele era um cara normal, com uma vida simples. Ele parece um maníaco. Parece mais do que capaz de estrangular aquela mulher. Mas por enquanto não vou perguntar. Vou fazer com que ele continue falando sobre os pacotes.

O rádio, penso. Se eu conseguisse alcançar o botão de transmissão, talvez conseguisse falar com Doug. Eu poderia manter meu dedo no botão para que não houvesse retorno. Ele ouviria tudo. Talvez eu pudesse até mesmo dizer casualmente algo que lhe permitisse saber onde estou.

— Direto para Londres — digo. — Que inteligente. Como o uísque, antigamente. Mas é claro... Dizem que o proprietário estava envolvido, sabia?

Iain não diz nada, mas olha para mim. *Óbvio*.

— Ah. — A constatação me atinge como um soco no estômago. — O patrão também está envolvido?

Iain não responde... Não precisa.

É como nos velhos tempos: o patrão levando a sua parte no uísque contrabandeado. E eu passei o ano anterior todo cuidando tranquilamente dos meus afazeres no escritório, perguntando-me se o patrão não gostaria de fazer uma propaganda um pouco mais abrangente da propriedade. Claro que não. O negócio deveria ser uma boa fachada para ele — se houvesse visitantes demais, as pessoas poderiam começar a prestar atenção no que não deveriam.

Fui uma completa idiota. Eles devem ter rido da minha cara todo esse tempo. A idiota no escritório, incapaz de enxergar o que estava acontecendo bem debaixo do nariz dela.

— E como você coloca os pacotes no trem? — pergunto. — Sem que ninguém perceba?

Ele olha para mim novamente. Claro: o guarda da estação, Alec. Eu me lembro do seu comportamento quando fui dar uma olhada na estação, como ficou em frente à porta que dava no apartamento dele. Porque ele tinha algo a esconder.

Doug, penso. Será que *ele* sabe? Será que eu sou a única aqui alheia a tudo o que ocorre na propriedade? Deve ter sido uma espécie de troca de favores: faça vista grossa para o que acontece aqui, e nós fazemos vista grossa para sua ficha criminal.

Se eu chamá-lo pelo rádio agora, será que ele vai simplesmente me ignorar? Mas ele não quer que eu morra, certo? Penso em como ele se mostrou vulnerável, em como foi sincero comigo na sede. Mas tudo isso pode ter sido apenas encenação. Porque a verdade, percebo, é que foi tudo uma breve fantasia. Na verdade, eu não o conheço.

Tenho que tentar; é minha única chance. Com movimentos graduais, para não chamar atenção, avanço com a mão, centímetro a centímetro, em direção ao bolso. Iain parece não notar. Ele está estudando a arma como se fosse um animal de estimação particularmente fascinante.

Deslizo a mão para dentro do bolso, devagar, devagar. Meus dedos encontram a antena do rádio, tateando em busca do corpo do aparelho.

— O que você está fazendo, porra?

O rosto dele está sombrio de raiva. Ele vem até mim a passos largos.

— N-nada.

— Tira a mão da merda do bolso.

Ele enfia a mão no meu casaco e pega o rádio. Olha para o aparelho por alguns segundos, com uma fúria muda, e em seguida o joga na parede com mais força do que eu teria imaginado que um homem do seu tamanho fosse capaz. O rádio cai no chão de pedra com um estrépito e quebra.

Agora ele vem na minha direção com um rolo de fita adesiva e ata com agressividade meus pulsos, tão forte que os ossos doem, e em seguida meus tornozelos. Enquanto ele prende meus pés, testo a fita ao redor das minhas mãos. Não consigo movê-las. Parece até que ele as prendeu com uma corrente de metal, tamanha é a resistência da fita. *Eu poderia tentar lhe dar um chute na cabeça enquanto ele está agachado*, penso. Mas não sei ao certo se teria força suficiente nas pernas. Iain não é um homem grande, mas é bem forte: basta ver todo o trabalho que ele faz na propriedade. E se o meu golpe não tiver tanta potência, não for o suficiente para detê-lo — o que é bem provável —, ele simplesmente vai me matar mais rápido.

Iain se levanta, parecendo orgulhoso de seu trabalho. Então, há um estrondo repentino e ensurdecedor. Ele é projetado para a frente, com um olhar de surpresa, e cai em cima de mim, o rifle batendo no chão com um estrépito. Não consigo entender o que acabou de acontecer. Também não vejo nada, porque ele está em cima de mim. E então percebo que a frente do meu casaco cinza está ensopada de sangue vermelho-escuro.

UM DIA ANTES
1º de janeiro de 2019

Miranda

Não acredito que o guarda-caça me rejeitou. Foi humilhante, justo quando eu achava que aquilo poderia fazer com que eu me sentisse um pouco melhor.

A dor de tudo que aconteceu me deixa sem ar. Eu me dobro ao meio, como se alguém tivesse me dado um soco no estômago, e desabo no chão. As pedras machucando meus joelhos parecem algo estranhamente merecido, assim como o frio em minha pele — embora não pareça frio, mas fogo. Devo passar uma impressão muito absurda, ajoelhada aqui com meu vestido dourado e salto agulha. E talvez seja só porque estou pensando no estado em que devo me encontrar... mas de repente tenho a sensação estranha, animal, de que não estou sozinha.

Quando olho ao redor, vejo um breve movimento nas árvores perto do lago. Eu poderia jurar que vi a forma obscurecida de algo — alguém — no breu dos pinheiros. Tenho certeza agora. Tem mais alguém aqui comigo. Ah, que se dane, não me importo. Normalmente, eu teria ficado nervosa. Mas *nada* é capaz de me chocar tanto quanto o que acabei de ver naquela sauna.

Sem dúvida, meu observador, em meio às árvores, está gostando do meu pequeno espetáculo. Penso no sorriso do islandês quando os flagrei na floresta, sua mão me chamando.

— Vá em frente — grito no silêncio. — Pode olhar. Foda-se.

★ ★ ★

Penso em Emma. Vou procurá-la. Preciso falar com alguém. Com sorte, Mark ainda está apagado no sofá da sala de estar da sede. Verifico pelas vidraças. Sim, está lá, todo esparramado.

Bato na porta do chalé deles. Silêncio. Afinal, já passam das quatro da manhã. Tento de novo. Finalmente, a porta se abre. Emma está parada lá, franzindo a testa, parecendo grogue. Ela está com um pijama de seda com debrum, não muito diferente do meu.

— Ah — diz ela. — Oi, Manda.

Normalmente estremeço quando ela me chama assim. Parece muito forçado. Só Julien e Katie de fato me chamam por esse apelido, as duas pessoas mais próximas de mim. Não, a ironia não passa despercebida.

— Posso entrar? — pergunto.

— Claro.

Sem perguntas, sem hesitação. Sinto uma pontada aguda de culpa pela forma como agi com ela. Ela sempre foi legal comigo, enquanto eu, por vezes, me comportei como uma babaca — constrangendo-a na frente dos outros, excluindo-a. Bem, a partir de agora tudo vai ser diferente. Vou ser uma nova pessoa.

Entro atrás dela. O chalé é praticamente igual ao nosso: o único quarto espaçoso, as poltronas e a lareira, o grande dossel, a penteadeira — até a cabeça do cervo pendurada na parede. A principal diferença é que este está impecável, é como entrar em uma realidade paralela. Sempre fomos desleixados demais, nossos pertences estão espalhados por toda parte. *Nossos*, penso, *nós*. Não mais: tudo vai mudar. A casa que compramos juntos, todos os nossos planos. Toda essa história. Minhas pernas de repente não parecem capazes de suportar meu peso.

Cambaleio até o primeiro lugar que encontro para me sentar, que acaba sendo o banquinho da penteadeira.

— Quer beber alguma coisa?

Emma gesticula para o armário de bebidas no canto. Ela ainda não me perguntou o que aconteceu, mas o gesto sugere que ela sabe que tem alguma coisa errada.

— Quero, por favor.

Ela me serve um uísque.

— Mais, por favor — digo, e ela ergue a sobrancelha um milímetro, em seguida coloca mais um pouco no copo.

Pensei que tinha exagerado na bebida à noite, mas de repente me sinto sóbria até demais, minha mente funcionando com uma clareza dolorosa, com imagens muito nítidas, impossíveis de esquecer. Quero parar de vê-las. Quero ficar entorpecida, anestesiada.

Pela janela, vejo que a luz da sauna ainda está acesa. Como eles puderam ser tão burros? É quase como se quisessem ser flagrados. Talvez eles realmente não tenham percebido como o espaço destoa no escuro, como uma lanterna em meio à madrugada. Um farol. Eu me pergunto — embora saiba que não deveria pensar sobre isso — o que eles estão fazendo agora. Será que estão discutindo os próximos passos, como uma dupla de conspiradores? Será que já se vestiram? Não consigo tirar essa imagem da minha cabeça: a palidez dela em contraste com o bronzeado da pele dele, suas cabeças morenas juntas. Tomo um gole do uísque, deixando que ele desça queimando minha garganta, concentrando-me na dor que isso provoca. Mas acho que nem todo o uísque do mundo vai me ajudar a esquecer como era estranha, como era horrível a beleza dos dois juntos.

— Emma, você tem um papel?

Ela ergue levemente as sobrancelhas mais uma vez.

— Er... Acho que sim.

Ela pega um bloco em algum lugar. É a cara de Emma ter um bloco de papel à mão.

Agora minha mente está estranhamente lúcida. Como se um outro poder estivesse me guiando, vou até a penteadeira ao lado da cama, me sento e escrevo um bilhete para Julien. Vou entregá-lo a Emma, para que ela entregue a ele.

A única coisa que quero é provocar o máximo possível de dor, fazê-lo experimentar a sensação de impotência que estou sentindo. Minha mão está tremendo tanto que tenho que pressionar a caneta no papel para controlar minha caligrafia; por duas vezes perfuro a folha. Ótimo. Ele vai ver que não estou brincando. Com um único golpe, ele acabou com tudo o que eu achava que conhecia. Bem, agora vou destruir a vida dele.

PRESENTE
2 de janeiro de 2019

Heather

Doug tira Iain de cima de mim, arrastando-o como se ele fosse um saco de areia, e o deixa no chão, gemendo como um animal. Em seguida, ele se agacha na minha frente e segura meus ombros.

— Você está bem? Heather? Que diabo estava pensando? Segui seus passos pela neve... O que ele fez com você? Jesus Cristo, Heather.

Algo em sua expressão, a preocupação — o cuidado —, é quase insuportável de presenciar. Assim como a sensação da mão dele, agora segurando meu queixo, os dedos calejados, mas o toque suave, afastando o cabelo da minha testa, verificando, com um cuidado infinito, qualquer ferimento. Eu não sabia que um homem tão grande poderia ser tão gentil.

— Está tudo bem — digo. — Não, ele não me machucou.

— Machucou, sim. — Ele tira a mão da lateral da minha cabeça e me mostra a palma coberta de sangue. — Esse filho da p...

Ele se levanta e ergue um pé, como se fosse chutar Iain, que choraminga no chão. A mão pressionando o ombro, de onde o sangue se espalha, formando uma mancha marrom-escura no casaco. Ele parece prestes a desmaiar.

É difícil ver.

— Não, Doug.

Parece que o velho instinto de paramédica ainda está em mim: preservar a vida.

— Por quê? Olha o que ele fez com você, Heather. Não vou deixar isso passar.

— Mas... não queremos que ele morra. — Tem muito sangue. Como Doug ainda não parece convencido, continuo: — E ele pode saber de alguma coisa... Temos que descobrir.

— Está bem — diz ele, após uma breve hesitação.

Ele não parece convencido, mas abaixa o pé. E, diante da minha insistência, faz um curativo, rasgando um pedaço de tecido da barra da própria camisa e pressionando-o contra o ombro de Iain por baixo do casaco, para estancar o sangramento.

Iain o observa com olhos embotados, sem oferecer resistência. Sua pele está acinzentada, seu corpo, curvado. Doug mantém um pé logo acima da virilha dele, para evitar qualquer fuga... embora Iain dificilmente pareça capaz de fazer isso.

— Você vai ficar bem — diz Doug, com um tom neutro, como se pudesse ouvir meus pensamentos. — Só arrebentou o seu ombro. Já vi coisa pior. Vai doer que nem o diabo, é claro, mas... Bem, você merece, não é, *parceiro*?

— Por que você a matou? — pergunto para Iain.

— Como assim?

Ele franze a testa, mas em seguida faz outra careta, por causa da dor.

— A hóspede. Você a empurrou no barranco porque viu alguma coisa? Porque ela estava suspeitando de você?

— Mas eu não matei a hóspede... — Ele geme.

— Não acredito em você — digo.

— Nunca matei ninguém — diz ele, respirando ofegante entre cada palavra, como se subisse um morro correndo. Espero que Doug esteja certo sobre a ferida não ser tão grave assim. — Já fiz algumas coisas ruins na vida, mas nunca *matei* ninguém.

Parece haver uma repugnância genuína em como ele diz "matei", como se realmente fosse algo que considera inaceitável. Mas, ao mesmo tempo, tem feito um belo trabalho bancando o inocente até agora.

— Não matei aquela mulher. Por que eu faria isso?

— Ela pode ter visto alguma coisa — digo. — Da mesma forma que eu vi alguma coisa, e você estava pronto para me matar. Você ia atirar em mim.

— Não, eu não ia. Eu mal sei usar essa coisa. — Ele aponta para o rifle, caído no chão.

Doug empunha o próprio rifle — um aviso. *Eu sei*, o movimento diz. *Eu sei usar*. Iain percebe isso e engole em seco.

— Mas você pegou o rifle no depósito, então deve ter pensado que poderia ser útil de alguma forma — digo.

Ele parece genuinamente perplexo.

— Não. Não, não peguei — diz ele, baixinho.

— Como assim, não pegou? Você passou a última hora com ele apontado para a minha cabeça.

Ele olha para mim como se eu estivesse ficando louca.

— Esse é o rifle que estava com *você* quando chegou aqui. Só apontei porque não queria que você saísse daqui. — Ele se move um pouco e estremece de dor. Ele está todo ensopado de suor. — Olha só, *eu* fui a pessoa que viu algo. Foi por isso que transferi o carregamento... da casa de bombas para cá.

Fico presa a essas palavras. *Eu vi algo.*

— Como assim? — pergunto depressa. — O que você viu?

— Eu vi quando ela foi morta. A garota. E então eu pensei: *Ah, merda, isso aqui vai estar infestado de policiais amanhã de manhã. Vão revistar a propriedade inteira. Vão encontrar tudo.* Eu sabia que tinha que levar o carregamento para bem longe da sede, e tirar tudo da propriedade assim que eles chegassem. Mas eu não tinha parado para pensar na neve. Eles não conseguiriam chegar até aqui... mas também não conseguíamos sair. O trem... — Ele para, como se tivesse falado demais. Aquele *nós* desperta minha atenção, mas não há tempo para refletir sobre isso agora.

— Você está usando os trens? — pergunta Doug.

Ao mesmo tempo, digo:

— Como ela morreu? A mulher. Você disse que viu. Imagino que vá dizer que ela caiu.

— Não. — Ele balança a cabeça. — Claro que não. Ela foi assassinada. Eu vi tudo. Eu estava lá, perto da casa de bombas. Ainda de madrugada, por volta das quatro da manhã, checando as coisas, como eu disse. *Ela* a matou.

— Ela? — pergunto.

— Sim. A outra mulher. Uma das hóspedes. Elas tiveram uma discussão, eu acho... Não consegui ouvir o que era exatamente. Mas eu a escutei dizer: "Você

nunca foi minha amiga de verdade. Amigas não fazem isso umas com as outras."
Aí pensei: *Ah, uma clássica briga de mulher por causa de algum caso ou algo assim. Inconveniente, mas nada importante. Vou ficar quieto, esperando isso acabar e elas liberarem a área.* Mas então vi que uma agarrou a outra pelo pescoço, como se estivesse tentando sufocar as palavras dela. E logo depois deu um empurrão bem no peito dela. E simplesmente assistiu à amiga cair. Fria como gelo.

UM DIA ANTES

1º de janeiro de 2019

Miranda

Esta é a única coisa que me traz algum alívio: pensar no horror de Julien diante da ideia de eu contar ao mundo sobre o que ele fez. *Ele deve estar pensando: Não vou tentar falar com ela por enquanto. Vou tentar daqui a mais ou menos uma hora, quando ela tiver tido tempo de se acalmar.* Só que será tarde demais. Vou me esconder até conseguir pegar o primeiro trem para Londres. Imagino Julien indo até o chalé, encontrando-o vazio, o pânico tomando conta dele. Meu bilhete, deixado para ele: *Não há nada que você possa dizer. Eu nunca deveria ter guardado o seu segredo, para início de conversa.*

— Pronto.

Pouso a caneta, satisfeita com o resultado. A penteadeira está organizada com esmero. Uma escova de cabelo, uma caixinha de madeira, um par de batons. Um deles é Chanel. Eu o viro de cabeça para baixo e leio o pequeno rótulo. *Pirata*: o mesmo tom que uso. Pensei tê-lo reconhecido em Emma ontem à noite, mas é muito difícil saber, pois em cada pessoa a cor fica de um jeito.

— Eu tenho este também — digo. — É o meu favorito.

Na verdade, preciso comprar outro. Perdi meu antigo em algum lugar, provavelmente no forro de uma bolsa.

— Ah, é — diz Emma. — Eu amo esse batom.

Abro o batom e me concentro em aplicá-lo perfeitamente na minha boca diante do espelho, um arco carmesim. Li uma vez que as vendas de batons aumentam em tempos difíceis. Faço um biquinho para mim mesma no espelho. Nunca a expressão "pintura de guerra" pareceu um termo tão apropriado. Meu rosto está pálido, com as olheiras fundas, mas o batom o transforma, dando resolução ao meu rosto.

Tento sorrir, mas logo paro. Pareço transtornada, como o Coringa de Heath Ledger.

— Você fica tão bem de batom — disse Julien certa vez. — Em outras mulheres, parece que elas estão forçando um pouco a barra. Mas você... Como é que dizem? Você nasceu para usar batom.

Pego um lenço de papel e tiro o batom. Agora minha boca parece apenas crua, ensanguentada.

— Olha — diz Emma. — Vamos para a sede? Lá é mais confortável. Mark está apagado na sala, mas mesmo assim...

— Ah, não, obrigada. Não quero ver mais ninguém. Vou pegar o primeiro trem pela manhã e acabou. Nunca mais quero ver Julien ou Katie.

Seus olhos se arregalam.

— Manda... Ah, meu Deus... O que aconteceu?

Eu me imagino dando a notícia com a serenidade e a elegância de uma estrela de cinema dos anos trinta. Mas, para meu horror, percebo que as lágrimas estão vindo; posso senti-las assomando dentro de mim, como uma maré irrefreável. Faz tanto tempo que não choro — desde que recebi meu diploma de terceira classe, enquanto, bem na minha frente, Katie abriu o envelope e revelou um grande e brilhante diploma de primeira classe.

Cerro as mãos, enterrando as unhas na carne macia das palmas.

— Julien e Katie estão dormindo juntos.

Ainda não consigo dizer: *tendo um caso*. Ainda não. Soa tão íntimo, tão sórdido.

— Ah, meu Deus.

Ela coloca a mão na boca. Mas não olha nos meus olhos. Toda aquela performance parece falsa.

Não acredito. Emma, de todas as pessoas, sabia que meu marido estava me traindo? Que porra é essa?

— Você *sabia*?

— Só desde ontem à noite, eu juro. Mark me disse.

Mark, penso... O segredinho de Julien sobre o qual ele me alertou. Era isso. Era isso que ele estava tentando me dizer. Não é de admirar que tenha parecido confuso quando eu disse que não estava interessada em saber.

— Não quis simplesmente ir até você e contar, sabe — diz ela. — Acho que quis dar a Katie ou Julien a chance de fazer isso. Não quis presumir que tivesse algum direito a respeito disso.

— Disso o quê? De me dizer que meu marido e minha melhor amiga estão trepando?

— Sinto muito, Manda. Eu devia ter contado... Nunca vou me perdoar.

Ela parece tão trágica que faço um gesto com a mão para que pare; não tenho tempo para isso.

— Quer saber? Não importa. A questão não é com você. Agora eu sei. E sei o que vou fazer. — Entrego o bilhete para ela. — Olha, quero que você entregue isso a Julien. Não vou conseguir fazer isso.

— Tudo bem — diz ela, pegando o bilhete. — Mas por que...

— Posso tomar mais uma dose? — peço, estendendo meu copo.

— Claro. — Ela sorri. — É medicinal, você sabe.

Ela se afasta e se ocupa em servir o uísque e o gelo.

Para me distrair, mais do que qualquer outra coisa, pego a caixinha na penteadeira. É um objeto lindo, pintado, uma daquelas caixas-segredo chinesas. Minha avó tinha uma. Viro de cabeça para baixo. *É do mesmo estilo que a dela*, penso. Eu costumava brincar com ela — uma vez minha avó me mostrou o segredo, como fazer para abri-la, porque eu estava obcecada. Será que ainda me lembro? Não tenho certeza. Timidamente, pressiono um dos retângulos inferiores; ele não se move. Viro e faço o mesmo do outro lado. O retângulo se mexe. Tenho uma sensação de pura satisfação. Qual é o próximo passo? Ah, sim, o retângulo no lado mais curto. Meus dedos se movimentam por vontade própria, empurrando, girando. Quase lá, só preciso encontrar a alavanca e puxá-la. Se for a mesma caixa, vai se abrir. Aha! Consegui.

— Ah — diz Emma, com uma voz estranha. Está virada para mim, segurando os dois uísques. — Ah, não, não faça isso!

Tarde demais. A caixa se abriu, despejando o conteúdo no chão com uma barulheira. Há muitas coisas, é incrível pensar que tudo estava lá dentro, naquela caixinha.

Ouço o barulho de vidro se quebrando e olho para a frente, confusa. Emma deixou cair ambos os copos de uísque. Há cacos de vidro espalhados pelas tábuas do assoalho, o líquido derramado aos seus pés.

— Ah, merda, eu sou uma idiota — digo.

Mas pelo visto ela não me ouviu. Ela mal parece notar o uísque. Em vez disso, está no chão, catando os objetos caídos entre os cacos de vidro, tentando esconder a bagunça com o corpo.

— Cuidado — digo —, você vai... — E então perco as palavras.

Ela não quer que eu veja, só que é tarde demais. Vários itens que reconheço. Um brinco, perdido no Baile de Verão há onze anos: a noite em que finalmente fiquei com Julien. Eu me lembro quando ele pôs a mão na minha orelha e deu um puxão de leve. "Isso agora é moda? Usar só um brinco? Só você consegue ficar bem assim." Agora parece algo que aconteceu com outra pessoa.

Um pingente. Um presente de Katie do meu aniversário de vinte e um anos. Fiquei muito chateada quando o perdi, porque era um pingente da Tiffany's que ela sabia que eu queria muito, e devia ter custado uma fortuna.

Uma caneta-tinteiro Parker. Não reconheço isso. Ah, não... Acho que reconheço, sim. Perdi essa caneta em algum lugar, nas primeiras semanas de aula na faculdade. Eu era meio relaxada com meus pertences, mas tinha certeza de que uma manhã ela estava na minha bolsa e, à tarde, tinha sumido. Gastei algumas horas inúteis refazendo meus passos. *Alguém deve ter pegado*, pensei na época. Bem: alguém pegou.

Até meu isqueiro, aquele com o brasão, perdido outra noite.

— Emma. Por que todas essas coisas estão com você? São todas minhas. Por que estão aqui?

Penso nos bilhetes deixados no meu escaninho. Em um ou outro item sendo devolvido. Mas não estes, que claramente foram considerados preciosos demais.

— Não sei — diz Emma, sem olhar para mim. — Não sei por que tudo isso está aqui. Eu não tinha ideia do que havia nessa caixa... é do Mark.

Vamos deixar de lado o fato de que não consigo imaginar nem por um segundo Mark tendo um objeto assim. Percebo o modo como ela segura as coisas junto ao peito — a caneta, o brinco, o colar. Penso na expressão em seu rosto — o terror absoluto — quando me viu brincando com a caixa, pouco antes de abri-la. O grito. Os copos de uísque quebrados no chão.

Penso, também, na outra noite.

— Manda, isso é besteira, eu posso explicar.

— Não, Emma. Acho que não pode.

Acabo de me dar conta do que me perturbou tanto no que ela disse na outra noite. Quando falou sobre a festa — aquela em que fiquei presa no banheiro. Ela alegou que aquilo devia ter acontecido em Londres, quando ela estava lá, ou que um dos outros devia ter contado a ela. Mas nenhum deles poderia ter feito isso. Nenhum deles estava lá. Porque não aconteceu em Londres; aconteceu em Oxford.

Foi na minha primeira semana. Agora consigo lembrar com clareza. Foi por isso que fiquei morrendo de vergonha — eu precisava causar uma boa impressão em todos — e nunca contei a nenhum dos outros. Mas Emma, de alguma forma, estava em Oxford. Naquela festa. Não há outra explicação.

Pego meu celular.

— O que você está fazendo? — pergunta ela, agachada no chão, mas olhando para cima.

— Procurando provas.

Por um momento, uma expressão surge em seu rosto — algo violento e urgente — e acho que ela está prestes a avançar para arrancar o celular da minha mão. Mas então ela parece se controlar.

— Provas de quê?

Ela até pode fingir calma, mas sua voz está estranha: alta, estridente.

Não respondo. Estou quase grata a Julien por ter insistido para que ligassem o Wi-Fi da sede. Ainda assim, o Facebook demora um pouco para abrir, e o tempo todo eu vejo Emma, parecendo pronta para dar o bote no meu celular. Por fim, clico nas minhas fotos e começo a procurar entre as imagens. Mal consigo acreditar em quantas são, e como são péssimas, enquanto vasculho as profundezas. Depois de tudo isso, quando estiver começando de novo, vou fazer uma limpa. Enquanto passo as fotos, meu rosto vai ficando cada vez mais jovem — minhas bochechas estão mais cheias, meus olhos parecem maiores. Não acredito no quanto mudei; simplesmente não percebi. No quanto todos nós mudamos. Lá está Julien, o lindo garoto por quem me apaixonei, o garoto que viria a se tornar o homem que acabou de arruinar minha vida. Mas não tenho tempo para isso. Estou procurando outra coisa. Devo ter passado por centenas de fotos, metade das quais nem carregou. Não importa. O que quero está mais embaixo. E então, finalmente, chego lá. Na semana de calouros do primeiro ano. Uma semana de desconhecidos, de tentar escolher entre as pessoas quais se tornarão amigos. Todos os rostos são indiferentes para mim, de modo que seria difícil se lembrar de algum em particular. Foi assim que ela se escondeu. De repente, estou segura do que vou encontrar. E lá está: uma foto daquela festa, tenho certeza agora, aquela em que fiquei presa no banheiro. Um mar de quase adultos perambulando. Péssima qualidade, mas serve. Porque há um rosto entre eles, olhando diretamente para mim, que eu nunca teria notado se Emma não tivesse instigado a minha memória. Cabelo castanho-claro, bochechas mais arredondadas, as feições menos marcadas, os olhos obscurecidos pelos óculos de Harry Potter. Muito mais nova, com uma aparência bem mais descuidada. Tiro os olhos do celular e a comparo com a mulher à minha frente. E, apesar de todas as mudanças, é ela, sem dúvida.

— Não foi Mark — digo. — Foi você, Emma. Você pegou essas coisas. — Ainda não entendi como, mas está claro. — Meu isqueiro — digo, vendo-o brilhar em seus dedos. — Me dá a porra do meu isqueiro, Emma.

Ela me entrega, sem dizer nada. Agora está olhando para mim — com muita atenção, como se tentasse ler minha mente, descobrir o que vou fazer em seguida.

Penso que, mais uma vez, eu gostaria de ter a frieza necessária. Acender um cigarro com este isqueiro, me recostar na cadeira e ordenar que ela me explique tudo. Como ela, Emma, a namoradinha piegas de Mark, que conheço há apenas três anos, no fim das contas se revelou minha *stalker*. Mas não consigo. Duas revelações em uma noite. É demais. De repente, sinto como se tudo que eu achava que conhecia tivesse sido arrancado de mim.

Emma

Então... No fim das contas, Miranda e eu de fato nos conhecemos há muito tempo. Não, não tanto tempo quanto Miranda e Katie, sua "melhor amiga" totalmente falsa. Mas com certeza mais tempo do que Julien ou Mark a conhecem. Para explicar, precisamos voltar no tempo mais de uma década.

Entrevistas em Oxford. Outono. Eu sabia que me sairia bem na entrevista acadêmica. Não havia motivo para me preocupar. Eu sabia que o ligeiro receio, por parte dos meus pais, tinha a ver com a entrevista pessoal. E se tivessem de alguma forma acesso ao meu histórico escolar, com os problemas no meu colégio anterior? Mas eu tinha sido treinada para casos assim. Foi tudo um mal-entendido terrível, vocês sabem como garotas adolescentes podem ser etc. Nenhuma menção ao psiquiatra (pelo visto eles não tinham direito de perguntar sobre isso) ou ao diagnóstico.

Será que, no fundo, eles veriam algo além do meu brilhante histórico acadêmico e enxergariam a verdadeira eu (quem quer que fosse)? E será que isso seria um problema? Porque, na realidade, ninguém tira sete notas máximas nos exames de qualificação para a universidade se não tiver, digamos, certas qualidades obsessivas. O desempenho acadêmico era uma manifestação positiva dessas qualidades. A outra coisa, com aquela garota idiota, era a negativa.

No que diz respeito à temida entrevista, eu me safei. Tive que responder à pergunta sobre "interesses", claro. Enquanto respondia — tênis, filmes franceses do período da Nouvelle Vague (tudo aprendido e decorado de entrevistas com vários diretores de cinema), culinária —, imaginei o que eles pensariam se eu falasse dos meus verdadeiros hobbies. Observação, estudo minucioso, coleção. O único problema era que as coisas que eu gostava de colecionar eram bastante incomuns. Eu gostava de colecionar personalidades.

Eis a questão. Nunca me senti de fato uma pessoa. Não de verdade, do jeito que as outras pessoas pareciam se sentir. Desde muito nova, descobri que era muito boa em determinadas coisas — particularmente nos estudos, na vida acadêmica. Mas uma máquina pode aprender. O que parecia me faltar era uma personalidade própria. Eu não tinha nenhum senso de "eu". Mas tudo bem. O que você não tem, sempre pode pegar emprestado, ou roubar.

Então eu estava sempre atenta a personalidades interessantes, como um parasita procurando por um hospedeiro. Teve uma garota na minha primeira escola, uma história que terminou de uma maneira um tanto desagradável quando ela contou aos pais que eu a seguia até em casa e às vezes ficava sentada na casa da árvore em frente à janela do quarto dela, observando-a. Isso foi muito injusto. Eu estava apenas fazendo meu dever de casa, como qualquer outra criança. Eu podia fazer todo o meu dever de casa de verdade no rápido trajeto de ônibus de volta da escola. Mas o *verdadeiro* estudo para mim era aprender os hábitos dela, estudar como ela era quando estava sozinha, como era seu quarto, que músicas ouvia. Então eu ia para casa e imitava esses gostos e hábitos: comprava os mesmos CDs, as mesmas roupas.

Fui transferida para outra escola depois da reunião com a diretora. Então outra, quando a mesma coisa aconteceu. "Ah", eu disse, com tranquilidade, na entrevista, "meu pai mudava muito de emprego, então moramos no país inteiro, seguindo os passos dele." Ela me dirigiu um olhar pouco convencido, mas — como eu suspeitava — meu desempenho acadêmico superou em muito qualquer outra preocupação.

Conheci Miranda na sala do alojamento da faculdade. Ela tinha uma luz própria. Uma confiança absoluta em quem era. Estava tomando cerveja e jogando sinuca com alguns dos caras, mas em determinando momento pareceu ficar entediada — talvez fosse a adoração servil com a qual eles olhavam para ela. Então, por incrível que pareça, seu olhar parou em mim.

Ela veio e ocupou o assento vazio do outro lado da mesa.

— Oi. Como foram as suas entrevistas?

Fiquei tão atordoada que por um segundo não consegui falar. Olhar para ela era como fitar diretamente o sol. Não era só o fato de ela ser linda. Era o fato de ser tão ela mesma — complexa, contraditória e multifacetada, como eu viria a descobrir —, mas, de maneira absoluta e única, triunfante, *sua própria pessoa*.

— Tenho a mesma sensação — disse ela. — Quer dizer, acho que na primeira eu fui *muito* bem, claro — até hoje me lembro da fabulosa arrogância daquilo —, mas não tenho certeza sobre a segunda. Eles fizeram umas perguntas horríveis sobre o uso de metáforas nos Sonetos Sacros, de John Donne, e eu fiquei totalmente paralisada... Não sei se eles ficaram muito felizes com o meu desempenho. Mas talvez eu tenha me safado. Às vezes isso acontece, né?

Fiz que sim, embora não estivesse realmente certa de qual era a pergunta. A pergunta, na verdade, era irrelevante. Porque eu teria achado absolutamente impossível não concordar com ela.

— Olha — disse ela —, estou precisando mesmo de uma bebida. Chega de cerveja; quero alguma coisa mais forte. Quer beber?

Fiz que sim mais uma vez, ainda entorpecida com aquela surpresa feliz. Tínhamos outra entrevista acadêmica pela manhã, mas isso parecia completamente sem sentido naquele momento.

Ela comprou Jim Beam e Coca-Cola, que na época pareceram a coisa mais sofisticada que eu já havia experimentado: o calor malicioso e pegajoso do bourbon sob toda a doçura do refrigerante. Ela bebeu o dela com um canudo, e de alguma forma fez isso parecer legal. Fiquei esperando que ela realmente me *visse*, ou melhor, visse a ausência de mim, o que faltava; o vazio por dentro. Ela ficaria chocada, ficaria enojada — perceberia o erro e sairia com qualquer uma das outras jovens brilhantes que eram muito mais o tipo dela. Mas isso não aconteceu. O que não consegui perceber naquela época foi que Miranda é — era — alguém que passa tanto tempo lidando com as várias partes distintas de si mesma que não tem muito tempo para enxergar nenhuma outra pessoa. Para notar qualquer discrepância ou lacuna. E isso sempre me serviu muito bem. Além disso, Miranda aprecia um projeto. Ela não gosta de investir no previsível. Tem um gosto eclético, é uma colecionadora à sua maneira. Antes de mais nada, tínhamos isso em comum.

Ela não pareceu se importar com o que eu disse — ou melhor, com o que eu não disse, enquanto fiquei sentada lá, deslumbrada. Ela estava feliz por ter um espelho, uma caixa de ressonância.

Logo de cara ela fez todas as outras pessoas, as anteriores, as causas de tanto sofrimento e vergonha, parecerem apenas avatares sem qualquer resolução. Ali, finalmente, havia algo a emular. Ali estava um projeto de verdade, digno de todos os meus recursos e de toda a minha atenção. Ou, como outras pessoas — pessoas normais — diriam: ali estava alguém que poderia ser minha amiga.

Fomos dançar em uma boate da qual ela ficara sabendo por meio de um aluno do terceiro ano que deveria nos supervisionar mas que passou a maior parte da noite dando em cima dela. Assim que entramos, ela se livrou dele com uma cara de "vai sonhando" e me puxou pela mão. Dançamos em uma pequena pista de dança multicolorida, um espaço retrô e com piso grudento por causa das bebidas derramadas. Pela primeira vez, não me preocupei com a minha gordura, ou com a minha esquisitice, ou — por um instante fugaz e feliz — com a inexistência interior, porque eu estava tomando emprestada a luz dela: eu era como a lua para o sol dela, era inevitável.

Eu não acreditava que a veria novamente quando me aceitassem em Oxford. Seria bom demais para ser verdade, e eu não estava acostumada a ver as coisas que eu desejava acontecerem. Além disso, apesar de toda a sua luz, eu não tinha certeza de que ela teria sido brilhante o suficiente — para os padrões de Oxford — para entrar. Mas lá estava ela, no dia da matrícula. Minha Futura Melhor Amiga. Minha inspiração, meu painel semântico vivo. A fonte à qual eu poderia recorrer na esperança de construir uma personalidade própria.

Fiquei na fila e esperei que ela me notasse. O momento chegaria, é claro, eu só precisava ser paciente. Era impossível que ela não me notasse, pois tivemos uma química instantânea. Melhores amigas à primeira vista. Imaginei exatamente como seria. Ela estaria relaxada na fila de calouros, todos tão crus e desajeitados; daria a impressão de que estava lá havia anos, como se fosse dona do lugar. Seu cabelo, uma reluzente folha de ouro, sua bolsa de couro com livros previamente surrados, sua echarpe de seda quase arrastando no chão. Deslumbrante. E então ela ia parar e olhar uma segunda vez quando me visse. "Ah, é você! Graças a *Deus*, não conheci ninguém com quem valha a pena conversar. Quer tomar um café?"

E todos os outros na fila, que tinham visto apenas a carapaça de uma gorda de óculos, de repente reparariam em algo mais — em uma pessoa digna da atenção daquela Deusa. Esperei por aquele momento como um padre deve aguardar a aparição da presença divina, formigando de expectativa. Ela estava se virando, vindo na minha direção, pegando de maneira indolente a echarpe de seda e a jogando por cima do ombro. E eu ainda esperando, quase tremendo. Fiquei tão comovida que fechei os olhos por alguns segundos. E, quando os abri, ela havia sumido. Eu me virei, incrédula. Ela tinha passado por mim. Direto, sem nem ao menos parar, muito menos dizer oi.

Vi que Miranda estava se virando para falar com a garota atrás dela: cabelo escuro, magra demais, desleixada. Suas roupas claramente fora de moda — numa deselegância inversamente proporcional ao requinte de Miranda. Foi então que entendi: ela já tinha um projeto, um caso perdido. Aquela garota, quem quer que fosse, tinha usurpado meu lugar.

Mesmo assim eu tinha esperança. Esperava que ela notasse minha presença. Ia para a sala comum, me sentava à mesma mesa, ficava observando Miranda no bar, bebendo Jim Beam e Coca-Cola. Eu me sentava perto o suficiente para escutar tudo o que ela falava. Uma vez ouvi que ela odiava a comida do refeitório — mas era péssima na cozinha, então achava que não tinha escolha. Foi então que aprendi a cozinhar, claro. Eu passava horas na cozinha do corredor onde ficava o quarto dela, preparando refeições elaboradas com o mesmo nível de qualidade de qualquer um dos bons restaurantes de Oxford. Eu esperava que ela passasse, parasse na porta e dissesse algo como: "Meu Deus, que cheiro incrível." Então eu ofereceria um pouco — porque era tudo por ela, claro — e nos sentaríamos para comer juntas e nos tornaríamos melhores amigas. E eu poderia mais uma vez pegar um pouco da luz dela emprestada.

Só que isso nunca aconteceu; ela nunca me notou. Nas poucas vezes que de fato passou por mim, estava ocupada demais no celular, ou falando com sua amiga horrível, ou, mais tarde, conversando com aquele namorado tão horrível quanto. Eles se merecem, Katie e Julien. Eles nunca a mereceram.

Penso na garota triste e solitária que se sentava seis cadeiras atrás dela nas aulas — que se lembrava do primeiro dia que ela entrou no auditório. Assim como com as outras, eu não conseguia decidir o que queria mais: ser ela ou simplesmente estar perto dela. Mas percebi de imediato que nenhum dos dois seria possível. Suas amigas não eram nem um pouco parecidas comigo. Nenhuma era tão bonita quanto ela, mas tinham o mesmo verniz de sofisticação — até Katie, desajeitada e de cabelo escorrido, absorvia um pouco do fascínio de Miranda. Elas me rejeitariam, como se eu fosse um corpo estranho.

Comecei a perceber que eu não causara nenhum impacto em sua vida. Em contrapartida, ela havia definido os últimos meses para mim, desde aquela entrevista. Então comecei a segui-la por toda parte. Ela falaria — falou — que isso é coisa de *stalker*. Eu simplesmente chamava de observação atenta. E quando isso deixou de me satisfazer, comecei a pegar coisas. Algumas vezes, itens que eu achava que tivessem valor sentimental. Em outras ocasiões, coisas que eu sabia que tinham grande importância — como o trabalho que ela plagiou ou os brincos roubados. Usei os brincos por uma semana, os pequenos papagaios pintados. Com eles pendurados nas orelhas, eu me sentia um pouco mais ela, um pouco menos eu, como se eles contivessem uma essência de seu poder, de sua personalidade. Eu sorria para baristas em cafeterias, entreguei um trabalho com um dia de atraso e me sentava ao sol às margens do rio Isis para bronzear as pernas. Esperei que ela notasse, que me questionasse a respeito dos brincos. Mas ela nunca fez isso. Certa vez, na rua, percebi que Miranda viu de relance os papagaios e parou de repente. Sua boca formou um pequeno "ö" de surpresa. Então ela balançou a cabeça, como se repreendesse a si mesma por alguma coisa, e seguiu seu caminho. E eu sabia que ela só tinha visto os brincos. Não tinha nem ao menos *me* visto.

Foi então que percebi que poderia forçá-la a prestar atenção. Eu poderia devolver os objetos. Poderia lhe mostrar que não era apenas sua imaginação, ou que ela não tinha se tornado ainda mais descuidada, mais esquecida. Mas algumas coisas, as coisas mais especiais, eu não devolvi. Elas eram meus talismãs, como as relíquias sagradas de uma religião. Quando as levava comigo, me sentia transformada. Eu me tornava o anjo da guarda dela.

Ela era muito desatenta. Talvez fosse apenas porque tinha tantas coisas boas que nem dava muita importância a elas. Um cardigã de caxemira descartado na beira da pista de dança, ou uma faixa de cabelo saindo da bolsa que ela deixara na mesa do café para ir ao banheiro, ou um par de sandálias de salto que tirara no baile e não lembrava onde havia deixado, de tão bêbada que estava. Eu era sua Princesa Encantada. Devolvia cada item com um bilhete cuidadosamente pensado. Imaginava o pequeno frisson que ela sentiria ao saber que tinha um admirador secreto. Seria melhor do que não ter perdido o objeto, para início de conversa.

★ ★ ★

Comecei a me vestir cada vez mais como ela. Fiz uma dieta, alisei e pintei o cabelo. Às vezes, quando me via de relance em uma vitrine, era quase como se ela estivesse lá em vez de mim. Acabei me formando com um diploma de segunda classe, em vez do diploma de primeira classe que meus orientadores haviam previsto. Mas não me importei. Eu tinha tirado nota máxima em me tornar Miranda.

Fui atrás dela em Londres. Sabia onde eles gostavam de beber, ela e os amigos, para onde saíam. O bar de quinta categoria na rua principal, e depois a boate na Clapham High Street, o Inferno's, uma espelunca ainda pior. E foi aí que, enquanto eu tomava uma limonada no bar, Mark me abordou.

É claro que eu sabia quem ele era. No começo, fiquei petrificada, achei que ele tinha ido até lá para tomar satisfação, perguntar por que eu estava ali. Então ele disse: "Posso te pagar um drinque?" Daí em diante, um novo mundo de possibilidades se abriu para mim. De repente, me dei conta de que ele não me via como a esquisitona Emmeline Padgett. Ele me via como uma mulher desejável que tinha conhecido em uma boate, usando sua saia de couro e sua blusa de seda à la Miranda. Então, quando ele me perguntou meu nome, eu respondi: "Emma." Minha heroína favorita de Jane Austen, com quem sempre achei Miranda um pouco parecida.

Algo mágico aconteceu. Como Emma, eu me tornei uma nova pessoa. Era atuação, o lindo distanciamento de mim mesma que eu experimentava no palco em uma peça da escola, quando por alguns momentos conseguia me tornar uma pessoa completamente diferente. Emma poderia ser descolada, sexy, inteligente mas não muito, não o tipo de inteligência que espantava as pessoas. Ela seria uma criatura sociável, alguém sem camadas, sem escuridão. Ela seria tudo que eu não era.

E eu estaria legitimamente perto dela. Seria até mesmo chamada de amiga.

Aquela maldita foto. Eu já tinha pensado nela antes, muitas vezes. É óbvio que eu sabia que estava lá, tenho um conhecimento enciclopédico da conta de Miranda no Facebook. Mas a foto não era minha, eu nem conhecia a pessoa que tinha tirado — então não havia nada que eu pudesse fazer. Poderia ter entrado em contato e pedido para o dono do perfil removê-la do Facebook, mas Miranda o conhecia, e isso acabaria chamando mais atenção para a foto...

Poderia ser pior do que deixá-la lá. Eu não estava marcada na foto — claro, ninguém sabia meu nome. Além disso, eu estava totalmente diferente na época. Seria preciso olhar com muita atenção e saber ao certo o que procurar. Por que alguém analisaria uma foto de quatorze anos e cerca de mil postagens atrás? Achei que estivesse segura. Eu estava segura.

— É você — diz ela. — Sempre fui uma boa fisionomista. — Ela balança a cabeça, como se estivesse tentando pensar com mais clareza. — Tudo faz sentido. Uau, você mudou. Perdeu peso. Pintou o cabelo. Mas sem dúvida nenhuma é você.

— Não, você está errada. Impossível que seja eu nessa foto. Eu estudava em Bath.

Sempre tive orgulho da minha capacidade de blefar e das minhas habilidades de atuação, mas de repente tudo que seja o que digo soa falso, parece a mentira que é. Percebo que não devia ter dito isso. Devia ter dito simplesmente que não sabia do que ela estava falando. Ao negar suas acusações, confirmei que ela estava certa.

Recorro a mais uma tentativa para me salvar.

— Ah, talvez eu tenha aparecido em alguns fins de semana. Eu tinha amigos em Oxford, claro.

Mas é tarde demais. Consigo ouvir ao fundo, como um coro grego: *mentira, mentira, mentira.*

Não parece fazer a menor diferença, no fim das contas. É como se ela não tivesse me ouvido.

— Tudo faz sentido agora. O *stalker* parou quase na mesma época em que você e Mark começaram a namorar. Por um tempo, pensei que fosse ele... Voltei a pensar nisso recentemente. Ele sempre teve uma queda por mim, mas tenho certeza de que você sabe disso. Agora entendo. — Ela faz uma pausa, depois diz: — Sabia que eu sentia pena de você? Achava que Mark estava só usando você, por sua ligeira semelhança comigo. Foi Katie quem chamou atenção para isso, eu nunca teria percebido. Mas era o contrário, não era?

— Eu só quero ser sua amiga.

Eu sei como soa a minha fala. Desesperada, patética. Mas não adianta mentir. Ela já sabe. Talvez seja a hora de revelar tudo.

PRESENTE

2 de janeiro de 2019

Heather

— Como ela era? — pergunto. — Tem certeza de que era mulher?

Iain semicerra os olhos. Ele está muito pálido. Espero que seja apenas por causa da dor, embora eu suspeite de que seja por causa da perda de sangue. Já vi muitas pessoas morrerem em uma ambulância em decorrência de ferimentos não muito piores.

— Iain, como ela era?

— Só uma mulher — diz ele. — Só duas mulheres.

— Você deve ter visto mais que isso — digo. — De que cor era o cabelo dela? Da assassina?

— Não sei — responde ele, soltando outro gemido. — Acho que era claro. Talvez loiro. Não tenho certeza. Era difícil ver direito. Mas com certeza não era escuro.

Ele parece certo disso. As outras duas hóspedes — Samira e Katie — têm cabelo indubitavelmente escuro. Talvez ele não soubesse o tom exato, mas o cabelo de nenhuma das duas pode ser descrito como "claro".

E então algo mais me ocorre.

— Iain, você estava falando a verdade quando disse que não pegou o rifle?

— Por que eu ia mentir? — Ele geme. — Você já sabe de todo o resto. Por que eu ia mentir sobre isso?

Ele tem razão. Mas não quero que isso seja verdade. Porque, se for, ela está com o rifle. E, ao vir para cá, cometemos um erro terrível.

UM DIA ANTES
1º de janeiro de 2019

Miranda

Disparo para fora do chalé. Dá para ouvir os pés de Emma atrás de mim.

— Miranda, por favor, por favor, me escute. Eu não queria que nada disso chateasse você.

Não respondo. Não consigo olhar para ela nem falar mais nada. Não tenho ideia de que direção estou tomando. Não estou indo para o meu chalé nem para a sede. Percebo que estou correndo até a trilha que se estende pela margem do lago. Tenho o plano muito vago de chegar à estação e esperar por um trem. A que horas Heather disse que ele saía? Seis da manhã, não deve demorar muito agora. Sei que ainda estou bêbada, mais do que pensei, e que provavelmente esse plano tem vários problemas, mas meu cérebro está confuso demais para pensar nisso. Vou ver o que faço quando chegar lá. Por enquanto, só preciso fugir.

Eu me embrenho nas árvores. Está mais escuro aqui, mas o brilho da lua penetra por entre os galhos, cintilando sobre mim como uma luz estroboscópica. *O caminho até a estação é longo*, diz uma vozinha lúcida, vinda de algum lugar nos recônditos do meu cérebro. Tento pensar em outra coisa. Poderia correr assim para sempre. Nada dói quando se está bêbado.

O único obstáculo — eu a vejo assomando diante de mim — é a ponte sobre a cachoeira. Vou ter que tomar cuidado lá.

E então, de repente, há um vulto à frente. Um homem. Ele parece algo que acabou de se desprender das entranhas da noite. Está com um capuz na cabeça, como uma personificação da morte, com apenas o brilho branco dos olhos visível. Então ele se afasta de mim correndo, subindo a encosta acima do caminho até as árvores e desaparecendo em uma pequena construção que está quase escondida por ali.

Hesito por um segundo, na beira da ponte. Será que ele vai surgir correndo e me atacar? Ele não gostou de ser visto; deu para perceber. De repente me sinto muito mais sóbria. O medo faz isso.

— Manda.

Eu me viro. Ah, meu Deus. Emma está contornando a curva do caminho. Minha hesitação lhe deu tempo de me alcançar.

— Manda — diz ela, sem fôlego, vindo na minha direção. — Eu só queria ser sua amiga. Isso é algo tão horrível assim?

Emma

— Você nunca foi minha amiga de verdade — diz Miranda agora. — Amigas não fazem isso umas com as outras.

— Não diga isso.

— E você só era minha amiga por causa do Mark. Eu jamais teria escolhido alguém como você para ser amiga. Sempre te achei meio chata, para ser sincera. Uma pessoa rasa, que vive forçando a barra. Tudo faz sentido agora.

Sinto uma dor insuportável sob as costelas, como se ela tivesse enfiado as mãos na minha caixa torácica e apertasse até esmagá-la.

— Você não está falando sério — digo.

— Não? Estou, sim. — Ela sorri. Seu rosto ao mesmo tempo lindo e cruel. — Prefiro esta versão de você. Muito mais interessante. Mesmo que você seja uma esquisita do cacete.

Isso dói.

— Não me chame assim.

— Assim como? — pergunta, com um jeito de valentona do colégio. — De esquisita do cacete?

Lembranças emergem de um lugar escuro e há muito enterrado. Uma sala de aula, no passado remoto, a garota mais popular da turma, que se parece muito com Miranda — sim, percebo agora. Eu não tinha reparado nisso antes. As duas faces, a da memória e a da realidade, parecem convergir. Naquela época, dei um empurrão na garota, um empurrão forte bem no peito, e ela caiu na caixa de areia.

— Meu Deus, a gente chama o nosso grupo de círculo íntimo — diz Miranda. — Os melhores amigos, os que ficaram depois que todos os outros se afastaram. Mas essas outras pessoas é que foram sensatas ao quererem distância. Elas viram que a única coisa que nos mantinha juntos era um passado frágil. Bem, vou pegar o trem e começar uma vida nova, uma vida em que eu não precise olhar a cara de nenhum de vocês de novo. Principalmente a sua.

— Não diga isso, Manda.

— Não me chame de Manda. Você não tem o direito de me chamar assim. Pode sair da minha frente, por favor? Acho que duas pessoas não podem ficar em cima desta ponte ao mesmo tempo.

Eu não me mexo.

— Você não pode dizer isso, Manda. Tudo o que eu sempre quis foi estar perto de você, ser parte de sua vida.

Ela estende as mãos, como se quisesse se esquivar das minhas palavras.

— Me deixa em paz, sua psicopata maldita.

Aquela palavra. É um reflexo. Estendo as mãos e agarro o pescoço dela. Ela é mais alta do que eu, provavelmente mais forte — por causa de todas aquelas aulas de boxe e pilates. Mas tenho o elemento surpresa. Eu cheguei primeiro.

Não sei exatamente o que fazer a partir daí. Só quero que ela pare de falar, só quero impedi-la de dizer essas coisas horríveis que eu sei que são só da boca para fora. Estou muito decepcionada com ela. Como pôde ver aqueles presentinhos — os bilhetes elaborados — como coisa de psicopata?

Ela é como um deles, um dos adultos que tentaram me diagnosticar, muito tempo atrás. Não é psicopatia, na verdade. Transtorno de personalidade. Esse é o termo "oficial" para o que eu supostamente tenho.

Mas conheço a verdadeira definição. A sensação por trás de todo aquele esforço. Todos aqueles pequenos roubos e devoluções, todo aquele trabalho para seguir os passos dela, para fazer com que Mark gostasse de mim, para me tornar parte do grupo.

Amor. É só isso.

Não sei quando percebo que não há mais som vindo dela. Ela se tornou estranhamente pesada, flácida. Está caída em meus braços, de modo que estou suportando todo o seu peso. É com uma espécie de horror irrefletido que a empurro para longe de mim, com muita força. Como uma vez empurrei aquela garota, na primeira escola — aquela que zombou de mim porque eu me vestia que nem ela, porque a seguia na volta para casa. Nenhum dano mais grave, apenas um cotovelo quebrado. O suficiente, no entanto, para a diretora convocar meus pais para uma reunião e eles anunciarem que eu estava saindo da escola antes que ela pudesse dizer a palavra "expulsão". Era melhor para a reputação de todos se ninguém fizesse muito alarde sobre tudo aquilo.

Só que, naquela ocasião, ela caiu de costas na caixa de areia.

Eu tinha me esquecido. Juro. Tinha me esquecido de que estávamos paradas na beirada da ponte, uns doze metros acima da cachoeira congelada. Quando ela cai, sua cabeça pende para trás e seus membros estão frouxos como os de um boneco de pano — quase cômicos, girando como as pás de um moinho. Então ela desaparece no ar e há um longo silêncio.

— Manda? — chamo delicadamente. Mas acho que já sei que ela não vai responder. — Manda?

Apenas silêncio.

Quando me debruço para olhar, lá está ela. É quase como se estivesse dormindo.

Exceto pelo fato de que as pernas estão em ângulos estranhos, esparramadas — e ela é tão graciosa, minha Miranda. Há também uma mancha vermelha ao redor da cabeça, onde ela bateu nas pedras — uma explosão estelar, uma supernova de vermelho —, e algo mais, num tom mais claro, misturado ao sangue, algo em que não quero pensar.

Olho ao redor. Será que alguém viu? A paisagem está completamente deserta. Não há ninguém em lugar nenhum. Não gosto muito da pequena construção logo acima da cachoeira. Mas não tem ninguém lá, é claro, é só o jeito como ela ficou durante o fim de semana inteiro: as janelas escuras, como olhos vazios.

A neve continua a cair, como a cortina descendo após o último ato. Ou uma mortalha branca — para cobrir o lindo corpo espatifado na cachoeira lá embaixo. Ela cobre minhas pegadas, preenchendo-as enquanto me afasto, como se nunca tivessem existido.

Começo a chorar. Por ela, por mim mesma, pelo que perdi.

PRESENTE

2 de janeiro de 2019

Heather

— Doug, tenho que voltar para a sede agora. Você fica aqui, para garantir que ele fique bem.

— Nem pensar. Não vou deixar você sair correndo para tentar se matar de novo. Nós vamos juntos.

Sua escolha de palavras me detém. Se matar. Invoca uma ideia que está no limiar do meu pensamento. Porque, quando decidi ir até a antiga sede, eu sabia que estaria em perigo. Àquela altura, eu tinha quase certeza de que Iain estava armado. Eu sabia que havia uma chance de ser assassinada. Eu estava apostando nessa chance. Sim, era tão arriscado quanto uma missão suicida. E não, não quero parar para pensar no que isso significa.

Doug me ajuda a ficar de pé. O movimento repentino faz tudo rodar — eu tinha me esquecido do golpe na cabeça. Ele passa um dos braços ao meu redor para me sustentar.

Sinto o calor do seu corpo, mesmo através das nossas roupas. Dou um passo para trás.

— E ele? — Aponto para Iain.

— Ele está bem. Vamos deixá-lo aqui para pensar no que fez.

— Ele não parece muito bem, Doug.

É verdade, embora tampouco pareça pior do que antes. A hemorragia deve ter sido, em grande parte, estancada pela gaze improvisada de Doug.

— Não estou, não — diz Iain. — Não estou me sentindo muito bem. Me levem com vocês.

— Se estivesse tão mal assim — retruca Doug, brutalmente —, já teria perdido os sentidos há meia hora. Você pode ficar aqui guardando seu precioso carregamento até voltarmos para buscá-lo.

De repente me ocorre que pode haver uma chance de obter sinal no meu celular. De vez em quando, no alto das montanhas, o sinal aparece. Pego o aparelho, levanto o braço, ativo e desativo o modo avião e, por fim, com um grito de triunfo, consigo fazer brotar uma única barrinha solitária.

— Para quem você vai ligar? — pergunta Doug.

— Para a polícia.

Iain estremece, como se alguém tivesse acabado de cutucar o ferimento em seu ombro.

Percebo que, no tempo que estivemos aqui, parou de nevar. O helicóptero da polícia pode vir até nós agora. Mas eles não estão cientes da nova urgência da situação.

— Por favor — digo ao atendente —, me passe para o inspetor John MacBride. Tenho algo muito importante para dizer a ele.

Emma

Quem você acha que pegou o rifle do depósito? Eu, é claro! Taraaam!
Adquiri habilidade para perceber as coisas ao longo dos anos. E tenho memória fotográfica. A senha ficou guardada no pequeno arquivo da minha mente no segundo em que o idiota do guarda-caça a digitou.
Sério, o que Miranda viu nele? Ela sempre teve um péssimo gosto para homens.
Há um telefone tocando incessantemente no escritório do outro lado do corredor da sala de estar.
— Por que ela não atende? — pergunta Mark. — Ou ele? Pode ser algo importante. Pode ser a polícia.
Esperamos o telefone parar de tocar, mas ele recomeça um minuto depois.
— Vou dar uma olhada para ver o que está acontecendo — digo.

O resto da sede parece particularmente tranquilo. É o silêncio do vazio. Mesmo antes de abrir a porta do escritório, tenho certeza de que a batidinha que dou é desnecessária. Eles não estão aqui. Nem Heather, nem o idiota do guarda-caça. O telefone está na mesa, ainda tocando. O som é tão alto que quase parece vibrar no silêncio.

Eu atendo.

— Alô.

— Heather Macintyre? — A voz do outro lado é quase pré-adolescente. — O inspetor John MacBride me pediu para ligar para você. Tentei o seu celular, mas a ligação foi direto para a caixa de mensagem.

Algum instinto me impele a responder, modulando minha voz para um leve sotaque de Edimburgo (eu disse que sempre fui boa atriz):

— Sim. Aqui é a Heather. Como posso ajudar?

— O inspetor está indo até vocês, de helicóptero. — Há um prazer evidente na maneira como ele diz isso, como se estivesse gostando do drama.

— Finalmente — digo. — Bem, é uma excelente notícia.

Eles não têm como ligar o assassinato a mim, acho. Mesmo que consigam fazer sua mágica forense com DNA e fibras — bem, eu estava usando o casaco de Mark, e nosso DNA vai estar todo misturado. Não haveria nada de estranho em encontrar fragmentos da minha pele na dela, ou fios do meu cabelo em seu corpo. Afinal, viajamos juntas de trem, comemos juntas, dançamos e nos abraçamos nos últimos dias. Devo isto a Miranda: não deixar me pegarem, entende? Porque ainda terei minha chance de vingá-la.

— Ele também... — O atendente tosse. Juro que ouço uma nota aguda, como se ele estivesse mudando de voz (Deus, se eles estão praticamente empregando crianças para atender o telefone, tenho ainda menos a temer do que pensava). — Ele também pediu que você não faça nada que possa alarmar a... suspeita.

— A suspeita? — pergunto.

— Sim... Bem, é claro. — Ele fala depressa, agora com ansiedade, como se soubesse que cometeu um erro: — Ela não será considerada *oficialmente* suspeita até avaliarmos a situação. Mas aquela que você diz que foi vista, naquela noite, com a vítima.

Ela.

Quero pedir que ele repita, só para ter certeza... mesmo sabendo exatamente o que ouvi. Fazer isso, no entanto, despertaria suspeitas.

Mas ninguém viu. Eu *quase* digo isso em voz alta. Meu choque é um lapso momentâneo. Acho, em descontrole, que eles devem estar falando de Katie. Sim, deve ser isso. Talvez Julien a tenha entregado para salvar a própria pele, ou algo assim...

Mas não tenho certeza de que posso me dar ao luxo de pensar dessa maneira.

Não é da prisão que tenho medo. Eu mereço pagar pelo que fiz. Embora nenhuma punição seja pior do que a que já infligi a mim mesma: perder Miranda, meu ídolo, minha estrela-guia. Meu medo é de não ter tempo de vingá-la. Bem, vou ter que apressar as coisas.

Katie

— Katie — chama Emma. — Posso dar uma palavrinha com você lá fora?

Há uma urgência estranha no seu tom de voz. Eu me pergunto do que se tratava o telefonema que ela acabou de atender. De todos nós, ela parece ter sido a mais abalada pela morte de Miranda, se é que isso é possível. Suponho que Julien e eu tenhamos que lidar com a nossa cota de culpa, o que complica as coisas. Ainda não consegui descobrir qual das duas emoções sinto com mais intensidade: luto ou ódio de mim mesma. De alguma maneira, tudo isso parece nossa culpa. Mas Emma passou o dia olhando para o chão, sem dizer praticamente nada. Ela saiu correndo para atender o telefone como se esperasse que fosse alguém alegando um terrível mal-entendido: que Miranda tinha sido encontrada viva, no fim das contas; que todo o resto tinha sido um grande equívoco.

— Por favor, é importante — diz ela.

— Está bem.

Eu me levanto e vou atrás dela. Emma me conduz pelo corredor, em direção à frente da sede, onde a neve se espraia imaculada como um edredom à margem do lago. Percebo que parou de nevar. É uma boa notícia, não?

— Quem era no telefone? — pergunto. — Era a polícia?

— Era — responde Emma. — Parece que eles têm um suspeito.

— Quem?

— Venha comigo — diz. Seu rosto está marcado com alguma emoção poderosa que não consigo decifrar. Ela acena com a mão. — Não quero que ninguém mais nos ouça.

Isso só pode significar uma coisa. É um de nós. *Mark*, penso. Eu sei que não pode ser Julien — depois que acordei de um sono agitado, ele estava ao meu lado no sofá, de boca aberta. Na verdade, tive que checar para ver se ele estava vivo. Só pode ser Mark. Ah, meu Deus, isso explica a expressão estranha no rosto de Emma.

— Emma — digo, indo na direção dela. — É... É quem eu acho que é?

Ele sempre foi obcecado por Miranda. Cheguei a avisá-la, mas ela não levou a sério. Sempre achou que sabia se defender sozinha.

Então Emma faz algo estranho. Ela se curva e passa a mão pela neve, como se estivesse à procura de algo.

— O que você está fazendo? — pergunto.

Quando ela se levanta, vejo que está segurando alguma coisa. Levo um segundo para perceber o que é. Meu corpo parece ter entendido antes da minha mente: de repente meus membros estão paralisados, minha espinha, rígida.

— Emma. O que você vai fazer com isso?

Ela não parece registrar a pergunta. Seu rosto inteiro se transformou. Ela parece uma estranha, não a mulher que conheço há três anos.

— A culpa é sua — sussurra ela. — Tudo o que aconteceu com ela. Se não tivesse descoberto sobre vocês dois e o casinho nojento, ela não teria ficado tão alterada. Não teria dito as coisas horríveis que disse. Não foi culpa dela. Não foi culpa minha. A culpa foi sua.

Tento falar, mas não consigo emitir som algum, sai apenas uma bolha de ar da minha boca. Ouço um estranho ruído retumbante, incrivelmente alto, ao nosso redor — o som de algo rufando, *tum, tum, tum*, como um batimento cardíaco em altíssimo volume. Não vejo nada que explique o ruído, no entanto. Talvez, no fim das contas, seja apenas o sangue latejando em meus ouvidos.

— Não entendo, Emma. Não dá para entender o que você está dizendo.

— Claro que não — diz ela. — Porque você é burra demais. — Ela cospe a palavra. — Você nunca a mereceu como amiga.

Vejo algo mudar em sua expressão; um espasmo de dor. Então me dou conta.

— Foi você — digo.

Ela não responde. Apenas ergue as sobrancelhas e faz algo com o rifle, produzindo um estalido sinistro. Ele está levantado, na direção do meu esterno.

Não mire na cabeça, ouço o guarda-caça dizendo. *Mire no corpo, onde todos os órgãos internos estão reunidos. Um tiro desses tem muito mais chance de ser fatal.*

Vejo o rosto de Emma, como ficou depois que ela atirou no cervo, ungida com sangue, marcada como uma assassina.

Não tenho tempo de fazer nada antes de ouvir o som do disparo. Sinto algo me atingir com uma força terrível. Quando caio no chão, tudo fica preto.

Doug

A sede parece estar inacreditavelmente distante, muito mais do que parecia na subida. Sob a neve, emaranhados de mato se prendem aos tornozelos deles e ameaçam derrubá-los a cada passo. A distância parece ter aumentado também por causa das novas informações que eles têm, a constatação de como a situação na sede pode ficar perigosa. Eles cometeram um grande erro ao deixarem os hóspedes por conta própria. Mas só de saber o que Iain poderia ter feito a Heather, Doug não se arrepende da decisão que tomou.

Finalmente chegam ao caminho que leva à sede. E bem acima deles um grande pássaro de metal começa a descer das nuvens, as hélices zunindo com uma pulsação ensurdecedora. Por um momento, Doug é levado para nove anos atrás, para um lugar de medo e escuridão — apesar da luz ofuscante do deserto —, e o helicóptero se torna um instrumento de guerra: um apache circulando no alto, tentando identificar as posições inimigas. Ele diz a si mesmo que é a polícia, que isso é bom. Os grandes pinheiros-escoceses estão perdendo a cobertura nevada, agitando-se violentamente com a ação das hélices.

De repente, Heather dá um grito horrorizado e começa a correr. Por incrível que pareça, é ele quem tem dificuldade para acompanhá-la. Então ele vê o que a assustou. As duas mulheres, uma loira e outra morena, frente a frente diante da sede. A loira está abaixada, tirando algo da neve. Ele sabe o que é antes mesmo de ver na mão dela. O longo e elegante cano, letal a distância — mas catastrófico a três metros, que é o que separa as duas agora.

Eles finalmente chegaram a um terreno plano. E antes que Doug consiga impedi-la, Heather corre na direção delas. Nenhuma das duas mulheres a vê, de tão concentradas que estão uma na outra. Ele também começa a correr, na direção da que está armada. É tarde demais. Quando o rifle dispara, ele vê Heather pular em cima da mulher de cabelo escuro, derrubando-a.

Ele vê uma explosão em um lugar distante, aquele momento terrível — os homens, seus amigos, todos mortos por causa de sua hesitação. Ele se força a voltar ao presente. E se joga ao lado dela, onde a neve está salpicada com seu sangue.

EPÍLOGO

Heather

Quando despertei pela primeira vez depois de um sono profundo, não fazia ideia de quem eu era, muito menos de onde estava. A primeira pessoa que vi foi Doug.

— Oi — disse ele. — Espero que não se importe de eu estar aqui.

— Você tem um homem e tanto ao seu lado. Ele ficou sentado naquele lugar durante todo o tempo de sua cirurgia, esperando você recobrar os sentidos — disse a enfermeira antes de sair do quarto.

Olhei para Doug. Ele parecia envergonhado, como se tivesse sido flagrado fazendo alguma coisa errada.

— Tive que dizer a eles que estávamos juntos — explicou Doug em voz baixa. — Caso contrário, teriam me mandado embora. Espero que você também não se importe com isso.

Sua mão estava a poucos centímetros da minha, pousada no lençol. Com certo esforço, ergui a mão e a coloquei sobre a dele. Ela parecia milagrosamente quente e viva. Era a primeira vez que eu tocava outro ser humano, de maneira significativa, em muito, muito tempo.

* * *

Nas duas horas seguintes, todos chegaram, depois do longo trajeto de carro de Edimburgo: os amigos cuja felicidade e plenitude eu evitava havia um ano. E, claro, minha família: minha mãe repetindo que "sabia que tinha alguma coisa de ruim naquele lugar". E o que percebi foi: sou amada. Eu amo. Perdi meu grande amor, aquele que por anos me definiu, que tinha se tornado o somatório total de quem eu era. Tanto que, quando se foi, tive certeza de que não havia mais nada a salvar.

Não sei ao certo o que me levou a fazer o que fiz. Vi toda a cena se desenrolando diante de mim, como se estivesse em câmera lenta, e percebi que havia tempo, e que eu tinha o elemento surpresa. Eu *podia* fazer alguma coisa. Não parei para pensar no perigo que eu corria, não havia tempo para isso. Não pensei nisso nem sequer quando a bala penetrou meu abdômen. Foi só quando já estava caída no chão, sem fôlego, e a dor me invadiu em uma onda tão intensa que me convenci de que estava morrendo. Mas agora me pergunto se foi alguma lembrança de Jamie — sempre colocando a vida de estranhos antes da própria — que me impeliu.

Iain está bem. Na verdade, parece que ele está na mesma ala que eu, em algum lugar. Com uma escolta policial, naturalmente. De acordo com Doug, ele estava com tanta dor que confessou tudo, soluçando, quando a polícia apareceu na antiga sede. Pelo visto ele era uma engrenagem em uma máquina muito maior: as drogas vinham de um laboratório na Islândia. Ingvar e Kristin? Não eram seus nomes verdadeiros, obviamente. Suas mochilas carregavam algo *muito* mais valioso do que equipamento de caminhada. O guarda da estação recebia mais que o dobro do próprio salário para fazer vista grossa: algumas malas aparentemente inofensivas eram descarregadas na outra ponta, entregues nas boates luxuosas do patrão. E a véspera de Ano-Novo era a melhor época para isso: todos distraídos, os serviços de emergência sobrecarregados.

Quem girava essas engrenagens, claro, era o patrão. Ao que parece, ele e Iain se conheciam havia muito tempo. Quando era mais novo, Iain cumpriu uma longa pena por roubo de carro e saiu da cadeia sem muitas opções. Finalmente, conseguiu um emprego como segurança de uma boate de luxo em Londres. O dono do estabelecimento o abordou com uma oferta: um trabalho mais fácil, um salário melhor, um novo começo. As drogas, descobriu-se, eram a principal fonte de dinheiro do patrão o tempo todo. Não as boates, nem a propriedade — embora ambos proporcionassem uma ótima fachada e fossem essenciais para o caminho do produto do laboratório islandês até o destino final: os usuários cheios de grana. Eles o pegaram tomando suco de laranja no lounge da primeira classe no aeroporto de Heathrow, prestes a fugir do país.

Uma bela tacada para a delegacia de Fort William. Um assassinato *e* uma apreensão de drogas, tudo na mesma serena imensidão quase deserta. Uma imensidão que não é para mim (e não apenas por causa do assassinato e da apreensão de drogas). Vou sentir falta do meu mergulho matinal no lago, claro. E — uma surpresa até para mim — vou sentir falta do meu colega de trabalho taciturno. Doug concordou em vir passar o fim de semana comigo depois que eu estiver novamente instalada em Edimburgo. Comprei um sofá-cama para hóspedes, que pode ou não ser usado. Ele tem as próprias questões para resolver primeiro, sua própria jornada. Acho que nós dois estávamos vivendo no limbo. Ambos fugindo da morte e, ao fazê-lo, fugindo de todo o resto. Agora é hora de retomar a difícil tarefa de viver.

Katie

Devo dar à luz em algumas semanas. Houve a preocupação de que eu pudesse perder o bebê, depois de ser derrubada no chão daquele jeito — mas ela ficou bem. Ela: é uma menina. Vou continuar indo ao trabalho até o parto. Tenho trabalhado muito, feito muitas horas extras e dormido menos do que deveria na minha condição. Mas tem sido uma distração. Toda a minha gravidez transcorreu misturada ao luto por Miranda. Sim, luto. Sei que pode ser difícil de acreditar, considerando a péssima amiga que fui para ela nos últimos tempos. E como ela às vezes me tratava. É verdade, eu nem sempre gostava de Miranda. Às vezes simplesmente a odiava. Mas eu a amava. É o que acontece quando se conhece alguém há tanto tempo. Você vê todos os seus defeitos, é verdade, mas também conhece as melhores qualidades — e Miranda tinha muitas. Ninguém era capaz de animar uma festa como ela. Ninguém ofereceria seu melhor vestido emprestado em um piscar de olhos. E não há muitas garotas populares de treze anos dispostas a arriscar todo o seu capital social para resgatar uma desconhecida. Ela era, a seu modo, absolutamente única. Ninguém poderia ser uma aliada mais ferrenha. E, sim, ninguém poderia ser uma inimiga mais terrível.

A não ser, talvez, uma pessoa.

Emma estava impressionante no julgamento, muito contrita, angustiada e bem-vestida — embora *não tanto*. A semelhança com Miranda, a loira sedutora, a *femme fatale*, tinha desaparecido. Imagino que não seja muito aconselhável adotar um visual *fatale* quando se está sendo julgada por assassinato. Seu cabelo tinha sido pintado com o castanho de antigamente, bem recatado, e ela usava uma camisa de gola alta com babado quase vitoriana: parecia algo entre uma menina de coral e uma professora primária. Ela chorou ao explicar que Miranda tinha começado a provocá-la por causa de sua condição, apesar de suas tentativas de se explicar. Ah, ela não teve a intenção de estrangular Miranda, segundo alegou. Houve uma briga, sim, depois que Miranda disse coisas terríveis — imperdoáveis. Foi legítima defesa. Miranda estava bêbada e vingativa, foi para cima dela com unhas e dentes. Ela a empurrou e então, ao se dar conta das consequências do empurrão, tentou salvar Miranda agarrando a coisa mais próxima ao seu alcance... o pescoço dela.

Não, não me parece muito provável — a promotoria também não achou. Deveria ser impossível *não* condenar com base em tantas provas. Mas vivemos em um mundo pós-verdade. O júri engoliu a história dela. Eles simplesmente *não* conseguiram condená-la por homicídio doloso. Não aquela pessoa bem articulada, calma e dócil que parecia a filha de um amigo ou uma garota da qual se lembravam dos tempos de escola. Pessoas como ela não cometiam assassinato. Não *assassinato* de fato. Elas simplesmente se envolviam em acidentes infelizes.

Os jornais compararam o caso dela ao de outra ex-aluna de Oxford, alguns anos atrás, que esfaqueou o namorado com uma faca de pão. Pessoas como elas simplesmente não vão para a cadeia. A defesa, por sua vez, se empenhou em pintar uma imagem de Miranda como uma pessoa infeliz: alguém cuja vida estava desmoronando por trás da fachada reluzente. Uma bêbada. Usuária de drogas — afinal, ela havia fornecido drogas ao nosso grupo na primeira noite da viagem. Emma, era importante frisar, se abstivera de consumir qualquer coisa. E Miranda era propensa a um comportamento errático e agressivo, a defesa afirmou: afinal, ela tinha forçado Mark a beber o champanhe e me obrigado a entrar no lago gelado. Manipuladora, maníaca, instável — ela estava se consultando com um psicoterapeuta, não estava?

Homicídio culposo, essa foi a acusação. E uma sentença de quatro anos. Ela — a mulher que empurrou minha amiga mais antiga para a morte e tentou me matar — vai estar livre de novo daqui a quatro anos. Tento não pensar sobre isso.

Quanto ao restante deles — a não ser por Nick e Bo, é claro —, eu estava certa em suspeitar de que não tínhamos nada em comum. Miranda realmente era o elo. E o passado, suponho: a preguiça do hábito. Não estou aqui para tentar me absolver. Meu comportamento não foi melhor do que o de nenhum deles, e foi muito pior do que o de alguns. Mas isso não é parte do problema? Velhos amigos não nos confrontam com nossos defeitos. Não tenho sido uma boa pessoa. Precisava de alguma coisa que me mostrasse isso. Só queria que não tivesse sido como foi.

O grupo se fragmentou. O círculo íntimo implodiu. Não há mais centro nem alta sacerdotisa. Samira e Giles estão, imagino, muito felizes em Balham com todos os seus amigos do curso pré-natal, que não usam drogas, não viram garrafas de champanhe nem matam uns aos outros.

Nick e Bo estão voltando para Nova York. Mark já — entenda como quiser — encontrou uma quase-mas-não-exatamente substituta de Miranda na agência onde trabalha. O caminho de Julien foi o mais radical. Ele foi passar um mês em Goa fazendo uma desintoxicação — embora acompanhado da flexível instrutora de ioga da academia que ele frequentava em Londres, então talvez haja mais nessa história do que o desejo de se tornar um mestre zen. Ele me disse que vai voltar a tempo do nascimento... Que azar. Se eu pudesse ter esse bebê sem nunca mais olhar na cara dele, acho que não me importaria nem um pouco. Mas agora estou ligada a ele para sempre. O pai da minha filha. Não era exatamente o rompimento que eu desejava — com ele e, por associação, com todo o grupo. Ainda assim, pelo menos nunca mais vou ter que passar nenhum maldito feriado com eles.

Eu gostaria agora de conhecer pessoas que me conheçam por quem *sou* — não por quem eu era. Que não vão esperar que eu volte a desempenhar um papel no qual não me encaixo mais. Que não vão me ver como um projeto em andamento, mas como uma pessoa inteira, totalmente formada.

Semana passada, quando concluímos nosso último caso no escritório, decidi sair para tomar um raro drinque (refrigerante de flor de sabugueiro para mim) com meus colegas. E até que eles não são tão ruins — podem até ser normais quando não estão imersos no ar fétido do escritório, trabalhando exaustiva e repetitivamente em contratos. Há um cara, Tom, da equipe de litígio, que na verdade não parece nada mal, sem o paletó amassado, os óculos e o temor a Deus em seus olhos.

Talvez seja hora de fazer novos amigos.

AGRADECIMENTOS

A Al — por me levar ao lugar que inspirou este livro, pelas longas caminhadas na neve conspirando e pelas tardes lendo... Vinte por cento definitivamente merecidos!

Ao meu querido Hoge — obrigada por todo o seu tempo e pelos sábios conselhos editoriais. Este livro não seria o mesmo sem você!

A minhas fabulosas agentes, Cath Summerhayes e Alexandra Machinist, que me apoiaram muito nessa mudança para o lado escuro! E muito obrigada a Luke Speed, Melissa Pimentel e Irene Magrelli.

A Kim Young, editora extraordinária, e sua fantástica equipe na HarperCollins: Charlotte Brabbin, Emilie Chambeyron, Jaime Frost, Ann Bissell, Abbie Salter e Eloisa Clegg. Obrigada por toda a paixão e a imaginação que vocês estão dedicando à publicação deste livro.

A Katherine Nintzel e sua equipe de sonhos na William Morrow Stateside: Vedika Khanna, Liate Stehlik, Lynn Grady, Nyamekye Waliyaya, Stephanie Vallejo, Aryana Hendrawan, Eliza Rosenberry, Katherine Turro.

A Jamie Laurenson e Patrick Walters, da See-Saw — estou muito animada com sua visão para dar vida ao livro na tela!

1ª edição	DEZEMBRO DE 2019
reimpressão	OUTUBRO DE 2023
impressão	CROMOSETE
papel de miolo	PÓLEN NATURAL 80G/M²
papel de capa	CARTÃO SUPREMO ALTA ALVURA 250G/M²
tipografia	BEMBO